D1231492

LA NOVELA CHILENA

Texto compuesto con
Linotype Baskerville 9/10, 8/9 y 6/7
y títulos con *Monotype Binny* 24 y 30.
Se terminó de imprimir en los
talleres gráficos de EDITORIAL UNIVERSITARIA, S. A.
San Francisco 454, Santiago, Chile,
en el mes de julio de 1976
2.000 ejemplares.

Proyectó la edición *Mauricio Amster.*
Cubierta de *Susana Wald.*

1ª edición, 1968.
2ª edición, 1970.
3ª edición, 1971.
4ª edición, 1976.

IMPRESO EN CHILE / PRINTED IN CHILE

CEDOMIL GOIĆ

La novela chilena

Los mitos degradados

CUARTA EDICIÓN

EDITORIAL UNIVERSITARIA

Colección

TEORÍA LITERARIA

1. Cedomil Goić, *La novela chilena.*
2. Robert Humphrey, *La corriente de la conciencia en la novela moderna.*
3. José Miguel Ibáñez Langlois, *La creación poética.*
4. Alberto Escobar, *La partida inconclusa.*
5. Jaime Giordano, *La edad del ensueño.*
6. Félix Vodička y Oldřich Bělič, *El mundo de las letras.*
7. Juan Villegas, *La interpretación de la obra dramática.*
8. Walter Binni, *La poética del decadentismo.*
9. André Jolles, *Las formas simples*
10. Irmtrud König v. Prinz, *John Gay y Bertolt Brecht; Dos visiones del mundo.*
11. Edwin Muir, *La estructura de la novela.*

I N D I C E

A Maggie
A Jorge, Pablo, Mariana, Nicolás
e Irene

Quasi cursores vitae lampada tradunt.

Lucrecio

Dígoos verdad, señor compadre, que por su estilo es el mejor libro del mundo: aquí comen los caballeros y duermen y mueren en sus camas, y hacen testamento antes de su muerte, con otras cosas de que todos los demás libros de este género carecen.

Quijote, i, vi

"It [art] awakens, or ought to awaken, or induces, or ought to induce, an aesthetic stasis, an ideal pity an ideal terror, a stasis called forth, prolonged and at last dissolved by what I call the rhythm of beauty".
"What is that exactly" asked Lynch.
"Rhythm", said Stephen, "is the first formal aesthetic relation of part to part in any aesthetic whole or of an aesthetic whole to its part or parts or of any part to the aesthetic whole of which it is a part".

Joyce

Dépouiller le roman de tous les éléments qui n'appartiennent pas spécifiquement au roman.

Gide

Paradójico sería hacer una historia de la novela chilena más extensa que la novela chilena.

Glosando a J. L. Borges

El fárrago nos mata.

Alfonso Reyes

PROLOGO A LA CUARTA EDICION

El prólogo a la cuarta edición no tiene otro propósito que el de agradecer a los lectores la desusada acogida que han querido brindar a este libro. No es corriente que una obra de estudios literarios se reimprima cuatro veces ni lo es que se lean cosa de diez mil ejemplares de un libro de esta especie.

Junto al crítico agorero soy acaso el primer sorprendido por este hecho.

Con motivo de su publicación, el libro recibió una sorprendente acogida de la crítica. Quiero aprovechar la oportunidad para agradecer los términos generosos de las resenciones siguientes que enumero sin excepciones: *Alone,* "Crónica literaria", *El Mercurio* (Santiago y Valparaíso, 14 de julio, 1968), artículo insólito que desató una reacción en cadena de simpatía, que debo agradecerle; Homero Castillo, *Hispania* LII, 3 (Sep. 1969), 533-534; Marcelo Coddou, *Revista Hispánica Moderna* 35, 1-2 (1969), 130-132; Norman Cortés, *Revista del Pacífico* 5 (Valparaíso, 1968), 217-219; Juan Durán, *Revista Iberoamericana* 69 (1969), 560-563; Thomas E. Lyon, *Books Abroad* 43, 2 (April 1969), 230; Hugo Montes, *El Sur* (Concepción, 2 de noviembre, 1969); y *Revista Interamericana de Bibliografía* XX, 3 (julio-septiembre, 1970), 346-348; Yerko Moretić, en sus dos cuidadosos y serios artículos de *El Siglo* (14 de julio, 1968) y (21 de julio, 1968), 14; Nelson Osorio *El Siglo* (5 de agosto, 1968); José Promis, *La Unión* (Valparaíso, 28 de julio, 1968); Víctor Raviola, *Stylo* 7 (Temuco, 1968), 220-224; Horst Rogmann, *Iberoromania* 3, 2 (München, Juli 1971), 188-191, una de las más pormenorizadas y serias reseñas que se han publicado de nuestro libro; Antonio Skarmeta, "Otra vuelta a la tuerca", *Ercilla* 1725 (10 de julio, 1968), 51-52.

Sobre la significación de la obra en la historia de los estudios literarios en Chile e Hispanoamérica se han ocupado: Norman Cortés, "Presencia de la actual 'Literaturwissenschaft' en la obra de algunos investigadores chilenos", *Boletín de Estudios Germánicos* IX (1972), 251-261; Agustín Cueva, "Ciencia de la literatura e ideología de clase en América", *CESO* 2 (abril-junio 1972, 67-72, con fundamental incomprensión y espíritu sectario; Mario Rodríguez, "La nueva crítica nacional", *Arbol de letras* 6 (1968).

En 1968, *La Novela chilena* recibió dos galardones: el Premio Municipalidad de Santiago y el Premio Pedro de Oña al mejor libro del género publicado en el año.

De modo especial han contribuido al éxito de este libro los estudiantes a quienes está fundamentalmente dedicado.

Debo agregar a la lista de los estudiantes a quienes estaba originalmente dirigido como obra que se gestó en el diálogo con ellos, a los estudiantes chilenos, canadienses y norteamericanos que estudiaron conmigo entre los años 1968 y 1974, en las universidades de Wisconsin (Madison), California (Berkeley), Ohio State (Columbus), Michigan (Ann Arbor), en los EE. UU., Université Laval (Québec) en Canadá, y en las universidades Católica de Valparaíso y Católica de Chile. A ellos debo agregar también a los que han sido o son mis alumnos de las antiguas sedes de Occidente y de Oriente de la Universidad de Chile. Agradezco este diálogo fecundo que ha permitido mantener vivos los temas de este libro y que ha abierto en la discusión y el trabajo académico un perfeccionamiento de sus métodos y resultados que me permite avanzar la promesa de una obra más ambiciosa para un futuro próximo.

Como se señala en la *Introducción,* el libro está destinado al análisis de ocho novelas y ésta es su característica esencial. El criterio de ordenación y de clasificación periódica tiene en él un carácter secundario frente a lo anterior. La periodización y el enfoque histórico literario fue desarrollado en mi *Historia de la novela hispanoamericana* (Ediciones Universitarias de Valparaíso, 1972). El lector interesado podrá encontrar precisiones teóricas y un esquema aplicado a toda la literatura hispanoamericana en mi artículo "La périodisation littéraire dans l'histoire de la littérature hispano-americaine", *Etudes Littéraires* 3 (Québec 1975).

El desconocimiento de numerosos autores que significaría el estudio de sólo ocho novelistas chilenos y de sólo una obra de cada uno, queda excusada por las limitaciones expresamente puestas al objeto de nuestro estudio, y, por otra parte, por mi *Bibliografía de la novela chilena del siglo* XX (Santiago, 1962). Esto nos exime de la presunción del crítico malévolo —que nunca ha hecho investigación bibliográfica—, de ignorar la cuantía de la producción novelística chilena.

Las correcciones al libro se hicieron en la tercera edición, de modo que la presente va sin mayores innovaciones. Esperamos una oportunidad ulterior para ampliar la obra en su parte informativa y en el número de los autores y de las obras estudiadas.

Santiago, mayo de 1976.

INTRODUCCION

El asunto que nos preocupa es la novela chilena. La estudiamos desde su origen hasta nuestros días en ocho momentos de particular relieve. Estos momentos están representados por ocho novelas escogidas entre las más importantes de otros tantos novelistas. Cada novelista, por su parte, ha sido escogido como la figura más representativa de su generación y el estudio de su obra se ha ordenado, consiguientemente, en el sentido del despliegue de la serie de las generaciones en la literatura chilena. Con el mismo criterio aquí establecido, la serie de obras y autores pudo variar y puede legítimamente variar para quienquiera que sea. La justificación de la serie se encuentra en el propósito de representar con la mayor fidelidad posible los momentos de cambio más significativos en la novela chilena. En todo caso, se encontrará aquí un escorzo de lo que la novela chilena es y bueno sería que este libro estimulase a otros a integrar una imagen más completa con una nueva serie de obras y autores.

La novela chilena ha sido comúnmente estudiada en los aspectos que tocan a su contenido y a las relaciones entre novela y sociedad; se ha elaborado además un pequeño grupo de temas de no muy variada índole. En este libro nos hemos propuesto conceder atención preferente a la obra literaria misma, a las novelas consideradas en particular. En la medida en que establecemos relaciones con aspectos generales o ajenos a la obra, lo hacemos todavía dentro de la esfera literaria. En ella vamos a buscar el fundamento gregario de algunas particularidades de la novela y, en general, de los rasgos que permiten establecer su situación en un momento de la historia literaria, que es donde inmediatamente está situada.

Se trata de un análisis de la estructura de ocho novelas. Tratamos de analizarlas en sus elementos fundamentales, que consideramos interdependientes y ordenados jerárquicamente en una unidad de sentido. No analizamos la novela considerando sus diversos aspectos como compartimientos estancos, como hacía la crítica tradicional, sino que tratamos de sorprender su necesidad interior, su conexión intrínseca. A través del análisis de la estructura del narrador (narrador ficticio, múltiples narradores, lector ficticio apelado, modos narrativos, tipos de narración), del contenido del mundo (niveles de realidad y modos de experiencia del mundo, argumento, fábula, motivos, motivaciones, caracteres, escenarios), y de la determinación de la estructura de la novela (tipos de novela —espacial, de personajes—, subtipos —personal, dramática, de época—, leyes de estructura), se podrá ver el juego de relaciones que se establece en el interior de la obra.

La obra es una estructura y de este hecho se desprenden consecuencias importantes para la comprensión del desarrollo que toma este libro. Entre otras, la siguiente: la novela puede ser abordada a partir de cualesquiera de sus elementos sin que se pierda su sentido de totalidad y por lo mismo, cualquiera de sus elementos fundamentales puede constituirse en criterio de clasificación o periodización. Estructura del narrador, contenido del mundo y estructura de la novela, permiten reconocer lo que constituye efectivamente tradición literaria en la novela chilena; permiten determinar sus momentos de continuidad y de discontinuidad; reconocer las variaciones estructurales significativas, los momentos de cambio; observar la actualización de posibilidades de estructura de la novela o su significación intemporal; y trazar, en fin, históricamente, el múltiple condicionamiento de la aparición de nuevas formas.

Las novelas analizadas aparecen, en primer término, como actualizaciones de un género o tipo de novela. Desde este punto de vista distinguimos entre la novela chilena moderna —que se estudia en los capítulo I a V—, de la novela chilena contemporánea —estudiada en los capítulos VI a VIII—. Constituyen géneros diferentes porque es distinta la estructura del narrador en su configuración típica; es otro el contenido general del mundo; y, finalmente, la estructura de la novela muestra diferentes tipos.

En los cinco primeros capítulos, hemos dado lugar a consideraciones sobre el concepto y la función de la literatura y de la novela de los autores tratados, aparte del esclarecimiento de la estructura de la obra en particular, para mostrar en qué medida se relacionan estos conceptos del novelista con lo realizado en sus novelas y cuál sea el sentido en que puede hablarse de funciones extraliterarias en la novela. Pero, en general, como queda dicho, no consideramos la novelas en sus relaciones con la sociedad —otra oportunidad podría hacer propicia esa investigación—, sino con diversas formas de la esfera literaria. La concepción de la literatura y de su función son elementos de la literatura, tienen su historia y han experimentado cambios significativos que la crítica ordinariamente ignora y que no pueden ser pasados por alto. No existe una sola forma de concebir la literatura como expresión y función social ni todas las concepciones nacionalistas o autoctonistas de la literatura son iguales. Los cambios en la concepción de la literatura y de su función van diferenciados notoriamente por la tendencia literaria en que se articulan. Cada tendencia conlleva una diferente teoría del saber y de la literatura, y porta una gama de preferencias en asuntos, motivos, motivaciones, caracteres y escenarios, que deben ser esclarecidos de modo neto y distinto.

Es tal vez el de tendencia literaria uno de los conceptos más difíciles de la historia literaria. En este libro nos interesa en la medida en que la tendencia literaria se manifiesta en los cambios y en los momentos gregarios que informan la novela. Las interpretaciones del narrador, la motivación de los acontecimientos y de los personajes, están fuertemente condicionados por el vigor de la tendencia literaria dominante. También lo está, de ordinario, la ley de estructura que preside la configuración del mundo y, en definitiva, el tema y el sentido total de la obra, pues la estructura completa actualiza los rasgos de la tendencia literaria. Novela Romántica, Naturalista y Superrealista, son formas bien diferenciadas.

Dentro de una misma tendencia literaria dominante es posible, sin embargo, sorprender diversos modos en que la tendencia aparece asumida según la altitud de las generaciones. Un ejemplo crucial lo ofrece el Período Naturalista que permite discernir con claridad una Generación Criollista, de una Generación Modernista y de una Generación Mundonovista.

La obra permite también reconocer ciertos rasgos individuales que nos han permitido acuñar categorías como: el pesimismo lastarriano, el fustigante criticismo y el optimismo de Blest Gana, el impresionismo y la ironía de Vicente Grez, la fe cientificista y el profetismo de Orrego Luco, el sentimentalismo de Rojas, el lirismo de la Bombal, la espectacularidad de lo grotesco y el primitivismo de Donoso.

Hemos realizado, por último, algunas generalizaciones que alcanzan tanto a las novelas en particular como al género en cuanto expresión de una concepción del mundo. Y hemos sorprendido en ellas un revelador plano de significado que viene a justificar el título puesto a este libro sobre la novela chilena: *Los Mitos Degradados.* Los mitos degradados debe entenderse aquí en un sentido particular. Ya decía Ortega que la novela moderna es un descenso o caída del mito y enseñaba cómo la novela realista había aniquilado el mito y con ello la poesía en honor a la verosimilitud y al determinismo, es decir, a la ciencia. Esto es ciertamente así y mostramos cómo acontece en la novela chilena moderna en las páginas que siguen. Pero no es en este sentido en el que hablamos de los mitos degradados, o no en este solo sentido. Una nueva comprensión se abre cuando sorprendemos que en ese sacrificio del mito en aras de la ciencia alienta todavía el mito degradado en novela. Se trata de la expresión de una suprema aspiración humana que quiere ver la historia redimiéndose de sus contradicciones y de su imperfección en una meta que se ve remota, pero que una profunda creencia concibe como la causa final del acontecer histórico: un paraíso de libertad y racionalidad que constituye el último horizonte de la historia.

En la novela contemporánea, que ha roto con su actitud irracionalista la entereza del realismo tradicional, se representa de nuevo como esta aspiración esencial del corazón humano. Las limitaciones de la existencia, el carácter ominoso del mundo, no abruman definitivamente al hombre ni aniquilan su esperanza. Tampoco le llenan de conformidad. Por el contrario, despiertan en él oscuras aspiraciones de eternidad e infinito, de comunión universal y de solidaridad humana, de autenticidad y pureza, que arraigan, como en su fundamento, en la pasión, el alma y la sangre, que dominan la muerte y prevalecen sobre las limitaciones del mundo. Amor de un imposible que queda reducido a la pura fuerza del anhelo, de la ciega aspiración y esperanza de salvación en un mundo que es todo acechanza y destrucción. La novela contemporánea parece cobrar revancha sobre el ciego cientificismo que aniquilaba el sentimiento y afirma ahora en las oscuras fuentes de éste la fe que la novela moderna depositaba en la razón. Cae de un mito en otro. De esta manera la novela representa, en último análisis, el triunfo de la conciencia mítica sobre la conciencia racional y la conciencia existencial.

Este libro tiene variado origen. Primeramente, incluye, con algunas modificaciones, la tesis doctoral sobre *La Novela Chilena Moderna* presentada a la Universidad de Chile para obtener el grado de Doctor en Filosofía. Comprende los capítulos I a V. En su forma completa constituye una investigación realizada como miembro del Instituto de Investigaciones Histórico-Culturales de la Facultad de Filosofía y Educación de la Universidad de Chile. De los capítulos de este trabajo, sólo el capítulo VII fue publicado anteriormente, reproduciéndose aquí con leves modificaciones.

El presente libro, dividido en ocho capítulos, se completa con una BIBLIOGRAFIA correspondiente a cada capítulo, que consulta: la obra narrativa del autor de la novela estudiada, las ediciones de esa obra, las publicaciones de crítica literaria del novelista. Incluye, luego, referencias generales o de conjunto sobre el autor, y, por último, referencias críticas específicas sobre las novelas estudiadas en cada caso. Estas últimas se acompañan con comentarios o notas críticas que destacan su importancia o sus aspectos salientes. La BIBLIOGRAFIA va seguida de NOTAS abundantes a cada capítulo, que incluyen citas y una variada gama de ampliaciones, sobre todo en relación a la situación de las obras, pero que sirven también al esclarecimiento de ciertos términos y conceptos y a varias ordenaciones periodológicas, todas las cuales espero sean de utilidad al lector. En ellas se encontrará también una variada bibliografía de carácter general, especialmente relacionada con la historia y la teoría de la novela. La ordenación de la bibliografía sobre la novela chilena queda incorporada en la información bibliográfica correspondiente a cada capítulo. Nos hemos ahorrado el aparato excesivo que habría significado reordenarla en otro lugar del libro con repetición enfadosa.

Los antecedentes y la situación de este libro deben buscarse, eminentemente, en la cátedra y en la crítica universitaria. En tal sentido, dejan una huella importante en este libro los quince años en que nos ha tocado servir las cátedras de Literatura Chilena y de Literatura Hispanoamericana de la Universidad de Chile. Sucesor de Mariano Latorre y de Ricardo Latcham en esas cátedras, nos ha correspondido traer, luego del naturalismo del primero y del intuitivo comparativismo del segundo, una nueva concepción de la literatura y de la obra literaria con la atención puesta preferentemente sobre el análisis de la obra literaria misma. Durante esos años hemos querido renovar las disciplinas, los métodos literarios y docentes; la formación de repertorios y cuerpos bibliográficos; la preparación de docentes universitarios e investigadores.

Los antecedentes inmediatos de este libro, atendidos sus principios fundamentales —concepción de la obra literaria como estructura de lenguaje, concepción de la literatura como esfera autónoma, concepción de una conciencia estructuralista, actividad intencional del espíritu que descubre estructuras en la realidad— se encuentran en las líneas dominantes de la crítica y de la ciencia literaria contemporánea. En este aspecto, este libro está ligado y en deuda con *La estructura de la obra literaria,* de Félix Martínez Bonati y con la obra de Jorge Guzmán, *Una constante didáctico-moral en el Libro de Buen Amor,* que son la expresión más madura de la renovación de la teoría literaria y de la crítica en nuestro país.

Como escrito en horas difíciles en que recibí muestras reconfortantes de amistad y lealtad, quiero ligar a este libro mi reconocimiento más profundo a mis amigos y colegas Félix Martínez Bonati, hoy Rector de la Universidad Austral de Chile, y Jorge Guzmán; a Félix Schwartzmann, a quien debo mucho por sus inapreciables consejos y su sabiduría y por el generoso derroche de su tiempo inestimable; a Roque E. Scarpa, por su bonhomía y generosidad; a Heinz Schulte-Herbrüggen, cuya adhesión y simpatía compromete mi gratitud; a Mario Rodríguez Fernández, de quien me siento profundamente deudor, como colega y amigo, con quien trabajé en estrecha colaboración, por el diálogo y por su amistad leal, durante seis años fecundos y provechosos; a los colegas y amigos Carlos Foresti y Norman Cortés, de quienes siempre recibí pruebas de noble amistad; a Luis Iñigo Madrigal, por su colaboración; a Federico Schopf, por su leal condición y su generosidad juvenil; a Lucía Invernizzi, por su inestimable colaboración y su espíritu de justicia.

A mis alumnos de la Universidad de Chile, en Santiago y en Valparaíso, y a mis alumnos de los últimos años de la Universidad de Tejas, en Austin, USA, va dirigido principalmente este libro, que ellos reclamaban.

Austin, Tejas, mayo de 1967.

I DON GUILLERMO

La obra narrativa de José Victorino Lastarria es significativa y estimable por ser la primera en que se asume propiamente las formas de la novela moderna. El fenómeno de la asunción de las formas modernas de la literatura es, con todo, un fenómeno gregario. Correspondió a la generación de Lastarria, en especial, y a las generaciones románticas, en general, este acontecimiento[1]. El lugar destacado que ocupa Lastarria durante este período se debe en particular a su carácter de guía espiritual, a su tentativa de determinar los rasgos de la literatura nacional en sus exposiciones teóricas o programáticas y a su condición de iniciador de la creación novelística en Chile dentro de las normas de la novela moderna[2]. En la literatura chilena, el complejo dominio de las formas narrativas modernas es un fenómeno tardío que deja casi medio siglo en blanco en la historia literaria del siglo XIX[3]. El retardo se traduce literariamente en la acumulación destemporalizada de diversas tradiciones literarias y de autores desplazados de las preferencias vivas de la literatura europea[4]. La novela moderna es aprehendida en Chile a través del conocimiento de la novela española —Cervantes y la picaresca—, de los costumbristas del siglo XIX, de los novelistas ingleses del siglo XVIII y del más moderno influjo de la novela histórica de Sir Walter Scott, acaso la influencia más poderosa y universal durante el período romántico; de la novela francesa del siglo XVIII y del realismo de Stendhal y Balzac. La obra de estos novelistas, la de los últimos nombrados en especial, dicta normas ejemplares de modernidad a la novela chilena como a toda la novela hispanoamericana durante el período señalado[5].

La obra de Lastarria posee todavía más complejos elementos provenientes de diversas tradiciones que revelan muy variadas lecturas. Da muestras claras y numerosas de haberse posesionado su autor de la significación de las formas literarias, de haber penetrado sensiblemente en el 'jardín de formas' de la literatura[6]. Nuestra intención es demostrar que Lastarria asume efectivamente las normas de la novela moderna y que su mérito, si tiene alguno, es haber sido el primero y el más representativo de los escritores de su generación en tomar conciencia de la estructura del género. La creación de su obra narrativa aparece así condicionada por la norma genérica moderna, que asume con pleno dominio. Está igualmente condicionada por la tendencia romántica vigente que caracteriza todo el período[7], por el sistema de preferencias de su generación[8], y, sobre todo, por los particulares rasgos de su personalidad que confieren una apreciable singularidad a su obra, tanto en las virtudes que pudieran apuntarse como en las limitaciones que en ella se hacen patentes[9].

A continuación se considerará un ejemplo de la narrativa de Lastarria que permite apreciar hasta qué punto el novelista posee efectivamente la significación que más arriba se le atribuye. La novela *Don Guillermo (Historia contemporánea)*, publicada por primera vez en 1860, presenta para este efecto no sólo el atractivo de su originalidad sino también el carácter representativo y problemático de la narrativa del autor.

1 ESTRUCTURA DEL NARRADOR

El análisis de la estructura del narrador permite abordar la novela en uno de sus aspectos más significativos.

En el narrador de la novela *Don Guillermo* se distinguen con claridad las características del narrador personal, uno de los elementos fundamentales de la novela moderna[10]. La condición personal del narrador determina una configuración peculiar de la situación narrativa, es decir, establece una clase de relaciones entre los elementos que la conforman –narrador, narración, mundo y lector– caracterizadas por la diferenciación objetiva de sus elementos, por la nitidez de las distancias y por la complejidad ambigua de las relaciones que entre ellos se establecen[11].

El narrador, como figura ficticia, se convierte en un ser perfectamente discernible, provisto de una gama rica y variable de rasgos que le confieren un carácter concreto y una efectiva dimensión personal. Percibimos en él la voz de un narrador concreto. Lo reconocemos por su entonación, por el ritmo de sus períodos, por la articulación de sus oraciones, así como por el ánimo festivo con que se refiere a su propia persona o nos confiesa su admiración y su consiguiente curiosidad y aun por la manera en que nos comunica cómo su observación curiosa lo engaña por las aparentes modificaciones del objeto observado. En su primera presentación el narrador cambia su mirada constantemente del objeto inmediato de su contemplación, que ha encontrado en el medio ordinario de sus andanzas –la fonda del Aguila, en la calle Cochrane de Valparaíso, año de 1828–, a sus lectores –"imagináos cuál no sería mi admiración"[12]–, al mundo, en fin, en que se mueve. El narrador es de esta manera una parte de la novela; por eso lo vemos adaptarse también a los modos diversos de ser de lo narrado: su disposición es variablemente festiva, satírica, seria, esperanzada, llena de decepción o autoirónica, en diferentes momentos de la narración. Hay humor como actitud dominante, pero al concluir la narración no lo hay ya tanto, porque el narrador siente real y seriamente el fracaso de las transformaciones esperadas en el mundo exterior[13]. Al morir la figura en que depositaba la representación de las aspiraciones libertarias, intenta traducir a los términos reales del mundo exterior las esperanzas a que no quiere ni puede renunciar.

En una novela como *Don Guillermo* puede percibirse la significación alcanzada por el narrador, como narrador personal, a través del diferenciado carácter que le asignan: su información culta, su curiosidad, su parcialidad ideológica; el parangón que establece entre los dos mundos —inferior y superior—; la ironía con que lo hace y el sentido que comunica a las situaciones; su apreciación desconfiada de las mujeres; su conocimiento de Valparaíso y su opinión sobre las autoridades edilicias en relación a la penuria lodosa de los caminos porteños. O por el relieve que le otorga su buena información sobre las tradiciones populares y las creencias folklóricas o sobre los accidentes del camino de Valparaíso a Santiago. El humor que vierte sobre sí mismo y las esperanzas que pone, escatológicamente, en la superación de las limitaciones del mundo, le confieren igualmente una singularidad que se acrecienta por el modo en que se dispone a narrar la historia del caballero inglés y la manera en que valora su propia capacidad de observación y en que, finalmente, se dispone a contar con humor y por momentos cómicamente algo que se adivina serio y trascendente para él.

La situación narrativa se configura con vivos rasgos personales no sólo en la singularidad con que el narrador se enfrenta al mundo y lo considera, sino también en la manera cómo se relaciona con el lector a quien se dirige. A él comunica sus dudas o sus certezas, lo hace participar en las situaciones narrativas comprometiéndolo, haciéndolo esperar, llamándolo a seguirlo, compartiendo con él los problemas técnicos de su narración, excusándose por las libertades que se toma o por las ignorancias que afecta frente a determinados acontecimientos. En todos estos movimientos se percibe la presencia de un narrador personal. Siente el lector que vuelve hacia él su mirada, que le dirige la palabra, para atraer su curiosidad, primero, para hacerse acompañar en su exploración, después; para proponerle con intención ambigua, luego, "cosas estupendas sin daño de nadie y sin peligro"[14]; para retomar el hilo perdido indicando hacia otro momento de la narración: "Pero, a propósito, ¿qué es de Mr. Livingston, a quien hemos dejado despatarrado en la playa después de su descomunal pelea con la fiera de los cuernos?"[15]; o para excusarse: "¿qué mucho es que un narrador deje a su héroe estirado en el agua, mientras da cuenta a sus oyentes de una Julia que se había atravesado en su cuento?"[16]. Por último se tornará gravemente hacia el lector para comprometerlo en lo acaecido en el plano exterior del mundo donde el peregrino de la libertad cumple su misión: "¿Y nosotros qué hemos hecho? Nada. ¡Un solo viaje! ¿Para atrás o para adelante? Ese es el problema"[17].

El cambio continuo en la orientación de la mirada —al lector, al personaje, a la narración en conjunto, a los diversos aspectos del mundo—, proporciona una vivacidad particular a este hablar personal.

El lenguaje, por su parte, se hace algo más que pura comunicación, se complica en una dimensión ambigua: el narrador habla festivamente de cosas serias, se hace partidario aparente de una causa que le repugna; muestra un mundo de exigencias aparentes en contraste con la efectiva invalidez que les asigna; aborda el sarcasmo, la ironía, y la sátira en sus momentos reflexivos, que son extensos y significativos para la interpretación. Narra con protestas constantes de objetividad y de racionalidad. Su método se hace cuidadosamente objetivo, pero crea una doble perspectiva dominante y múltiples perspectivas secundarias, entrelazadas, que encubren bajo las apariencias del mundo, diversas referencias y estratos de referencias que revelan el verdadero ser de las cosas en un plano de profundidad mayor. Este procedimiento rompe la congruencia entre los medios directos e indirectos de expresión y establece una ley de incongruencia que es rasgo característico de la novela moderna[18]. El lector tiene que dejar de creer con ciega confianza en las palabras, contar con que hay en juego diversas perspectivas; debe dominar el arte de la interpretación; se ve obligado a representar los más distintos papeles llamado por el narrador.

Condición de esa hermenéutica de las observaciones del narrador y de su crítica social, inherente a la estructura de las situaciones o desarrollada en extensos comentarios, es la creencia en el progreso indefinido y en la racionalidad del acontecer histórico. Sólo esta creencia puede establecer una auténtica comunidad del lector con el espíritu del narrador. Ciertamente, el narrador invoca esta creencia para legitimar el sentido de su narración. Ella explica, por otra parte, la opción que ejerce el narrador al adoptar matizadamente perspectivas casi exclusivamente políticas y sociales que se conciben en correlación con estados particulares del pensamiento y de la opinión[19]. El satanismo sarcástico de la observación, vinculado a una bien definida tradición costumbrista[20], que el propio narrador llama *parricida*[21] —el espíritu que destapa y revela las maldades, las necedades y las perversiones que la hipocresía oculta bajo el exterior de la realidad política y social—, convierte al narrador en la encarnación de una actitud humana que se retrata, que se conoce a sí misma y entrega su imagen verídica. El narrador hace historia social y acentúa así un rasgo que acompaña desde sus orígenes a la novela moderna[22].

2 CONTENIDO DEL MUNDO

El mundo a que el narrador se refiere y con el que establece tan sutiles y penetrantes lazos responde en la novela de Lastarria, también, a las notas características de la novela moderna[23]. El contenido cósmico representa el mundo de todos los días, el mundo de la sociedad donde animan los sectores de la vida privada, el hogar, la familia, la calle, los lugares públicos donde anima la comunidad, la vida de la pequeña ciudad. Esos lugares adquieren caracteres concretos, bien determinados y descritos con exactitud. Los personajes que viven en esos lugares son seres comunes, semejantes a todos los seres humanos, con sus vicios y sus virtudes, sus sentimientos y sus pasiones, sus aspiraciones y decepciones[24].

En la novela de Lastarria el carácter concreto que estos elementos adquieren, proviene tanto de la tradición ya establecida de la novela, que él asume, como del ejercicio local del costumbrismo[25].

La exactitud en la descripción de lugares, paisajes y ambientes o en la caracterización de personajes típicos tiene su origen en la disciplina del artículo de costumbres practicada desde la generación anterior a Lastarria por *Jotabeche* y otros costumbristas[26]. Lo mismo puede decirse de la búsqueda de creencias populares y de la representación del bajo pueblo[27]. El carácter concreto de estas descripciones procede igualmente de los propósitos nacionalistas del novelista; propósitos que dictan al contenido de sus obras la incorporación de las costumbres, de la historia y de la naturaleza del país como exigencias materiales que constituyen el fundamento de su nacionalismo literario[28]. Al mismo propósito obedece la estricta historicidad que confiere al mundo narrativo mediante claras precisiones cronológicas que hacen fácilmente identificables los rasgos de época que se ponen de manifiesto en el mundo. Posiblemente aprendió Lastarria en Stendhal, cuya obra conocía, este énfasis en los datos que dan exacta precisión a las condiciones del tiempo y del espacio en sus novelas[29]. La descripción de la naturaleza lo convierte en uno de los paisajistas del período[30].

Don Guillermo lleva el subtítulo de 'Historia contemporánea (1860)', es decir, se propone como una novela de época del mismo modo que las novelas de Stendhal o Balzac. De esta manera todas las peculiaridades del mundo se fijan con exacta determinación histórica; cada detalle, desde la vestimenta a las costumbres, desde las actividades hasta las dimensiones urbanas. Esto hace posible anotar los cambios, mostrar sensiblemente la marcha del progreso y apuntar la singularidad de cada momento.

El tratamiento de personajes cualesquiera de la vida ordinaria, condicionados por las circunstancias históricas, como objetos de representación seria, se constituye en otro rasgo importante que pone a Lastarria en la línea de los grandes maestros de la novela decimonónica. Estos destruyeron la ley clásica que distinguía niveles de estilo —alto, medio y bajo— para los correspondientes niveles de realidad. Los niveles medio y bajo, que dominan la novela moderna, son tratados seriamente y no en la forma pintoresca o cómica, si no grotesca, que la tradición clásica había impuesto[31]. De esta manera Lastarria abrió en la novela chilena el camino para el realismo moderno, que irá desplegándose en formas cada vez más complejas en el período siguiente.

La mezcla romántica de lo sublime y lo grotesco alcanza en alguna medida la obra de Lastarria sin anular para nada lo ganado. La simpatía por el pueblo, que lo conduce al romanticismo social, le impide inclinarse a la norma clásica. El ánimo festivo que caracteriza al narrador y la presentación del mundo de *Don Guillermo,* aprendido en Voltaire y en los narradores ingleses del siglo XVIII, no quita nada a lo dicho.

Esta novela podría conducir a engaño por el aparente conflicto que encierra un interesante problema de géneros narrativos. El mundo de la novela *Don Guillermo* concita dos niveles aparentemente contrarios: el mundo mágico y fantástico del cuento folklórico y el mundo de las concretas relaciones político-sociales a donde van a parar inequívocamente las referencias del cuento. Esto último corresponde, como se ha señalado, a la novela moderna. La novela tiende a aislar un sector material del mundo y a estructurarlo de un modo fijo, singular y único, esto es, a conferirle su particular concreción. El cuento folklórico, el cuento de hadas, por el contrario, se coloca abiertamente frente al mundo y al incorporarlo permite que éste mantenga en todos sus aspectos su variabilidad, su generalidad y su reiterabilidad[32]. Puede advertirse esto con claridad si leemos lo que sigue:

> Para saber y contar y contar para saber que no ha mucho había al pie de un cerro de la ciudad de Valparaíso una cueva al parecer muy somera, pero que en realidad era honda como la eternidad[33].

O esto:

> La población entera de Valparaíso sabe que, en la época a que nos referimos, había dado a la cueva su nombre y mucha celebridad cierto chivato monstruoso que por la noche salía de ella para atrapar a cuantos por allí pasaban. Es fama que nadie podía resistir a las fuerzas hercúleas de aquel feroz animal, y que todos los que caían en sus cuernos eran zampuzados en los antros de la cueva, donde los volvían *imbunches,* si no querían correr ciertos riesgos para llegar a desencantar a una dama que el chivo tenía encantada en lo más apartado de su vivienda[34].

O bien esto otro:

> Templo y modulo mi rabel para recordar a todos cuantos han atravesado el susodicho camino de Valparaíso una cosa que todos han visto, en la cual todos han fijado su atención, sobre la cual todos han discurrido a su modo por un momento, y a la cual todos olvidan hasta que vuelvan a verla otra vez.
>
> Esa cosa es un hombre indefinible que marcha y marcha siempre a pie por las veredas del camino, haya sol o llueva a torrentes, haya lodo o tierra en que envolverse. Él marcha siempre igual y seguro, sin mirar a su alrededor, sin volver sus ojos a ninguna parte. Lleva la cabeza inclinada en ademán de ir absorto en un pensamiento te-

rrible. Su tez es blanca, como los habitantes del norte de Europa y sus lacias canas caen a confundirse con una barba blanca en que se divisan todavía los visos dorados de una cabellera que fue rubia en otro tiempo. Su estatura elevada va un poco disminuida por una ligera inclinación hacia adelante, y por una frazada que lleva colgada en el hombro. El largo y añoso poncho que le cubre deja ver a veces los faldones de un paletot, último recuerdo de una condición perdida[35].

Por mucho que estos elementos estén tomados de la realidad concreta y se invoque el conocimiento de los porteños para identificarlos y darles un valor local —el de creencias encarnadas en los habitantes de Valparaíso, hacia la época de que se trata—, el cuento de hadas conserva sus rasgos, ya señalados, y las formas de lenguaje, que participan en los fragmentos citados de la variabilidad, generalidad y reiterabilidad, que le son propias. El cuento de hadas posee palabras propias de la forma misma con las que ésta puede realizarse una y otra vez de la misma manera. De semejantes rasgos participan los acontecimientos, personajes y lugares. Ahora bien, los rasgos señalados que pueden leerse en la indeterminación temporal —"no ha mucho"—, o espacial —"honda como la eternidad"—, o de las figuras —"cierto chivato monstruoso", "un hombre indefinible que marcha y marcha siempre"—, etc., son actualizados por el narrador con relación a circunstancias específicas y a seres cuya identidad se establece concretamente y, en fin, a lugares que se describen con referencias actuales que son inconfundibles. La forma artística adoptada —la novela— fija, singulariza y confiere unicidad concreta al mundo y priva al cosmos y al lenguaje del cuento de su variabilidad, generalidad y reiterabilidad[36]. La ambigüedad subsistente proviene de la superposición de dos argumentos: el de una novela política y el de un cuento de hadas.

El andarín, peregrino entre dos ciudades, es don Guillermo Livingston; sus rasgos son los de un inglés; es un empleado de la casa Wadington de Valparaíso, que en ocasión digna de mejor fin es atacado por un chivato al cruzar frente a la famosa Cueva, para hallarse perplejo, como un extraño en el mundo, en el ámbito subterráneo de una república infernal. Las normas vigentes en este mundo inferior lo convierten en paciente de un mal perseguido allí: la locura de la libertad. Va a ser sometido al imbunchaje cuando es arrebatado por una joven hada de las manos de las brujas que iban a coser las salidas y entradas de su cuerpo. El amor nace entre ambos. Valiéndose de sucesivas transformaciones emprenden una peregrinación que revela las condiciones del mundo que recorren. Sus perseguidores consiguen separarlos no sin que antes el hada enseñe a don Guillermo un conjuro para salvar los trabajos que deberá cumplir para salir de Espelunco —es el nombre de la república— y rescatar el talismán del patriotismo cumpliendo durante 20 años tres mil viajes entre Santiago y Valparaíso. El caballero inglés emprende su misión y, a punto de cumplirla, después de veinte años, muere sin llegar a rescatar el talismán que desencantará a Lucero, hada de la Libertad. Reconocemos una separación funesta, un amor imposible. Tales imperfecciones brotan como el producto de la deformación del mundo; el esfuerzo y las capacidades de los personajes fracasan ante ella.

En el plano de la novela, la peregrinación de don Guillermo abre posibilidades múltiples de representación espacial, pues permite describir el cuadro de las costumbres políticas y el estado intelectual de cada uno de los sectores recorridos. Su errancia irá mostrando, merced a la condición de extraño en el mundo del personaje, la singular hechura del espacio. La sociedad política se ilumina y emerge en su satánica deformación bajo la mirada del peregrino. Don Guillermo representa en su viaje la aspiración de la humanidad a la libertad; aspiración incesante que no puede morir.

Corresponde a la forma del cuento de hadas el que el acontecer esté dispuesto de manera que responda en todas sus partes a las exigencias de la moral ingenua. La esperanza de cómo deberían suceder las cosas en el mundo es lo decisivo para esta forma[37]. De este modo el cuento se enfrenta a la realidad que no obedece ciertamente a las normas de la moral ingenua y destruye o desalienta de ordinario sus expectativas. Desde el punto de vista de la moral ingenua el mundo real es sentido como inmoral y trágico por la caída de los valores que se experimenta en él. Si se concibe, ahora, una forma que aprehende y concibe negativamente el mundo como una realidad que no corresponde a la ética del acontecer, es decir, todo lo contrario del cuento de hadas, se tiene el anticuento[38] como forma. Lastarria ha actualizado esta forma simple beneficiándose de sus características esenciales.

De este problema de géneros pueden desprenderse interesantes consecuencias sobre el arte narrativo de Lastarria. Entre éstas no será la menos importante aquella que señala de qué manera la forma del anticuento o cuento trágico expresa alegóricamente las negativas condiciones del mundo histórico o real. Al reducir mediante la alegoría los términos del cuento de hadas trágico a términos de la realidad histórica concreta, se pone fuertemente de relieve el carácter negativo del mundo histórico y su condición antinatural. De ello se vale el narrador para expresar cómo la perversión monstruosa del mundo proviene de su contravención de las leyes de la historia humana. Don Guillermo, que porta en sí los valores —espíritu libertario, racionalidad, perfectividad— que constituyen la ley del progreso, no consigue triunfar de la realidad y muere sin lograr su objetivo, sin ver cumplida su esperanza. Trágicamente lo derrota la imperfección del mundo.

Pero Lastarria alegoriza elásticamente y deja en definitiva abierta la estructura de su narración, movido por el optimismo de su concepción del acontecer histórico. Del fracaso del caballero inglés, que muere sin completar su peregrinaje, se levanta el mesiánico convencimiento de que reside en el pueblo, realidad material de la historia humana, la capacidad perfectiva de todo futuro histórico[39]. Del mismo modo la suspensión del tiempo histórico en Espelunco, donde todo permanece estacionario, permite mostrar cómo la realidad triunfa sobre las limitaciones de un sector del mundo ideológicamente regresivo. El progreso incontenible de la humanidad se pone de manifiesto al retornar Don Guillermo al mundo exterior. Como Rip van Winkle, de regreso de su encantamiento, el caballero inglés desconoce la ciudad renovada y crecida durante los trece años de su ausencia:

> ... estaba en la cumbre de una montaña, a cuyo pie se extendía manso, inmenso y portentoso el océano: allá a lo lejos se divisaba una franja de espumas blancas como la nieve, describiendo el mismo curso de la base de las colinas, que formaban una extensa bahía. En el fondo aparecían como columnas flotantes algunos barcos que surcaban las olas, y otros se veían de costado ostentando todo el lujo de sus velas, como las gaviotas que se columpian en sus alas desplegadas. Al pie de la montaña se elevaban columnas de humo, y en los últimos declives se distinguían casas apiñadas, cuyos techos de diversos colores estaban limpios como después de un aguacero.
>
> Don Guillermo suspiró con efusión inefable, y sintió que las lágrimas se le agolpaban y le eclipsaban la vista. Se arrodilló y oró...
>
> Después de pasada esta primera impresión consagrada a Dios, reconoció que estaba en una senda que se prolongaba por toda la ceja de la montaña y descendía al mar.
>
> —¡Este es el camino de carretas, dijo; no hay duda! ¡¡Allí está Valparaíso!! ...
>
> Y corrió como un niño hacia abajo lanzando gritos de alegría y agitando sus brazos de contento. Después de largo tiempo, se sintió

fatigado; paró, se sentó en una peña y desde allí sus ojos descubrieron una ciudad extensa, cuyas calles se prolongaban a la orilla del mar, formadas por edificios elegantes, limpios y de variados colores. Sintió el bullicio, y en las casas que faldeaban las colinas más próximas, vio el movimiento de los habitantes.

—¡No, exclamó tristemente, no; Valparaíso no es ésa, no es tan grande, no es así! ¡A dónde estoy![40]

4 MODOS DE EXPERIENCIA

Se ha visto que en relación al contenido del mundo el fenómeno moderno consiste en que sea posible reconocer en los personajes las debilidades, los sentimientos, las pasiones, del hombre común: los modos de la experiencia común, personal y privada. En tal aspecto, Lastarria, rinde tributo a una norma universalmente impuesta. Pero si bien en su novela este modo de experiencia contribuye, como los otros aspectos considerados en el contenido cósmico, a conferirle un singular carácter concreto, hay también modos de experiencia que se elevan de esa concreción a planos superiores de abstracción y generalidad. Las costumbres, las creencias populares, las situaciones narrativas y los personajes, alcanzan comúnmente la función de ilustrar sectores políticos o sociales que emergen a la luz de una consideración ideológica que escinde la realidad en dos planos de fuerte abstracción y polariza los términos del mundo. Si Lastarria fue propiamente el primer novelista que dio forma a la vida chilena, el mundo creado por él quedó sujeto a esta extrema abstracción[41].

Su voluntad fue someter la contemplación de la realidad social a una exacta observación científica y hasta podría decirse que fue fiel a su propósito sin desvío. Las limitaciones de su visión provenían del principio heurístico que manejaba. Un principio de racionalidad lo llevó a menospreciar todo lo que escapara a las limitadas normas de un desenvolvimiento dentro de la razón; desarrollo social que veía en estricta relación con la índole de los gobiernos o regímenes políticos[42]. El dictado positivista que ordena esta visión[43] preside por completo su obra narrativa y determina ostensiblemente el carácter abstracto de la experiencia del mundo alcanzada. El sentido historiográfico de su imagen de la sociedad le llevaba a establecer la misma correspondencia señalada para el encadenamiento de los regímenes políticos. De esta manera su progresivismo le condujo a teñir de rasgos nefandos a todo aquello que fuese representativo del pasado y a ponderar perfectivamente los rasgos del presente —aquellos donde encarnara la racionalidad— y la apercepción del futuro inmediato. Estos procesos tomaban el carácter de leyes naturales a las que el acontecer vivía necesariamente ligado, abierto a un perfeccionamiento indefinido que se funda en el desarrollo de las ciencias y en la creencia en las capacidades humanas para subvenir a su propia perfección.

En un sentido general, el mundo está sometido a un determinismo político e ideológico. Bajo esta doble determinación, el mundo del pasado o de la reacción hacen imposible la felicidad y el amor perfecto. El orden político e intelectual de un mundo despótico, como condición general, o el padre, el hermano o el esposo tiránicos, que lo representan, hacen el amor funesto o imposible, conducen a los amantes a la muerte, a la separación funesta o a la locura[44]. Las imperfecciones de la vida ciudadana, las costumbres vulgares y perniciosas, las creencias y supersticiones populares, la deformación de las funciones públicas, representan tan sólo la supervivencia de formas políticas e intelectuales superadas. El sentido progresivo y heroico de la superación la establecen los seres perseguidos, oprimidos o muertos, que representan también la virtud, el saber ilustrado y el severo espíritu libertario y rebelde. Estos forman un sector humano y político desde el que se mira y mediante el cual se iluminan las perversiones del orden estatuido. El estigma con que se les reconoce en el mundo es la locura de la libertad.

5 VIEJO Y NUEVO ORDEN POLITICO

La novela de Lastarria es espacial, esto es, tiende a convertir la diversidad y plenitud de espacialidades en estrato estructurante del mundo. Cada escena, cada cuadro de costumbres, cada situación, cada personaje, contribuyen a iluminar un sector del espacio total del mundo y a integrarlo plenamente. Son sectores políticos del estado los que se ilustran deformados por el encantamiento, el estado de caída, en que yacen la libertad y el patriotismo: la aduana rapaz, la justicia venal, el poder legislativo dominado por el gobierno, la opresión dictada por una constitución autoritaria, la persecución policial injusta y brutal, la exacción compulsiva, la incapacidad y la corrupción funcionarias, la adhesión de los extranjeros el poder establecido en contra de los movimientos populares, los duros términos de coacción cultural que impiden despertar el patriotismo perdido y el espíritu de libertad, los manejos del clero por controlar el poder político y económico, en suma. Todos ellos, constituyen la diversidad de espacios que se integran en la imagen estatal de Espelunco. ¿Cómo se ponen de manifiesto en la novela? Se revelan a la luz de la libertad opresa representada por Lucero, el hada encantada, y del espíritu libertario de Don Guillermo. La entrada del inglés al mundo subterráneo y su errancia a través de él, conducido por Lucero, primeramente, y, luego, por Asmodeo[45] sirven para exponer la multiplicidad de espacios.

El medio infernal, mundo al revés en donde toda racionalidad aparece trastrocada, que constituye la república de Espelunco se transforma en un elemento fuertemente expresivo de la espacialidad y de la ley de espacialidades que se pone de manifiesto en la estructura de la novela. El demonismo de las formas políticas y constitucionales del mundo inferior representan de un modo grotesco las imperfecciones del mundo superior. Ambos son expresión de formas políticas y constitucionales contra natura. Contravienen la marcha natural de la historia, que se concibe, como se ha señalado, abierta hacia el progreso en la razón y en la libertad, pues son manifestaciones irracionales y regresivas que tienden a frenar e inhibir los cambios progresivos al coartar la libertad individual y al impedir el desarrollo de la ciencia y la educación del pueblo. Lo que en la novela de Lastarria se expresa con los elementos grotescos del *Märchen,* como un mundo de infernal deformidad, no hace sino extremar en la forma alegórica una concepción que se extiende del mismo modo para todos y cada uno de los momentos políticos, concebidos de modo semejante, en las demás obras de Lastarria[46].

No es difícil observar que la integración de espacialidades está sometida a una ley de estructura bien determinada. La relación constante representada en la configuración del espacio se comprende como una situación transitoria entre la disolución del antiguo régimen y la reorganización del mundo en un nuevo orden. Es decir, los dos movimientos simultáneos, de descomposición política y de recomposición social, establecidos por el positivismo para la comprensión de la sociedad moderna. La oposición de viejo y nuevo régimen en un mundo cambiante que se interpreta desde una ideología reformadora encerraba todas las posibilidades románticas y pintorescas de contraste que proporcionarían a la narración un notable efecto y una gran variedad de matices y de líneas[47]. Lastarria aplicó, sin embargo, esta oposición en una forma esquemática, acentuada por los términos ideológicos, en desmedro de las condiciones históricas y espirituales del mundo, así como de la complejidad y variedad de lo real. No escogió por otra parte los momentos significativos de cambio histórico que se ofrecían, sino que aplicó el esquema indistintamente sobre todos y cada uno de los momentos de la historia escogida como sector material de su obra, y ello hace todavía más abstractas sus configuraciones. Otros novelistas escogieron los albores de la Ilustración en América a las incursiones de los piratas ingleses, para enfrentar vivamente contrastadas las formas insurgentes de nuevas actitudes en un medio inquisitorial y dependiente[48].

Esta ley de espacialidades debe considerarse inspirada por el pensamiento historiográfico y social del positivismo. Rápidamente se transformó en la ley de estructura más sostenida en la historia de la novela moderna. Predominó universalmente en América y su difusión corrió a parejas con la extensión de la novela de Sir Walter Scott en el continente, que expresaba en términos literarios y estéticos una concepción de historismo semejante. De estos dos elementos se hace en buena medida el romanticismo social que caracterizó la literatura del período[49]. El carácter político ideológico que la ley de estructura adquirió durante el período romántico, con su característico contraste y buena parte de su carga abstracta, será sustituido luego bajo el Realismo de escuela por una suerte de ley ético-moral, para concluir en ley cognoscitiva bajo el cientificismo militante de la tendencia Naturalista, La novela chilena moderna siguió este desenvolvimiento en forma clara y sostenida. Su fidelidad a esta norma es, lamentablemente, una de sus limitaciones fundamentales, por cuanto heredó con ello la característica abstracta de la configuración de las espacialidades con las limitaciones consiguientes de la plenitud y de la complejidad de la vida y de la historia y el menoscabo de la riqueza del sentimiento y de la imaginación[50].

6 EN LA CATERVA DE ESCRITORES PARRICIDAS

Desde sus orígenes, la novela moderna se diferenció de las formas barrocas que vino a desplazar, por su función edificante afirmada con menosprecio de la función puramente literaria y de entretenimiento[51]. Son múltiples los factores que condicionaron esta característica de la novela moderna en la obra de Lastarria. Vale la pena considerar los elementos más inmediatos para comprender el sentido de la función asignada a la novela por Lastarria. Al hablar ambiguamente el narrador de *Don Gui-*

llermo de la 'caterva de escritores parricidas'[52] y enhilar los nombres de Cervantes. Rabelais, Swift, Sterne, Voltaire y Larra, estaba adscribiendo expresamente a la actitud críticosocial que caracteriza a una buena parte de la novela moderna y que tiene en los autores citados una línea de poderosa tradición. La función que estos parricidas asignan a la novela no consiste sólo en representar concretamente las limitaciones de la realidad social y de las costumbres, sino en fustigarlas con el fin de promover cambios en la conciencia de sus lectores que conduzcan en definitiva a la corrección de los vicios y al progreso de la sociedad. Desde su Discurso de la Sociedad Literaria[53], Lastarria había proclamado, siguiendo las normas del romanticismo social de Larra y de los emigrados argentinos, que *la literatura es expresión social.* Esto es, que las letras no pueden menos que representar las características de la vida social y recibir de ella su singularidad nacional, su originalidad. La literatura misma es un fenómeno social y recibe rasgos comunes a los demás fenómenos sociales con los cuales está en relación. Por eso le cabía servir activamente las tendencias progresivas que se hacían perceptibles en el movimiento social. El romanticismo progresivo exigía a la literatura servir "sin disfraz y con lógica a la recomposición social, a la realización del orden nuevo; quiere que embellezca las nuevas ideas, que condene las tiranías del pasado y del presente, que siembre de flores la escabrosa senda de combate que sigue la sociedad para apresurar su porvenir"[54]. Esta concepción de las funciones de la novela le permite a Lastarria americanizar, aunar en una misma comprensión toda la vida hispanoamericana.

El americanismo de los asuntos que escogió como sectores materiales de su novela obedecía al afán de concertar el sentido de las letras y del destino histórico de la América Hispánica. Es así que su colección *Antaño y Ogaño* se subtitula 'Novelas y cuentos de la vida hispanoamericana'[55]. Este aspecto singulariza a Lastarria entre los escritores de su generación y aun entre los del período romántico, y lo transforma creadoramente, dentro de las limitaciones literarias conocidas, en el primer narrador de sentido americanista. Su aliento literario no fue muy poderoso, pero la voluntad integradora que su obra manifiesta no deja de ser por ello un fenómeno importante y significativo.

Más tarde, el conocimiento del Naturalismo francés llevó a Lastarria a precisar una función edificante, moral, que ya había practicado en sus novelas. En este sentido, aprueba la obra "si en el romance o ficción triunfa el interés de la especie humana sobre los instintos y los vicios, bajo la forma de alguna de las leyes de su progreso y perfección, sea en el sentido de la justicia o del derecho, o del deber moral, o del triunfo de la idea sobre el sentimiento extraviado o sobre el vicio"[56]. En su Prefacio a la novela *Salvad las apariencias* (1884)[57] habla de la novela como de un "sencillo drama de sucesos comunes, naturales y frecuentes, que se desenlazan en resultados adversos para los personajes que representan un vicio y favorables para los que tienen mesura en su conducta"[58].

Reconoce además en la cuidadosa representación de la realidad de la novela naturalista la utilidad de revelar a la historia y a las generaciones futuras la vida privada, las costumbres y los sentimientos íntimos que en una época de la sociedad humana no dejan rastros del modo de ser social en las manifestaciones públicas o históricas[59].

En la afirmación de estas dos funciones, cognoscitiva y políticosocial, Lastarria confirma una vez más su segura asunción de la novela moderna.

II   MARTIN RIVAS

Más allá del texto narrativo, la novela *Martín Rivas* de Alberto Blest Gana, ha tenido una sobreexistencia múltiple. No sólo la historicidad del juicio literario, condicionador en parte de la historicidad de la obra misma, pero la imaginación de los lectores, al operar sobre la obra más leída en Chile por los más diversos grupos sociales, ha formado otra novela sobre la original[60]. La imaginación colectiva, con buen instinto, ha abstraído aquello que satisface sus aspiraciones de felicidad, es decir, la historia de amor de un joven pobre que vence la resistencia de una joven rica y desdeñosa. Mira la novela como un cuento de hadas donde las expectativas del bien y de la felicidad se realizan conforme a la moral ingenua. No se ha conformado, sin embargo, con eso. Ha potenciado ciertos elementos de la situación narrativa y postergado u olvidado otros[61]. Martín Rivas se ha convertido en un galán atrayente, dueño de las perfecciones que el género otorga al héroe de la historia de amor y ha olvidado o desconocido la apostura real de Martín, que no era bello, sino más bien feo –se ven caras de sorpresa–, que tenía bigotes –¡no!– y era, todavía más, paciente de cierto prognatismo –¡oh!– en lo cual el narrador veía un rasgo de voluntad y energía o determinación. Por otra parte, qué escaso relieve tiene la figura efectivamente romántica, bella y byroniana de Rafael San Luis, llena de desesperación y de humana debilidad[62]. Una representación escénica reciente de este asunto ha invertido justamente estos papeles, sin que nadie se haya sentido sorprendido. Acaso porque todos han querido ver siempre así las cosas, a pesar. . . de la novela.

La lectura ordinariamente es así: potencia ciertos elementos conforme a los intereses del lector, al grado de su sensibilidad o de su cultura personal, e ignora o posterga otros elementos.

Pero la lectura culta no ha sido menos variable. Condicionados de distintas maneras, los juicios conocidos sobre *Martín Rivas,* son extremadamente contradictorios. Desde el punto de vista de la novela europea, el comparativismo la disminuye y la obra aparece marcada ya por su virulencia social, ya por su regionalismo, ya por su costumbrismo pintoresco[63]. Vista dentro del marco hispanoamericano y del período romántico, es sin duda una obra importante que muestra con calidad las formas de la novela moderna y hace de Blest Gana el novelista más completo del siglo XIX[64]. En el plano nacional, sus veintitrés ediciones hablan por sí solas[65], pero la interpretación de la obra ha sido muy variada y contradictoria. Puede decirse, todavía, que el éxito de la novela y el interés que conserva en el lector contemporáneo está hecho de un conocimiento primario que deja en penumbras la real estructura y sentido de la novela.

1 EDIFICACION ETICA Y SOCIAL

Con ser diferente, el espíritu de Blest Gana es muy parecido al de Lastarria frente a la literatura y la novela. No puede menos que reconocerse en aquél la corriente romántico-social que viene de éste y en la que se inserta la narrativa del siglo XIX[66]. El carácter social y nacional de la literatura y su función politicosocial, no son, pues, ni mucho menos, ajenos a Blest Gana. Sin embargo, el autor de *Martín Rivas* mitigó notoriamente la virulencia ideológica y desestimó la pasión política de su antecesor. Blest Gana es más constructivamente consciente de la indiferencia social que configura la situación a que se enfrenta el novelista chileno. Aparta el resentimiento —que dominaba a Lastarria— y quiere que el novelista se levante como un héroe de la voluntad. "No es el aprecio por el trabajo literario lo que falta, es la constancia y el entusiasmo de los que pueden cultivarlo"[67], escribía en 1859, acepta el lugar secundario de los pueblos americanos pero espera confiado —con optimismo romántico— el lugar que les dará la marcha del progreso[68].

La función social de la literatura le parece inherente a su condición moderna y la acompaña del mismo sentido edificante que es posible sorprender en el origen de la literatura moderna como conciencia de cambio en el concepto de la literatura: "Si por largos años y en todos los países, las letras han sobrellevado el epíteto de frívolas, el ilustrado espíritu del siglo las ha lavado de afrenta tan injusta y asignádoles un elevado puesto entre los más activos agentes del adelantamiento de los pueblos. Las letras deben, por consiguiente, llenar con escrupulosidad su tarea civilizadora y esmerarse por revestir de sus galas seductoras a las verdades que puedan fructificar con provecho de la humanidad. Asumiendo esta elevada misión, nuestra literatura cumplirá con el deber que su naturaleza le impone y prestará verdaderos servicios a la causa del progreso"[69].

En los rasgos relevantes del contenido cósmico de la novela moderna y del nivel de estilo que caracteriza la representación de la realidad ordinaria, Blest Gana ve las mejores posibilidades para la recepción del género por el mayor número de lectores y para actuar de modo edificante sobre la mayoría social:

la novela... tiene un especial encanto para toda clase de inteligencias, habla el lenguaje de todos, pinta cuadros que cada cual puede a su manera comprender y aplicar, y lleva la civilización hasta las clases menos cultas de la sociedad, por el atractivo de escenas de la vida ordinaria contadas en un lenguaje fácil y sencillo. Su popularidad por consiguiente, puede ser inmensa, su utilidad incontestable, sus medios de acción muy varios y extensísimo el campo de sus inspiraciones[70].

La novela de costumbres es la que mejor responde a las expectativas que el novelista cifra en las formas narrativas y la encomia decididamente. El valor de la observación y de la filosofía, aparte de las condiciones específicamente literarias que Blest Gana siempre exige, le parecen garantizar su influencia en el mejoramiento social si el contenido del mundo da cabida a la discusión de los más palpitantes intereses sociales; si encomia por medio de estos cuadros las virtudes cuya imagen le importa presentar al lector como contraposición de las flaquezas humanas.

En la peculiaridad alcanzada por la vida social americana le parece posible sentar la originalidad de una literatura si representa la realidad con exacta observación y sentido filosófico. Este sentido penetra la observación misma. En el mismo sentido comtiano en que Lastarria describía la estructura del mundo narrativo, es que Blest Gana dice que la característica original del medio americano nace de la contraposición de las formas modernas de la vida europea introducidas en él y la persistencia de antiguas formas, de vestigios coloniales[71].

El contraste establece una característica fundamental desde el punto de vista de la concepción progresiva del positivismo:

Vivimos en una época de transición —dice Blest Gana con espíritu comtiano—, y del contraste que resulta de este estado excepcional de nuestra sociedad, nacen variedad de tipos, multitud de escenas, que el novelista de costumbres puede aprovechar si posee las facultades de observación que debe tener para sacar partido de los hechos que acaecen a su alrededor, de la fisonomía especial de nuestra sociedad, y hacerlos servir a los altos fines que a la literatura bien entendida le cumple realizar[72].

La moralidad de esta literatura pone en Blest Gana limitaciones al contenido que importan sistemáticamente un rechazo de las preferencias naturalistas[73].

Con sus palabras Blest Gana continúa y confiere todavía mayor solidez a la misma concepción iniciada por Lastarria, que condicionará definitivamente la novela chilena moderna. El autor de *Martín Rivas* puso a esa concepción un acento éticomoral que la novela y sus obras en general traducen con claridad y eficacia narrativas. El que hayan permanecido largamente encubiertas estas características, o se las haya comprendido erradamente no puede, en definitiva, disimularlas o desconocerlas. Blest Gana es el novelista de sentido realista más completo, dentro de las limitaciones de su concepción del Realismo y de las vigencias románticas de su período. Si Lastarria fue el primero en dar forma a la sociedad chilena, y lo hizo en un marco de fuerte abstracción y limitación de recursos para animar con color local los cuadros de la realidad representada; Blest Gana es el intérprete verdadero de la vida chilena, pues consiguió darle una estructura de valores más concretos al atender a la complejidad y a la diversidad de lo real, provisto como estaba, mejor que el autor de *Don Guillermo,* de un talento narrativo auténtico[74]. La manera como programaba el camino para llegar a describir con verdad la vida social lo muestra así:

> Estudiando... nuestras costumbres tales como son, comparándolas en las diversas esferas sociales, caracterizando los tipos creados por esas costumbres y combinándolos, a fin de ofrecer una imagen perfecta de la época con sus peculiaridades características, la novela no puede dejar de ser esencialmente nacional, según el mayor o menor acierto de los que a ella consagran sus esfuerzos[75].

2 ACTITUD DEL NARRADOR: LO GROTESCO

La crítica chilena se ha alejado, ordinariamente, de los términos de la obra misma para caracterizar las notas del mundo representado, deformando así la imagen original en favor de una interpretación o esquema contemporáneo o una concepción sociológica abstracta y ligera. El tema de *Martín Rivas* ha sido, para uno, "cómo con una buena comportación, puede el hombre de más humilde condición social llegar a adquirir una buena posición entre sus semejantes"[76]; para otro, "la historia del joven pobre que por su inteligencia, carácter y seriedad, logra vencer el orgullo de la patricia"[77]; para un tercero, "el triunfo de la clase media laboriosa, pobre, inteligente, sobre la alta clase envanecida, aunque no desprovista de méritos y que sabe reconocerlos en el prójimo"[78]; y, para un último, "la penetración lenta y paciente de una clase social en otra, conquistándola por el amor o por el dinero"[79].

La crítica no ha desconocido sólo el contenido efectivo del mundo sino que ha olvidado por completo la estructura del narrador, cuya actitud crítica y acerbamente satírica —tan importante para la interpretación de la novela— apenas si ha sido advertida. No ha escapado sin embargo, al estudioso extranjero que sin los prejuicios locales puede juzgar la novela como:

> acuta pittura dell'alta società della capitale cilena, di mentalita gretta e provinciale, insostanziale, crudele e corrota. Tali caratteri (della sua tendenza realista) ci vengono presentati dell'autore in quadri crudi, di grande vigore rappresentativo, sullo sfondo violento delle lotte politiche tra liberali e conservatori, nell'alone viscido della corruzione politica e sociale[80].

Efectivamente, la actitud del narrador es satírica y llega en ocasiones al grotesco; un grotesco revelador de las limitaciones de la sociedad: reflejo de su incultura, de su brutal interés o de su convencionalismo; cuando no, de su exterioridad suma. Pero su tono es con frecuencia amable y llega a disimular, en la comicidad de ciertas situaciones o de pintorescas figuras, la crudeza de la sátira[81].

Tratándose de figuras se hace visible el característico generacionismo romántico. Los personajes se dividen en grupos de edad. Los viejos representan en alto grado los rasgos del medio y su condición viciosa; en la sátira alcanzan una típica caracterización como 'viejos ridículos'. Los jóvenes, en cambio, representan los aspectos progresivos y encarnan los valores nobles, justos y bellos; y sus extravíos, a veces culpables, son atenuados por la simpatía de las figuras o su muerte en aras del ideal.

La interpretación que el narrador hace de la realidad social cobra en la novela de Blest Gana una importancia considerable. No existe en él, sin embargo, la tiranía que Lastarria ejerce sobre el mundo con la rigidez de su teoría historiográfica. Se ha visto que en sus términos teóricos generales, una misma historiografía identifica al uno y al otro. Pero Blest Gana atiende más y mejor al carácter complejo de la realidad, al sentido histórico concreto y a las condiciones espirituales del mundo. De manera que no son ya las características políticas o intelectuales las únicas que determinan la vida social y el destino de los seres. Sólo ahora tenemos un cuadro más integrado de la sociedad, no sólo de las líneas simples de la ideología, sino del complejo juego de los intereses económicos y de clase, y de las fuerzas morales capaces de sobrellevar el destino con éxito.

Lo grotesco de situaciones y características sociales de diferentes niveles o clases es engendrado por la sátira con frecuencia medida y bien distribuida, como una sanción para la deformidad del mundo. Así, por ejemplo, después que la familia de don Dámaso Encina recibe con estiramiento y desdén al joven provinciano, toda su superioridad aparente se derrumba cuando doña Engracia vuelca el plato de sopa mientras da de comer con su cuchara a la perra Diamela. La escena en que doña Bernarda sabe el desliz de su hija Adelaida da lugar a un momento de subido grotesco. La entrada de la misma en casa de los Elías "haciendo saludos que a fuerza de rendidos eran grotescos" y la escena que le sigue, dan una nota distorsionada a la situación que importa manifiestamente una sanción moral. Entre las situaciones, el extremo de la deformación grotesca corresponde al casamiento engañoso de Agustín, empujado por la violencia temible del siútico Amador Molina. La galería de retratos de don Dámaso, de Fidel Elías, de Agustín, de Amador, de doña Bernarda o de una criada de casa de medio pelo, sirven igualmente para dar expansión al grotesco que encierra la sátira de tipos sociales conducida el más ridículo extremo mediante la deformación de las maneras, de la elegancia, de las ambiciones o de los talentos. El grotesco moral es el modo más general de la deformación.

El narrador fija las limitaciones de su preferencia por lo grotesco estableciendo una distinción entre las posibilidades de las letras y de la pintura y el diverso grado de tolerancia de sus representaciones:

> Dar una idea de aquella criada, tipo de la sirviente de casa pobre, con su traje sucio y raído y su fuerte olor a cocina, sería martirizar la atención del lector. Hay figuras que la pluma se resiste a pintar, prefiriendo dejar su producción al pincel de algún artista: allí está en prueba el 'Niño Mendigo', de Murillo, cuya descripción no tendría nada de pintoresco ni agradable[82].

Con este criterio eludirá algunas descripciones remitiéndose a los conocimientos pictóricos del lector; señalando, por ejemplo, que una escena tenía "todo el grotesco aspecto de esas pinturas favoritas de la escuela flamenca"[83].

El narrador prefiere el grotesco que induce a la risa como sanción —esto fija con claridad el sentido de lo grotesco para Blest Gana— de ambiciones desmedidas, de contrastes que hacen sensibles las cosas fuera de su lugar y proporcionan la suma de las características del *siútico*. Podría decirse que el grotesco lleva a la conciencia del lector el ridículo de la presunción excesiva o de la moral de una clase que se atiene a la ley del embudo. La sátira de la moral convencional de la clase alta concluye en el grotesco de un matrimonio desigual no deseado o de la seducción entre desiguales. La sanción cae con dureza y produce extremos de penoso ridículo o de aniquilamiento en las figuras.

En torno a los aspectos más externos, nacidos del culto banal de dignidades o elegancias, el ánimo del narrador es livianamente festivo y juega libremente con el ridículo de siúticos o ancianos.

3 DISTANCIA TEMPORAL

La distancia temporal que separa al narrador de los acontecimientos que narra es de diez años. Corrientemente, señala aquello que ha permanecido en las costumbres o en el desarrollo de la ciudad con una referencia frecuente a 'antes y ahora', o 'entonces como en el día'. La indicación temporal sirve especialmente para significar que el paso del tiempo ha ido acompañado del progreso[84]. Diez años atrás las costumbres eran más primitivas, no había ni el lujo ni el refinamiento que ahora es general; o en aquel tiempo comenzaban a desarrollarse aspectos que han alcanzado su mayor brillo al presente. Ambos esfuerzos de precisión concretan la historicidad de cada rasgo de la vida social y la propia personalidad del narrador, situado en un tiempo definido y bien determinado que le ofrece una perspectiva superior para la comprensión de un pasado no absoluto; es decir, de un pasado que conduce sus manifestaciones hasta el presente que ha heredado el principio de sus transformaciones. Rasgos de esta historicidad son las indicaciones relativas a la supervivencia de formas de la vida política que se incoaban en los acontecimientos violentos de 1850 y que caracterizaran la vida política del decenio cerrado por la perspectiva del narrrador. El reformismo y la aspiración a las garantías libertarias que subsisten en los ideales del narrador —ideológicamente un liberal— condicionan el conocimiento de la época que trata: se muestra parcial y traiciona inequívocamente sus simpatías. Los rasgos económicos e indumentarios de la vida santiaguina son otras tantas constantes que contribuyen a la elaboración del mundo interpretado por el narrador.

La incorporación de las informaciones históricas en relación a la Sociedad de la Igualdad, la Sesión de los Palos y la Revolución del 51, proporciona una referencia clara, fácilmente verificable, que fija la coordenada histórica para el reconocimiento de los diversos aspectos de la época. Constituyen los hechos salientes que aglomeran las características más variadas y las ordenan en el tiempo. La mirada del narrador selecciona con arte de anticuario —aprendido, sin duda, en Balzac— el vestuario y las costumbres de diferentes clases sociales, los carruajes, paseos, población y festividades tradicionales. Descritos con pormenor estudioso, proporcionan carácter concreto a la época.

La proposición de la novela como 'estudio social' está penetrada en este sentido histórico del tiempo medido en diez años de vida nacional. Los personajes que encarnaban exclusivamente valores políticos en la novela de Lastarria, encarnan ahora valores sociales y humanos. En este sentido la actitud del narrador tiende constantemente a la espacialización, a la generalización de los rasgos, a la gregarización de las caracterizaciones y a una igualmente generalizadora consideración de las situaciones, cuadros, motivaciones e ideales del mundo que describe. El comienzo de la novela entrega con la primera aparición del personaje protagónico, estas características de la actitud narrativa[86].

Por otra parte, la novela se propone como un 'estudio del corazón'. El tiempo de la narración se ordena en las tensiones y los estadios que sigue al desarrollo del amor en el corazón de Leonor Encina. Tal desarrollo se ciñe cuidadosamente a la teoría del amor de Stendhal[87]. Las formas primeras de la admiración, unidas al deseo y la esperanza de ser amada, la cristalización seguida de la duda y la segunda cristalización, crean tiempos diferentes para las partes principales de la narración. La primera mitad de la novela está gobernada por la desesperación del joven Martín que ama sin esperanza. Lo estacionario del *tempo* de esta primera parte proviene de la índole recurrente de los estados en que recae Martín y del tema reiterativo de las conversaciones con Leonor que tienen por objeto la restauración del amor de Matilde y San Luis. Sólo el proceso, detenidamente seguido, del amor de la joven desdeñosa modifica el ritmo y precipita los acontecimiento con *tempo* rápido en la segunda parte[88].

Esperanza y desesperanza ponen dos tiempos diferentes en juego, en los dos personajes, y las consecuencias narrativas se hacen sentir vivamente en las dos partes en que fácilmente se divide la novela. Los dos estados en que penetra el narrador con propósito de analista tiñen el conjunto diversamente por el carácter estacionario del uno y progresivo del otro. Ambos tiempos interiores encuentran correspondencia exterior, en la exposición de una multiplicidad de espacios, en el primero, y en el carácter veloz de los acontecimientos y de las decisiones en que se precipitan las características ya establecidas en el espacio.

La transformación y el desarrollo ponen notas distintivas en el mundo y en los personajes que cambian de especie a la manera balzaciana y que parecen garantizar de esa manera su condición de seres vivos y su capacidad de perfección.

4 'ESTUDIO SOCIAL'

El 'estudio social' de ésta que se propone como 'Novela de costumbres políticosociales' comienza con la llegada a Santiago en un día de julio de 1850 del joven provinciano. Se trata de un recurso fundamental de la novela moderna. Julien Sorel o Rastignac provocan con su conocimiento de la ciudad las manifestaciones características de la vida social y exponen el significado formador de su personal experiencia. La presencia de un extraño en el mundo es manera efectiva de promover la ilustración del mundo en que se penetra. El crítico social y el autor de viajes extraordinarios supieron desde luego de estas posibilidades descriptivas. Cierto es que Martín Rivas no trae la pasión que mueve a los jóvenes personajes de *Le Rouge et le Noir* o *Père Goriot,* sino entereza moral, energía de la voluntad, orgullo, dignidad e inteligencia que se imponen a la medianía del mundo y permiten al joven arribar al puerto en que apenas se atreve a poner sus ojos. Todo muy diferente a la inmoralidad o el carácter vacilante de aquellos héroes. No es un Rastignac a la conquista de la capital ni un Julien Sorel ambicioso de ascender al lugar a que se siente llamado[89]. Las condiciones de la vida social, por otra parte, son diferentes y traen menos perversión aunque mayor estupidez y ridículo al mundo. Atraer este motivo a la novela es vincularse a formas prestigiosas de la tradición europea y a una de las vertientes más definidas de la novela moderna.

La asunción de este motivo es, sin embargo, todavía más compleja y se articula directamente con un motivo afincado en la incipiente tradición nacional: 'el provinciano en Santiago'. Sometido a los rasgos generales de un extraño en el mundo, tiene la singularidad de los rasgos de una situación local literariamente ya conocida. En *Jotabeche,* quien plasma este motivo, la situación del provinciano en Santiago da lugar a la comicidad de un personaje vulgar. Estos rasgos no influyen sino en un aspecto restringido en la novela de Blest Gana[90]. La singularización del motivo en *Martín Rivas* es, definitivamente, uno de sus aspectos más originales.

El motivo inicial de la novela caracteriza al provinciano por el atraso de la moda que viste, correspondiente a la discronía de siete u ocho años que diferenciaba a la capital de las provincias. La vestimenta delata la condición provinciana del joven. Pero en las palabras del narrador y en las apreciaciones a que le someten diversos personajes, la desemejanza en el traje y las maneras pone de manifiesto un criterio de valoración social, es decir, una característica del medio. El criado de los Encina, la familia de don Dámaso, los zapateros de la Plaza —que dan lugar al motivo costumbrista del provinciano en Santiago— el estudiante de la Universidad a quien corrige, señalan la universalidad del culto metropolitano de la elegancia y la superioridad que de él derivan. La situación específica desaparece o se anula en su significación narrativa inmediata cuando Martín viste a la moda asimilando las normas dictadas por el uso social[91].

El pobre y anticuado traje de Martín ha servido para mostrar los rasgos de una sociedad que se paga mucho de exterioridades y entre ellas, las principales, el traje y el dinero. En relación a la primera, la sociedad santiaguina aparece como una sociedad de elegantes, donde el dandysmo proporcionaba una pauta de privilegios. La condición de 'elegante', 'buen mozo', 'dandy', 'león' o 'leona', 'empleado elegante' o 'fastuoso capitalista'; y la descripción cuidadosa y detenida de vestidos femeninos y atuendos viriles, establecen rasgos muy caracterizados de la sociedad santiaguina y fijan normas de valoración que definen parcialmente esa sociedad por el culto exterior de las personas. La pobreza de Martín Rivas, que acompaña a su inelegancia, hará a su vez perceptible la característica esencial que se revela en la sociedad santiaguina. El 'culto del oro' no aparece solamente como el motor de la vida capitalina, sino que las actividades económicas y comerciales tiñen el lenguaje de una manera extensa. 'Grandeza pecuniaria', 'gasto superfluo', 'gastos de ostentación', 'capitalista', 'dinero, el ídolo del día', 'fianza', 'especulación', 'caudal', 'herencia', 'utilidad', 'la plata es la mejor recomendación', 'nadie es feo con capital', 'positivista', 'acreedor', 'fiador', 'mercado', son giros, frases o vocablos que fijan la característica del mundo social.

La aristocracia de los Encina es 'de derecho pecuniario', como dice el narrador sarcásticamente; su elegancia o la elegancia del 'recién venido de Europa', Agustín, o de la hermosa Leonor, es consecuencia de su riqueza y las exigencias sociales. Todo gira en esa sociedad en torno de esos dos valores. La presencia de Martín en ese mundo engendra una oposición entre los modos de la exterioridad a que se rinde culto y los atributos reales inherentes a la persona humana. Estos atributos adornan a Rivas y van revelando gradualmente a la mirada sensible de Rafael San Luis y de los propios Encina, el verdadero ser del joven pobre y orgulloso. La personalidad de Martín queda entregada en este proceso de descubrimiento que también alcanza a su exterior: feo e inelegante, en un comienzo, se va convirtiendo gradualmente en un buen mozo.

Las costumbres políticas de aquella sociedad revelan un tercer aspecto ligado al económico. Dámaso Encina, Fidel Elías y Simón Arenal, representan con deformada estructura moral una tendencia a inclinarse política e ideológicamente conforme a sus intereses económicos y al poder autoritario que los defiende[91b]. El liberalismo ocasional de algunos de ellos, es otra forma de su ambición, pero fundamentalmente el signo de su irresponsabilidad política e intelectual y de su corrupción. El narrador no ha evitado presentar estas figuras en extremos de perversión moral, egoísmo, ignorancia y estupidez. Frente a ellos Rivas es la voz de la razón y del buen sentido en medio de la ligereza o el pintoresquismo de los hábitos e ideales políticos de la sociedad. La 'tertulia' es la forma banal que adopta el diálogo político: huero, convencional y descocado.

El sentido exterior y pintoresco del provinciano en Santiago como se ha señalado desaparece cuando Martín se asimila a las normas vigentes en la sociedad santiaguina y, por tanto, se neutraliza como característica. Su pobreza persiste, pero es un estudiante que viene a hacerse de una profesión para subvenir a su sustento y al de su madre y de su hermana. La perfección de su estado queda abandonada a su talento, a la disciplina de su voluntad, a la energía de su carácter y a su desinterés. Dos dignidades exigentes se enfrentan, cada una encerrada en sus trece, adoptando las formas del orgullo y del desdén. La actitud desdeñosa de Leonor, dictada por el orgullo herido, quiere jugar satánicamente al amor:

y este desengaño, que burlaba su creencia en el supremo poder de su belleza, irritó su vanidad, que contaba ya con un nuevo esclavo atado al carro de sus numerosos triunfos. Al abandonar su asiento, no pensaba en entretenerse a costa de Martín, ensayando el poder de su voluntad en la lid amorosa, sino que se prometía vengar su desengaño inspirando un amor violento del que se jactaba de tener suficiente fuerza para huir[92].

Las derrotas de Martín se fundan en el convencimiento de que en el amor de la joven, ni el corazón ni la inteligencia tenían valor alguno al lado de la riqueza y la posición social.

Acontece, sin embargo, que mientras el orgullo herido de Martín Rivas lo precipita después de cada conversación con Leonor en la desesperación de un amor que cree imposible, como concibe imposible el manifestarlo a su amada; Leonor, por su parte, va penetrando lentamente en la conciencia de un extraño interés, de una emoción perturbadora y molesta primero, para pasar más tarde a preguntarse por la posibilidad de estar enamorada. Matilde descubre el interés de la joven en Martín y le pregunta por su corazón. El proceso es gradual y no llegará a la admiración sino al constatar los servicios, la inteligencia y el desinterés con que el provinciano resuelve las dificultades de su familia y hace prosperar los negocios de su padre. Un grado mayor de admiración se hará sensible, solamente, cuando advierta que Martín es amado por otra. Es decir, que el joven tiene el mérito de ser amado por las mujeres. Contradictoriamente, sin embargo, eso la hace sentirse desdeñada. La separación proviene de la salida de Martín de casa de los Encina y de las vacaciones de verano, modifica los sentimientos de Leonor. En un día de abril de 1851, Martín, aparece a los ojos de Matilde "buen mozo y mejor que antes"; al mismo tiempo en el corazón de Leonor el amor había vencido su altanería, se sentía amante desdeñada y con ello viene a invertirse la situación inicial. Ahora, es la desdeñosa desdeñada, enamorada de un joven pobre[93]. La visita de la noble

Edelmira asegurará a Leonor que Martín la ama y desde ese instante, perfeccionada ya la imagen del joven, la desdeñada ensoñará la esperanza de la declaración de Martín Rivas. Por lo pronto, quiere que sea reinvindicado en su casa y procura que Agustín lo haga volver a ella. Pero es la víspera del 20 de abril y los hechos se precipitan.

Antes de marchar al combate, el joven, declara su amor mediante una carta que lleva durante la noche a casa de los Encina. En la desastrosa jornada de abril, resulta herido y llega a casa de sus protectores donde Leonor lo oculta. Allí los amantes reconocen su amor y se hacen dulces reproches. En este punto, triunfa el amor de dos iguales en virtud; uno ha mostrado bajo la exterioridad de las valoraciones sociales las nobles virtudes que lo adornaban, las cuales le valieron la admiración de todos y un lugar en el corazón de Leonor; la otra, despojándose de la exterioridad del orgullo que le imponía su casta y los hábitos autoritarios de su clase, dio lugar a las verdaderas virtudes de carácter y nobleza de sentimientos que le adornaban, distanciándose de la imagen fría y desdeñosa hasta convertirse en una amante apasionada y decidida a defender y alcanzar el amor.

Los acontecimientos alcanzan una considerable velocidad al precipitarse: primero, el ocultamiento y la declaración amorosa; luego, la captura, prisión y condena a muerte, que hacen presumir una separación funesta; pero, finalmente, la fuga de la cárcel y la unión feliz y definitiva rematan los acontecimientos proyectando su perfección a la totalidad del mundo. Todos los destinos participantes en la historia se completan de modo feliz. Tal efecto produce el esplendor de las virtudes esenciales del hombre sobre la exterioridad de convenciones e intereses sociales. Triunfa el amor sobre la sociedad y sus condiciones. Vence la virtud noble del corazón sobre todo interés o apariencia engañosa: la realidad sobre la apariencia. Así se fija el criterio con que el Realismo establece su noción de verdad.

5 ESPACIO

Los momentos espaciales que pueden señalarse en los motivos analizados, alcanzan mayor concreción a través de la multiplicidad de situaciones semejantes, que reiteran una misma motivación, una causa similar —el dinero— que conduce a la crisis todo amor entre desiguales o lo resuelve entre pares. Solamente los protagonistas violan las condiciones sociales en situaciones semejantes. Leonor, cortejada por el acaudalado Clemente Valencia o el buen mozo Emilio Mendoza, concluirá uniéndose al provinciano pobre pero virtuoso. En cambio, el amor de Rafael San Luis y Matilde Elías se interrumpirá cuando la familia del joven se arruina; el rico Adriano tomará su lugar y valiéndose de una presión económica empujará a don Dámaso para que despida a Rafael de casa de los Elías. Sólo la muerte de Adriano impide el matrimonio. El arriendo de un fundo al tío de San Luis abrirá la posibilidad de la unión definitiva de Rafael y Matilde. Pero esta vez, la revelación del hijo de San Luis, que ha seducido a Adelaida, caerá como una sanción para el engaño, que don Fidel Elías estaba dispuesto a perdonar llevado por su interés inmoral. Sus preocupaciones económicas y su interés quedará a salvo cuando su hija se case con Agustín. La desventurada Adelaida es engañada por San Luis, objeto de un matrimonio engañoso con Agustín Encina, juguete del hedonismo egoísta de la juventud aristocrática. Edelmira, enamorada de Martín, vive un amor imposible. La joven bovarista[94] se unirá finalmente con Castaños, el teniente de policía, como un modo de salvar a Martín de la prisión, con lo cual la joven cumple el ideal romántico literario que ensoñaba su corazón.

La diferencia de clases desempeña un papel preponderante e insalvable dentro de los términos vigentes en el mundo. La ambición o el engaño terminan en una sanción moral. Las circunstancias conflictivas que no terminan en sanción, reciben cierto patetismo romántico al reducirse las ambiciones a sus términos proporcionales y devolver así la armonía convencional al mundo, al tiempo que participa en alguna medida en la irradiante perfección de la realidad final de la novela.

En cada situación amorosa hay, pues, la concreción de rasgos fundamentales del espacio. Estas características son las que conforman la vida nacional en la obra de Blest Gana: La clase alta, por una parte, que dicta los valores configuradores del mundo, objeto de la sátira del narrador y del desenmascaramiento de su mísera realidad[95]. La clase de 'medio pelo', en seguida, descrita principalmente por su tendencia a imitar a la clase alta en sus ideales exteriores de elegancia y de dinero, rasgos imitativos que definen su condición de 'siútica'. Es siútico el modo de vestir de Amador Molina —tipo vulgar del siútico—, falta de gusto para aparentar con éxito la elegancia de la clase superior; siútico su afán de emparentar a cualquier precio con los jóvenes de la clase alta; siútica la esperanza de casar a su hermana y siútica la esperanza de las hermanas Molina de casar con jóvenes de la clase aristocrática; siútico el 'picholeo', donde esas aspiraciones se engendran y encuentran su ocasión[96].

El pueblo es apenas entrevisto en el pintoresquismo de la escena de los zapateros de la Plaza de Armas –captado en su lenguaje vulgar y sus idiotismos–, en los vendedores de los paseos santiaguinos o en los curiosos de la revolución de abril. Su presencia más constante se vislumbra en las palabras de los contertulios de don Dámaso Encina, conforme a las ideologías políticas que lo consideran digno de libertad, educación, derechos y garantías constitucionales, o nacido para obedecer a la autoridad y aceptar el lugar de inferioridad, sujeción y analfabetismo que sus tutores naturales les conceden. Esta doble concepción se vuelve fuertemente caracterizadora de la realidad social[97].

El color local recibe tributos estimables en la pintura de los paseos de Santiago, de la Alameda o del Campo de Marte, y en la descripción de las fiestas de septiembre, el teatro, las tertulias aristocráticas y los picholeos de medio pelo. Cada cuadro o escena, cada escenario, contribuye a la integración total del espacio que configura el mundo narrativo, esto es: la sociedad santiaguina del medio siglo[98]. Este espacio, esta sociedad, porta el mundo que se ha descrito regulado por la elegancia y los intereses egoístas, por las costumbres pintorescas y los hábitos sociales que coordinan sus características históricas con el vestuario, las modas de diversas áreas, la economía y la sensibilidad. En correspondencia con el espacio, los personajes son en general representativos de sectores sociales bien definidos, adoptando consecuentemente la forma de tipos: viejos ridículos, en quienes se castigaban los vicios y el egoísmo de la clase aristocrática, caballeros improvisados, tejedores honrados; jóvenes no menos ridículos, como el recién venido de Europa, Agustín, elegante y dicharachero, pero vacío y desaprovechado; jóvenes bovaristas como Edelmira, o engañadas como Adelaida; siúticos extremados como Amador; tipos románticos byronianos como San Luis: damas letradas y feministas como doña Francisca[99].

6 LEY DE ESPACIALIDADES

Ley de espacialidades o ley de estructura es en *Martín Rivas* la contraposición de la apariencia a la realidad esencial de las cosas y de los seres, norma —como se ha señalado— del Realismo de la novela moderna. El proceso narrativo avanza descubriendo o revelando progresivamente la realidad. Tal carácter progresivo proviene del modo cómo se concibe la realidad misma: como una época de transición —toda la vida deslizándose por el plano inclinado de la historia— que tira hacia una meta. La escatología blestganiana se asemeja a la de Lastarria en su carácter libertario:

> Martín —dice el narrador— no había pensado jamás con detención en las cuestiones que agitan a la humanidad como una fiebre, que sólo se calmará cuando su naturaleza respire en la atmósfera normal de su existencia, que es la libertad[100].

El estado social conocido tiene las contradicciones propias de un momento en el progreso hacia la libertad plena, la meta lejana hacia la cual marcha la vida histórica para arremansarse y dar expresión a las perfecciones de la vida moral, que sólo en esa atmósfera crece naturalmente. El movimiento se concibe con la necesidad y la irreversibilidad de una ley natural.

Blest Gana adopta estos principios para comprender la evolución moral de la sociedad y sus condiciones políticas o las condiciones políticas de su salvación. Pero no para interpretar un movimiento de clases, ni el ascenso de la clase media, ni la penetración de la provincia en la capital, sino para poner de manifiesto la inautenticidad o exterioridad de la vida en un medio políticamente imperfecto[101]. En este sentido, Blest Gana resulta entrañablemente próximo a Lastarria.

Sin embargo, sería de todo punto injusto e inexacto desconocer que el énfasis del autor de *Martín Rivas* está puesto en la configuración de la estructura espacial, en el diseño del cuadro social de Santiago en 1850 según puede verse desde 1860. Esta perspectiva decenal puede hacer pensar que falta aquí toda invivencia si la visión acomoda el conocimiento del pasado a la luz de las formas e ideales del presente. Desde este punto de vista, tal visión menosprecia el pasado y si algo se salva en ella es, justamente, la emergencia del individuo exaltado en sus valores morales y humanos frente al hedonismo insustancial de la sociedad. De esta manera, los seres estimables aparecen, precisamente, como aquellos que rompen las características del medio; aquellos que violentan las normas establecidas y, sobre prejuicios y convenciones superficiales, imponen la va' personal de sus talentos. El triunfo de Martín Rivas no es el triunfo sobre el orgullo de una patricia o de una clase, sino el triunfo de la virtud sobre el enajenamiento o la degradación social. En este paso, Martín y Leonor aúnan su actitud al despojarse —o resistir— a los elementos que los enajenan en las formas exteriores —elegancia, dinero, orgullo de casta— de la sociedad, para arribar finalmente a conocerse iguales en virtud. La novela crece, la ley de espacialidades se desarrolla, en este proceso de desvelamiento para recoger las primicias de una revelación que concluye por irradiar sus bondades sobre la totalidad del mundo. El carácter incondicionado del amor, parece preludiar el paraíso de libertad con que ensueña la creencia del poeta.

Este es el tiempo secreto que sostiene el proceso de descubrimiento, el proceso de liberación de las apariencias, para sorprender el meollo de la realidad sita en el ser personal de cada quien.

III EL IDEAL DE UNA ESPOSA

La generación siguiente a la de Alberto Blest Gana inició un nuevo período reconocible por la omnímoda vigencia del Naturalismo literario[102]. La extensa duración de este período[103] caracterizó la novela chilena moderna con rasgos que le han conferido una considerable uniformidad[104]. La obra de Blest Gana fue también el método uniforme con que se comprendió la novela de este período; la medida común empleada para juzgar su calidad e interpretar sus valores literarios. Conviene advertir, sin embargo, desde ya, que entre el autor de *Martín Rivas* y los escritores de la generación siguiente habrá diferencias insuperables, algunas de las cuales ya han sido señaladas más arriba[105]. La uniformidad, realmente existente, proviene de la tradición que los nombres antes considerados han ido estableciendo al asumir las formas de la novela moderna; esto es, por el modo general de interpretar la vida nacional de cada narrador, por la espacialidad dominante de las estructuras, por el acento puesto en las funciones laterales de la novela. Bajo estas formas generales, se encuentran variedades importantes no observadas que corresponden a las singularidad de las obras mismas, así como a los aspectos novedosos que traen el período y las generaciones diferentes.

En los capítulos que siguen se va a estudiar tres novelas de otros tantos novelistas pertenecientes, cada uno de ellos, a cada una de las tres generaciones naturalistas.

Se considerará en primer lugar, *El Ideal de una Esposa,* de Vicente Grez, obra cuya importancia en la historia de la novela chilena se quiere ahora destacar, como una de las primeras expresiones de la novela naturalista en Chile digna de estudio[106]. Puede ser estimada como la mejor novela del autor y como la de mayor valor literario de su generación[107]. Sin embargo, apenas si se la ha estudiado más allá de los comentarios que siguieron a su publicación en 1887[108].

1 NARRADOR Y PINTOR

Lo primero que llama la atención en *El Ideal de una Esposa,* de Vicente Grez, es la discreción del narrador; las escasas veces en que interpreta las condiciones del mundo de un modo expreso. Cierto es, que en las contadas oportunidades en que lo hace, define con nitidez su conocimiento de los acontecimientos o de los personajes. Y, aunque revela una extraordinaria prudencia y contención, es posible en términos generales penetrar en su comprensión del mundo. El narrador se remite principalmente a transmitirnos lo que acontece mediante una observación objetiva.

La observación se proyecta sobre el paisaje o sobre la interioridad de los personajes en cuya intimidad se establece con regularidad la atención del narrador. La visión de estos dos aspectos singulariza de modo notorio al narrador y le confiere rasgos de gran peculiaridad personal puesto que este tratamiento íntimo conduce a una general interiorización de la substancia narrativa, a una apropiación de nuevas esferas de realidad insólitas. La contemplación de la naturaleza misma se matiza de vibraciones subjetivas[109].

Sobre cada aspecto, el narrador ejerce el soberano imperio que caracteriza el tipo de narración de la novela moderna, y, su actitud narrativa, conserva la ironía a que da lugar la incongruencia entre los medios directos e indirectos de expresión. Lo que no aparece a la mirada del narrador como naturaleza o conciencia personal, se presenta directamente a través del diálogo dramático bien adecuado a las características de los personajes, a su extracción social, a su psicología, a su cultura, a su edad. Estos rasgos, encarnados vivamente en las figuras interactúan de un modo siempre decisivo mediante la palabra cargada de efectos activos que condicionan su carácter dramático.

En los aspectos descriptivos, la narración carece de la frondosidad sensible en el costumbrismo blestganiano. No hay en Vicente Grez concesiones al pintoresquismo romántico-realista del color local. No quiere decir esto que el narrador sea indiferente a la visión pictórica y nos hallemos ante una novela falta de ambiente y de forma alguna de color. No hay tal, y, a pesar de la afirmación de una crítica insistente[110], debe señalarse como rasgo muy característico y relevante del narrador su fina condición de auténtico pintor y su sensibilidad impresionista.

La mirada del narrador se detiene, en el retrato o en el paisaje, con una sensibilidad abierta a las sugestiones de la luz y del color, y con mucha frecuencia, al sonido o al ruido y al aroma de las cosas. Su sentido pictórico se abandona a una vaguedad impresionista de que hay abundantes muestras en su narración. El retrato de Faustina, la figura protagónica, pone de manifiesto claramente las condiciones pictóricas del narrador:

su belleza rara y casi fantástica había producido en Enrique algo como un arrobamiento. Todo contribuía en ese instante a hacer notable la hermosura de Faustina: la sala poco alumbrada, los muebles antiguos y cubiertos con ese tinte oscuro de los años, hasta las mujeres graves y místicas que la rodeaban hacían que la joven resplandeciera en medio de esas sombras, como algunas creaciones llenas de colorido y de luz que los pintores destacan de sus fondos sombríos[111].

Lo mismo puede decirse del retrato de Hortensia:

Faustina sintió una sensación de agrado al penetrar en el salón de Hortensia, adornado con muebles modernos, de colores vivos, en que la seda, los dorados y los espejos arrojaban como un resplandor de oro, que la luz del gas avivaba con sus destellos.

Hortensia estaba sentada en una poltrona, cerca de la mesa de centro, sobre la que se veía un pequeño costurero. De sus faldas caía un abrigo de pieles, envolviéndola en una nube gris, suave y reluciente[112].

Ambos retratos parecen trasposiciones de cuadros pictóricos, de telas de raro impresionismo. El primero de los cuadros explica la impresión de Enrique, pero el narrador traduce el impacto experimentado por el joven con sus propios conocimientos de pintura. La luz se convierte en el elemento más significativo tanto en el carácter sombrío del fondo, falto de lumbre, antiguo, añoso; grave y místico en las figuras; como en el resplandor con que destaca sobre él la "belleza rara y casi fantástica" de Faustina. El segundo de los retratos, que responde a la impresión de la joven, muestra el colorido dorado y vivo, rico y moderno que vibra en torno de la figura de Hortensia envuelta "en una nube gris, suave y reluciente".

Los dos retratos tienen en su colorido y particularmente en su atmósfera luminosa el sello de dos aspectos contrapuestos de la realidad. Reciben notas temporales en las que vibran, en el uno, el sombrío carácter de lo añejo y gastado del pretérito desde donde, como del fondo del cuadro, brota la belleza irreal de Faustina; en el otro, la actualización del presente vibrante de oros, de riqueza inconsistente y grata, en que la belleza tiene la vaga irrealidad de los múltiples reflejos de la luz. Los efectos psicológicos de los elementos sombríos o vivaces dan profundidad al cuadro. No es éste un arte del retrato que se agote en sí mismo. El contraste establecido y las notas que animan en él encuentran severas correspondencias con otros aspectos del mundo y fundamentalmente con sus elementos estructurales más significativos. Se prefiguran en ellos las instancias temporales y morales que conforman el mundo narrativo y que preludian en sus tonalidades y vibraciones inestables el resultado final de un desafecto insuperable.

Al modo propio del Naturalismo, el paisaje muestra correspondencias con actitudes o sentimientos de los personajes, y favorece, en ocasiones, la revelación de lo verdadero, estimulados por las vibraciones atmosféricas de la estación. La primavera comunica voluptuosidad a la atmósfera, igualmente sensible para viejos y jóvenes, pero hace sentir a aquéllos la sazón inoportuna de los movimientos sensuales de su ánimo. Cuando Faustina da pábulo a las inclinaciones funestas de su carácter, el paisaje es una réplica adecuada para el conocimiento de su actitud:

¡El invierno en el campo! Ante esta sola idea se estremece de horror el corazón de las mujeres felices de las ciudades; pero Faustina experimentaba cierto íntimo regocijo al ver ponerse amarillento y seco el verde tapiz de los campos, mustio el follaje de los árboles, cuyas hojas se desprendían al contacto de la más leve brisa. Aquel cielo cuyos horizontes estaban ocultos por revueltas y tempestuosas nubes ¿no era la imagen fiel de su alma, ya para siempre sin alegrías ni esperanzas, y combatida constantemente con las borrascas de sus celos y desgracias?[113].

El carácter sombrío de su índole, revelado después del desengaño, pone de manifiesto el origen esencial del personaje, su extracción de un medio donde la vida está excluida, y la existencia en un retiro que es alejamiento de la vida.

La sensibilidad pictórica del narrador se pone de manifiesto igualmente en la representación de un domingo en el Parque Cousiño, paseo lleno de brillo, animación y movimiento: un cuadro cinético que refleja la variedad y riqueza del gran mundo santiaguino[114]. Más expresivo todavía de su impresionismo característico es el paisaje del valle de Santiago:

la vista del parque y de toda la inmensa campiña era encantadora: las torres de la ciudad alzábanse por entre el oscuro follaje de los árboles y uno que otro edificio destacaba sus azoteas y pabellones. Hacia el oriente veíase el Santa Lucía solo, aislado, majestuoso, como una inmensa pirámide sobre la que se hubiera construido una ciudad fantástica. Los últimos destellos del sol inundaban el valle con una luz rojiza, y sus reflejos llegaban hasta la inmensa cordillera, iluminándola con tintes de aurora. Una especie de blanco polvo de plata principiaba a descender del cielo y se detenía flotando sobre las siluetas y perfiles de la ciudad, como si fuera el sueño de la noche que esperara las sombras para penetrar en las alcobas[115]

La tibieza de la hora y la belleza del paisaje llenan de languidez a Faustina, relajan su voluntad y la conducen a dar el paso infortunado. La irrealidad del momento y la poética belleza del paisaje harán fuerte contraste con la escena que descubre la joven en los aledaños de la ciudad.

La arquitectura y los interiores lujosos de edificios y mansiones también encuentran en el narrador un pintor diestro y atento para captar el rasgo significativo, el tiempo, la atmósfera condicionada o condicionadora de los seres y de las circunstancias[116].

La visita de Faustina a la quinta del Tajamar provoca una hermosa descripción del paisaje. No es en este caso sólo el color o la luz, sino las formas, los ruidos y rumores, los aromas, la temperatura y el movimiento, los que entran a formar el complejo de sensaciones que enriquecen el cuadro[117]. El paisaje de la quinta de San Bernardo, a donde Faustina se retira con su pequeño hijo, completa con su colorido sombrío y su atmósfera silenciosa y triste —interrumpida a ratos por el ruido de los trenes y el silbido de las locomotoras—, la manifestación de su voluntad de alejamiento de la vida[118].

Las escenas que ocasionalmente intercala el narrador, en especial la de la quinta del Tajamar, demuestran que no carecía del arte de Blest Gana, sino muy al contrario era capaz de animar escenas llenas de movimiento y color, sin trascendencia, de levedad ligera, dentro de las perturbadoras preferencias del Naturalismo naciente, sin las inhibiciones del autor de *Martín Rivas*. Cierto es que éstas no se prodigan en la obra de Grez, que desprovista de la prolijidad descriptiva del Realismo ha parecido a sus críticos una miniatura. Sobre el equívoco implícito en esta apreciación diremos algo más adelante[119].

La serie de retratos, cuadros, escenas y paisajes, constituyen a lo largo de la novela una multiplicidad de espacios que integran la imagen de Santiago hacia 1882, coloreada por la conciencia personal de Faustina o por la mirada del narrador.

Un aspecto apenas apuntado en Blest Gana, pero decisivo en algunos momentos concretos de su obra, alcanza en esta novela una importancia capital hasta hacer de él la conformación misma de la sociedad y ahondar en sus características espaciales y temporales con dramática profundidad. La exhibición de una fundamental contradicción interna de la vida social en la cual dos tiempos diferentes coexisten irreductiblemente en la rigidez de sus términos contrapuestos, parece ser lo esencial. Coloniaje y modernidad constituyen estos polos. No sería fácil determinar una preferencia decidida del narrador por una u otra de estas formas. Más bien, por encima de ellas mismas las contempla en sus respectivas limitaciones. Parece seducido por la solidez y consistencia de la una, a pesar de todo, y algo consternado por la inconsistencia, la ligereza, la novedad improvisada y recién llegada de la otra[120]. Las posibilidades de penetración o sus imposibilidades llenan de sentido la temporalidad de estos planos. Pero el espacio no está configurado solamente por notas de riqueza, esplendor o coloración, ni tan sólo de atmósfera, sea ésta fantástica o pintoresca, ni es su vagarosidad nebulosa y fantasmal su único signo.

La visión del espacio que tiene el narrador emerge, esencialmente, merced a un estrato ignorado hasta el momento de la realidad humana: el de la conciencia. En este sector se establece la perspectiva del narrador y el proceso narrativo se modifica por las mutaciones de la conciencia moral de los personajes. La presentación de esta conciencia moral entrega los pocos elementos interpretativos escapados a la discreción hermenéutica del narrador. Esta conciencia moral es interpretada temporal, históricamente, en atención al mismo sistema de espacialidades señalado más arriba, como encarnada en los protagonistas de la novela. En lo más significativo, el narrador, penetra sin embargo, en una dinámica dimensión psicológica que muestra a los personajes en una perspectiva evolutiva, en transformación reveladora de su esencia oculta. Los personajes no tienen de esta manera una dimensión plana, sino que se ofrecerán en relieve, sorprendiendo con la manifestación repentina de aspectos desconocidos de su personalidad. Sobre esta transformación, que sigue el proceso de una evolución patológica y la configuración de un síndrome completo, el positivismo cientificista del narrador —constante de la tradición realista y naturalista— superpone la evolución gradual del pensamiento de la protagonista sin que llegue efectivamente a transformar su condición primera:

Insensiblemente las costumbres de Faustina se modificaban. Ya no satisfacían su espíritu esas largas visitas al templo en que durante horas permanecía inmóvil, leyendo por milésima vez las páginas de su libro místico, llena de vagas visiones y de misterios religiosos que el pensamiento humano no podía penetrar. Los sermones del cura principiaban a parecerle buenos y convenientes sólo para la servidumbre de la casa, para los campesinos y gentes del pueblo cuya moralidad no es la obra de la educación y de la enseñanza sino del miedo a un eterno castigo. Ahora le gustaba sólo orar porque su pensamiento penetraba en una región inmensa, volaba de mundo en mundo admirando al divino Creador de esa armonía sublime cuya grandiosidad le asombraba y conmovía. Sus ideas religiosas se hacían más puras e ideales a medida que abandonaba el pesado bagaje de supersticiones y de creencias idólatras que aplastaban su conciencia. Sentíase así más libre y feliz, y un sentimiento de ternura inmensa, de amor para toda la humanidad nacía ardiente en su alma en reemplazo de los inútiles dogmas y tradiciones que se iban. Hacer el bien, proteger a los desgraciados y consolar a los afligidos, le parecía la más sublime misión que una creatura podía desempeñar en la tierra. Indudablemente los sacerdotes y los médicos debían poseer un alma muy generosa[121].

Pero la transformación más importante, desde el punto de vista del narrador, que ironiza los términos del título de la novela[122] y apunta a la ley de estructura, es la que describe el proceso inconsciente mediante el cual se gesta primero secretamente y se hace consciente luego la pasión adúltera que nace en la honesta Faustina para ironía de su intransigencia y de su falta de caridad hacia el esposo. Con ello el narrador expone su escepticismo y su ironía, su concepción de la debilidad humana y de la sujeción de todos los hombres a los fueros de la voluptuosidad[123].

"¿Quién, pues, estará libre de ser arrastrado por una pasión?"[124].

2 EL MAYOR MONSTRUO

El punto de vista del narrador, su singular modo de plasmar la temporalidad del acontecer, ordena una particular disposición artística de los motivos. Se advierte que la novela, dividida en dos partes, dispone la primera para presentar los antecedentes causales de la historia que se va a contar en la segunda. Corresponde, la primera parte, a una cuidadosa observación del medio y de las circunstancias en que tienen su origen los personajes protagonistas de la novela. La segunda parte, dispone las cosas de tal manera que, observadas las características de los personajes y su extracción se explica la extraña unión que puede producirse entre dos caracteres diferentes. Al presentarse el primer conflicto matrimonial comienza a ponerse de manifiesto la radical incompatibilidad de los caracteres contrapuestos y de los aspectos representados por los personajes. El error y la intransigencia encontrarán un mediador impotente en el sentido común y en la experiencia del mundo del señor B., padre de Faustina, y una víctima propiciatoria en el hijo, Luchito, quien muere afectado en su débil salud por la separación de los padres.

Esta disposición evoca de inmediato la forma de la novela experimental con sus momentos peculiares. Los capítulos de la primera parte sirven (I) para aislar los caracteres, mostrar el medio y la situación de cada personaje con su coloración ambiental, moral y psicológica; (II) para narrar el amor fuera de sazón del señor B. hacia Hortensia y el nacimiento, paralelo, del amor de Faustina y Enrique, y (III) para mostrar el desarrollo del amor y el matrimonio de los jóvenes con los sucesos que condicionan su destino ulterior. Todos estos aspectos corresponden a una observación exploratoria y materializan la perspectiva de la narración escogida por el narrador; una porción de realidad observada.

Al presentar a Faustina, el narrador observa una doble condición en su personaje, educado excepcionalmente en su medio:

> A los quince años era ya una mujer instruida y de carácter firme, decidido y valiente, capaz de desafiar impávida las más grandes pruebas de la vida. Nadie se imaginaba lo que había en el fondo de esa joven dulce y apasionada, de seductoras y casi ligeras exterioridades, caprichosa y acostumbrada a ser obedecida, como que desde su infancia gobernaba una casa en la que no imperaba más ley que la de sus órdenes[125].

Trasladando la mirada al medio de Faustina, observa la condición lúgubre y sombría de un mundo que se concibe como aquel "en que se agitaban palpitantes algunos restos del misticismo colonial"[126]. El descontento que por entonces siente la joven, encuentra estímulo en la sospecha o el atisbo de otro mundo que el suyo, de que "había otra vida más expansiva que ella desconocía por completo y que le estaba vedada"[127].

Su juventud especialmente siente el halago de ese mundo, mientras el suyo no le ofrece sino el escepticismo sombrío del padre, la garrulería de sus tías, las fruslerías fantasiosas de Rosalía, su aya. La observación se completa cuando Faustina en una de sus visitas a casa de las tías se encuentra con una sociedad distinta. El encuentro con Enrique y su madre, Hortensia, permite observar también a aquél con duplicidad semejante a la presentación anterior de la joven, con el agregado de dejar un doble efecto sobre el ánimo de Faustina:

> Al principio no agradó a Faustina la baja estatura del joven y su expresión maliciosa y socarrona; pero eran tan cultas sus maneras y tan dulce el timbre metálico de su voz, que terminó por fijarse en él con verdadero interés. Entonces descubrió muchas cosas que no había notado al principio; que sus ojos eran hermosos; que vestía con elegancia; que sus cabellos echados hacia atrás con un poco de desorden, le daban un aire despreocupado que le sentaba muy bien. Notó igualmente que, cuando la miraba su aire insolente tornábase tímido, quedando sumergido en un silencioso asombro. Esto gustó a Faustina, pues comprendió que había impresionado al joven[128].

Efectivamente, Enrique ha sido seducido por la belleza casi fantástica de la joven cuya figura destaca sobre el fondo sombrío del salón, el tinte gastado de los muebles y la gravedad y misticismo de las viejas tías. De ello, importa destacar cómo los aspectos aparentes son los invocados para expresar la impresión experimentada por los jóvenes que se sienten mutuamente seducidos. Cosa semejante acontecerá cuando Faustina penetre en el mundo de Hortensia y su hijo, cuya riqueza, luminosidad y novedad, la seducen. La belleza y la frescura brillante de ese mundo tienen un poder universal de seducción. Ante él sucumbirá también el señor B., quien se habrá de enamorar de Hortensia. Mas, mientras los mayores son capaces de sobreponerse a la ilusión desplegada, mediante un llamado a la razón y al sentido común, el deslumbramiento engañoso triunfa sobre los jóvenes. En este punto el narrador invoca la creencia del lector en la capacidad humana de ilusión y error.

Los jóvenes se han de casar, pero antes de hacerlo morirá Hortensia rodeando la futura unión de signos funestos. La piedad que despierta en Faustina el dolor de Enrique une todavía más a los jóvenes, acrecentando la oscura condición de los sentimientos y despertando en la joven la conciencia de nuevos deberes hacia su futuro esposo. Otros sucesos penosos ponen funestos presagios en el matrimonio. Finalmente, después de vivir un tiempo en el sombrío albergue del señor B. lo dejan para hacer su vida independiente. Entonces el narrador propone a sus lectores:

como Enrique, que se había lanzado al comercio, poseía una fortuna considerable, compró la elegante casa en que los encontramos instalados, y donde se desarrollan los sucesos siguientes de esta historia[129].

De esta manera concluye la observación preliminar y, como claramente se desprende de la proposición del narrador, los lectores se enfrentarán a continuación a las consecuencias de lo ya observado, es decir, la unión de dos caracteres diferentes por su índole y su educación como por su extracción social, que ha sido posible gracias a una doble seducción fundada en las apariencias, que ha dejado ocultas las esencias reales de cada uno de ellos.

La Segunda Parte describe en los tres primeros capítulos un variado cuadro de Santiago, ciudad luminosa y elegante de grandes paseos, de arquitectura ambiciosa de grandeza y majestad, hecha de similor, pero fina y elegante; quintas de recreo para la voluptuosidad de la nueva sociedad, salones con resplandor y riqueza de templos solemnes[130].

Una noche Faustina cruza la ciudad en su carruaje acompañada de su hijo, convaleciente y caprichoso, que la mueve a buscar a Enrique en los lugares frecuentados por él[131]. No lo encuentran, pero la procacidad de los cocheros en las puertas del club, los cambios advertidos en la conducta de su esposo, la mueven, olvidándose del niño, a salir de la incertidumbre atroz en que de improviso se halla. Ordena al cochero de su carruaje dirigirse a la quinta del Tajamar cuya existencia desconocía. Allí contempla, a escondidas, un cuadro galante en el que sorprende a amistades de Enrique y a éste mismo alternando con damas cuyos atavíos y maneras originales la sorprenden. Presencia una escena airada entre su esposo y Amalia, una antigua amante de éste, celosa de la joven compañera de esa noche. Un completo cuadro de escándalo se ofrece a la vista de la espantada Faustina que huye trastornada. Su salida intempestiva llama la atención de las parejas que se retiran y Enrique alcanza a reconocer a su mujer en el primer carruaje que parte[132].

El cruel desengaño sufrido por Faustina engendra el drama. Sus consecuencias han de desarrollarse de inmediato con inflexible determinación, pues derivan del carácter de la joven. Su primera decisión será invariable, ni la actitud pesarosa y ascética que adopta Enrique, deseoso de expiar su desliz, ni el influjo del señor B. con su llamado a la realidad positiva, podrán variar su determinación[133]. Su ideal de esposa se destrozó y para ella ya nada puede remediarlo. El personaje ha comenzado a adquirir relieve. No se sospechaba en su delicada belleza e ingenuidad una actitud tan atrevida como la que la llevó a la quinta del Tajamar. Desde el momento del desengaño comienza a desplegarse con renovada sorpresa el tipo de esta mujer de fuerte e intransigente carácter. El narrador expone claramente el motivo del desengaño:

Como casi todas las mujeres enamoradas y felices que atraviesan la vida ignorando los abismos que encierra, Faustina creyó morir al sentirse herida en medio del corazón. Su fe sincera y profunda en el amor de Enrique, sus ideales juveniles, que la esposa honrada había elevado hasta la altura de una creencia religiosa, se desvanecieron en presencia de aquella traición. El golpe se hizo más terrible por lo inesperado: no le había precedido ni la sombra de la más leve sospecha. Acostumbrada a ser querida hasta la adoración, jamás la preocupó la idea de ser engañada, y a pesar de sus veintiséis años conservaba todo el candor y toda la ignorancia virginal de la niña que no ha visto el mundo sino al través de los cristales de su ventana[134].

Una poderosa fuerza que nacía de la moral y de su corazón abría un abismo entre el pasado y el presente de su vida[135]. El señor B. consigue impedir momentáneamente, al menos, la separación advirtiendo a Faustina que lo que ella estima una inmoralidad es "la moral corriente"[136], es decir, la norma positiva que obedece en la nueva sociedad a la modernidad de las costumbres. Se ve obligada a aceptar la moral de los hombres como algo fatal, "como ley que pesa sobre las mujeres casadas"[137], pero sublevada, siente que jamás podrá someterse a "esa ley infame"[138]. "El consuelo de esa ley pareja, de ese código igual para todas las mujeres que por un momento pareció aliviarle, estimábalo ahora indigno"[139]. En la misma forma en que su auténtico ser le impedía todo disimulo se siente incapaz de adecuar su desengaño a una actitud fingida para conservar aparentemente lo que sentía perdido para siempre: "Prefiero mil veces mi desdicha presente a vivir engañada"[140].

El desengaño modificará su naturaleza, aparente, revelando su carácter fuerte e intransigente. La nueva disposición de su conciencia deformará el sentido de la actitud del esposo, le repugna su debilidad y desprecia su conducta atenta y deferente en la que sólo ve formas de hipocresía[141]. Esta perspectiva personal creará con su deformación una doble verdad en que se precipitará ruinosamente cada vez más. Su resentimiento deformó las cosas hasta pintar la ligereza de su esposo de una manera monstruosa; hizo seguir a Enrique por agentes que le comunicaban todos sus pasos, pero la conducta de su esposo era irreprochable. Esto contrariaba a Faustina y la hacía dudar de la honestidad de los agentes. Comprendiendo lo que se quería de ellos, los agentes refieren inventadas sorpresas. Los celos la llevaron a una condición morbosa: vigilaba las entradas y salidas de su marido, esperando sorprenderlo, sin que se realizaran sus locos deseos. Luego, cuando Enrique cree ya expiada su culpa y, favorecido por el trastorno que experimenta la salud de su hijo, intenta superar la situación, se encontrará con la inflexible negativa de Faustina. Es más, su mujer se transformará patológicamente a sus ojos y la desconocerá por primera vez al descubrir un ser vulgar y monstruoso en quien había visto sólo encanto y hermosura:

Faustina, frente a él, parecía provocarle a un acto de demencia. Estaba inconocible: con sus mejillas cárdenas por la irritación que la dominaba, su seno hinchado y palpitante y su cabellera un poco desordenada. En ese momento, si no hubiera sido por su belleza y su traje elegante, se la habría podido confundir con una mujer plebeya; toda la gracia y la distinción de su persona habían desaparecido. Estaba ordinaria y monstruosa[142].

Enrique reacciona con la violencia y debilidad que son propias de su carácter, pretendiendo adoptar también una actitud definitiva. Cambiará, sin embargo, varias veces esperanzado en vencer la frialdad y el desprecio de Faustina. Lleno de despecho abandonará luego sus propósitos sanos y retornará al medio de sus aventuras y amistades alegres que lo acogen con entusiasmo y simpatía[143].

Después de la violenta escena de celos, Faustina busca en la religión un nuevo incentivo para su vida e inadvertidamente se distrae de la atención debida a su hijo enfermo[144]. Esta actitud va completando el síndrome que se quiere presentar. Sólo el agravamiento del niño por la aparición de nuevos síntomas —tisis laríngea—, junto con poner una nota de cruel *pathos* naturalista, conduce a Faustina a decidir el viaje a la quinta de San Bernardo que poseía su esposo, pues el clima del lugar podría favorecer la curación del niño. En este nuevo escenario surgen situaciones inesperadas.

El movimiento del ánimo que la ha llevado a aceptar con placer la prescripción médica es la venganza y el anhelo de que el alejamiento del niño haga sufrir al esposo[145]. El viaje mismo no era necesario, pero Faustina insiste en él conducida por su oculto deseo de venganza. "Más que la salud de su hijo tan querido le preocupaba el golpe que recibiría su marido cuando llegara a la casa y la encontrara desierta, recibiendo al mismo tiempo la noticia de que Luchito estaba muy mal, casi sin remedio, como ella había tenido cuidado de repetirlo a la servidumbre para aumentar todavía la fuerza del golpe que le asestaba"[146].

Su estado de ánimo imagina la realidad a la medida de sus deseos, llevada por la felicidad que le traen circunstancialmente viejos recuerdos. La hermosura del campo llena de salud y alegría aparente a todos. Las ensoñaciones lúgubres brotarán con naturalidad y sin daño en Faustina como correspondiendo a los valores que representa su empecinado carácter[147].

Después de una nueva tentativa frustrada del señor B. para conseguir la reunión de los esposos, Faustina, que no puede vencer su naturaleza, le advierte el carácter fatal y necesario que hay en su ser y la imposibilidad de toda reconciliación[148]. En este punto, se consolida la separación, pues el propio Enrique ha escuchado la conversación.

El otoño, como otros signos espaciales, trae un reflejo de su alma grotescamente deformada[149].

El único visitante del retiro es Guillermo, el médico del niño, quien dos veces por semana traía algo de vida y alegría a ese recinto triste y sombrío. Las perfecciones del carácter del médico distraen nuevamente a Faustina del cuidado de su hijo. Sorprende en él el carácter apasionado que encubre su melancolía aparente al verle *transformarse* en las discusiones con el señor B. La "terrible y egoísta moral" de la mujer encuentra concierto con ese viudo que ha declarado que no se ha casado nuevamente porque "sólo una vez se ama en la vida"[150].

Una admiración tierna comienza a desarrollarse hacia Guillermo al tiempo que se enamora del estudio y de las ciencias[151]. Bajo el influjo del médico y del saber la conciencia de Faustina se transforma. El narrador hace sucintamente la historia de este proceso a través de los tres estados del pensamiento de Comte por los que pasa la religiosidad de esta figura hasta desembocar en la religión de la humanidad[152].

La ocasión de poner a prueba su nueva conciencia se presenta de inmediato: visita enfermos y campesinos pobres que confían en ella. Todo esto, nuevamente, distrae su atención del hijo, que, aparentemente mejor, no deja de manifestar signos inquietantes para el médico y para el señor B. El niño mismo padece terriblemente la separación de sus padres y no desea otra cosa que volver a Santiago y verlos juntos. Entretanto ha ido cobrando infantil antipatía al médico que le enajena la atención y el afecto de su madre. Faustina, en cambio, está encantadora y bajo efectos de las nuevas circunstancias ambientales y morales se ve nuevamente transformada[153]. El señor B. adivina lo que todavía no ha penetrado en la conciencia del médico ni de Faustina ni ha llegado a manifestarse claramente a sus ojos en modo alguno. No demorará, sin embargo, mucho en hacerse presente un secreto proceso que inconscientemente perturbará de improviso con sus revelaciones inesperadas y conflictivas. El conocimiento y la experiencia del mundo del señor B. le advertían que una pasión oculta comenzaba a aflorar en esos seres y recordaba que él mismo, ya viejo, había sentido la violencia de la pasión[154].

A partir de este punto, el narrador presenta la ambigüedad de esta situación para ironizar la seguridad de los personajes. Faustina lloraba su ideal de esposa destruido y sólo se consolaba pensando que su alma había encontrado en la de Guillermo una hermana y gozaría de su contacto en el secreto misterioso de sus pensamientos. A lo cual el narrador anota:

> La pureza de estos deseos impedía que Faustina comprendiera cuánto había de inconveniente y peligroso en consagrar sus pensamientos a un hombre que no era su marido; pero este principio de inmoralidad que con otra mujer podía conducirla a su perdición, en ella ejercía sólo una influencia ideal. Tenía repugnancia a la carne, y sus escándalos eran tan cándidos como esas desnudeces virginales de los niños[155].

Proceso más claro y perturbador se desarrolla en Guillermo, quien descarta la posibilidad de dar pábulo a ese amor, ateniéndose a la razón. No sin que el narrador, una vez más, deje abierta la posibilidad de que el médico sobrestime sus fuerzas[156].

Andando el tiempo, una nueva transformación acontece en el ánimo de Faustina que ironiza con acritud su carácter intransigente e idealista y sobre todo su falta de caridad y generosidad hacia el esposo contrito.

> Por lo que hace a Faustina un gran cambio se había producido en su corazón. Ya no era posible engañarse ni confundir su pasión con otra clase de sentimientos. Amaba, y no se horrorizaba de sí misma. ¿Cómo había caído en el abismo, a pesar de sus cuidados, de su moral, de su alejamiento de la vida? ¿Era un castigo del cielo por sus severidades para con Enrique y su tenaz resistencia a perdonarlo? Es verdad que no había cometido la más leve falta y que no

era culpa suya que semejante sentimiento se hubiera adueñado de su corazón; pero estas consideraciones no tranquilizaban su conciencia y comprendía que ya no era la esposa inmaculada de antes[157].

Para contrarrestar esta pasión llegaba a pensar en una reconciliación con el esposo, pero si antes la habían separado el despecho, el odio, una sed de venganza y de castigo; ahora una indiferencia helada, mortalmente fría, como algo que no ha existido jamás o que ha concluido para siempre, la dominaban.

El amor, que llegan mutuamente a percibir, Faustina y el médico, se pone de manifiesto de improviso en un movimiento que no pudieron prever ni contener; pero que luego de manifestado, reprimen ambos con vergüenza y dolor. Después de esta escena[158] el doctor dejará la quinta sin regresar ya más. Antes de ello, sin embargo, se verá obligado a dar un paso que ironiza todavía más fuertemente la situación. A petición del señor B., Guillermo conminará a Faustina a reunirse con su esposo, quien por entonces liquidaba sus bienes con el propósito de irse a Europa sancionando, de esta manera, una separación definitiva.

Faustina vive perturbada por el alejamiento y la conducta de Guillermo. "Su egoísmo de mujer enamorada —comenta el narrador— la ofuscaba de tal manera que no comprendía ni aceptaba que el doctor tuviera una moral idéntica a la suya"[159].

Su hijo recuperará la atención y los cuidados de su madre, pero a la vez su inocencia se convierte en juez inconsciente de sus sentimientos culpables. Se rebela, luego, ante la inconsciencia de lo ocurrido que no ha llegado a mancharla:

Un grito de su conciencia inocente le devolvió la calma e irguió su altiva cabeza, por la que sólo habían pasado sueños inconscientes, que no manchaban su castidad y su pureza. Se encontraba fuerte, casi más fuerte que antes porque había salido victoriosa de las pruebas a que la había sometido su corazón. No se explicaba cómo ese cariño natural por un hombre lleno de bondades se había convertido en una pasión. Eso había ocurrido sin su consentimiento; ahora todo estaba terminado para siempre. Y al pensar así, se escapó de su pecho un suspiro que semejaba al gemido causado por el dolor de una herida abierta, advirtiéndole que su amor era más serio y grande de lo que pensaba[160].

El señor B. hará una nueva tentativa de reconciliar a los esposos, para lo cual quiere valerse del niño, igualmente esperanzado de ver a su padre. Un accidente sufrido por el niño agrava su salud y hace que regresen todos rápidamente a Santiago. Pero una meningitis tuberculosa termina con su vida. Ayudado por un amigo, el señor B. hace buscar a Enrique. Cuando llega, su hijo ha muerto. La escena desgarradora, de brutal patetismo, en que los esposos se encuentran, cae en la crudeza de violentas recriminaciones en que Faustina permanece fría e impávida, señalándole la muerte del niño como un castigo para sus faltas de esposo[161].

Una nueva tentativa de reconciliación encontrará una barrera en el dolor demencial de Faustina, quien enajenada mece en sus brazos el cadáver del niño. El anciano pone las esperanzas de reconciliar a los esposos en el valor de su última voluntad manifestada en el lecho de su muerte que siente próxima. Pero la esperanza del anciano señor B. no cuenta con la determinación natural de los seres ni con las crueles y notables mutaciones que han experimentado los esposos, que ponen una distancia insalvable entre ellos. Esa distancia está constituida por el desamor y por el sentimiento de culpa de que participan por la muerte de su desgraciado hijo.

3 ESTRUCTURA DRAMATICA

Si en la novela de Lastarria y de Blest Gana existe un hiato entre las figuras y el argumento, en *El Ideal de una Esposa* las figuras determinan los acontecimientos; los cambios de la acción se corresponden, entonces, con las modificaciones de los caracteres[162]. La novela adopta de esta manera una forma que la aproxima a la tragedia. Esta forma dramática se ve favorecida por el número reducido de los personajes, la brevedad del escenario y por los triángulos que sirven adecuadamente a la creación de las tensiones. En ella los personajes aparecen sometidos a cierto *fatum* constituido en la novela por un doble determinismo: del medio y de los temperamentos. Las modificaciones de la acción adquieren un aire fatal que se desprende del endurecimiento de los términos contrapuestos por los protagonistas que, en definitiva, precipita la tragedia. Todo en la novela tiende a apretar un círculo de referencias que perfila con justeza y necesidad dramática el mundo de la obra y facilita la creación de una intensa relación[163]. El diálogo es significativamente dramático y de sus frases brota la acción. Las actitudes, las palabras de Faustina, tienen consecuencias, precipitan los acontecimientos, crean dificultades, anulan su solución, ciegan las esperanzas y concluyen por revelar su propia inferioridad o al menos a minar considerablemente su primitiva entereza moral. Las ocasionales intervenciones del señor B., por su parte, abren expectativas; sus esperanzas de reconciliación de los esposos, sólo servirán para ir perfeccionando la imagen monstruosa de la intransigencia de Faustina. La estructura dramática toma la forma de una serie de embates contra la solidez de las determinaciones de la mujer, sin llegar jamás a vencerlas ni siquiera con la muerte del hijo. Penosa resulta la última esperanza cifrada por el señor B. en la manifestación de su postrer voluntad. La fatal determinación de los hechos conduce naturalmente al lector a prever un nuevo fracaso[164].

¿De dónde deriva esta fatalidad? La acción es creada por los personajes que no permanecen aparentemente idénticos a sí mismos de comienzo a fin sino que experimentan a sus propios ojos inesperadas transformaciones. Estas van revelando la constancia de su naturaleza real —oculta para ellos— hasta adquirir la forma de una ley de necesidad que precipita los acontecimientos al tiempo que se revelan a sí mismos en su verdadera condición humana. A la ironía de la tragedia corresponde el que cada cambio en las situaciones implique un cambio en las figuras. La verdad del progreso de los acontecimientos es lo fundamental. Se realiza en dos planos diferentes: uno, de exterioridad aparente que llega en la novela hasta la deformación monstruosa y mentirosa y, otro, de interioridad de la conciencia verdadera de cada quien, plano fundamental donde se juega la ironía trágica de la novela.

La estructura a que nos vemos enfrentados en esta novela es la estructura de personajes en una de sus formas más singulares. En este caso, la novela de personajes adopta una forma dramática mediante la contraposición de dos caracteres irreconciliables. La rigidez de estos términos produce la destrucción de una tercera persona, cuya muerte aparece como la monstruosa sanción para la inflexible pertinacia de uno de los caracteres y la debilidad y falta de entereza del otro. El carácter dramático y trágico de la novela se origina en el *fatum* que pesa en el determinismo temperamental de los caracteres. Sin embargo, los personajes no portan solamente la inescapable condición de sus temperamentos, sino que llevan también en sí la oposición de dos sectores sociales diferentes. Así como los rasgos patológicos de su psicología se han hecho naturaleza en los personajes, en ellos se concretizan igualmente los rasgos rígidos y naturalizados de dos sectores sociales componentes de una misma realidad social contemporánea. Una, resistente al cambio, persistente en normas rígidas, afincadas en principios que se estiman inmutables y absolutos, a los cuales la acción se adhiere con rigurosa consecuencia. Si bien este sector está penetrado por el tiempo y responde al progreso de las nuevas formas sociales, la fijeza de los aspectos señalados pone de relieve el rechazo de la moral positiva, de las normas impuestas por las nuevas costumbres. El otro, representa la modernidad del mundo, es decir, la mundanidad frente a la ascética y retraída sociedad de Faustina. El lujo, la luz, la riqueza, la voluptuosidad, de las formas modernas encarna en Enrique junto con su ligereza, su falta de principios estables, su acomodaticio convencionalismo.

Estos dos personajes encarnan dos tiempos sociales discrónicos, inadaptables; dos momentos de la realidad social que permanecen vecinos, pero incontaminados, no resueltos en comunidad. En ellos se representa el choque de dos sectores que no han llegado a resolver sus contradicciones. La inflexibilidad o la debilidad inestable de sus condiciones condena a la destrucción a aquellos que dependen de la crudeza de esta situación. El señor B. representa las expectativas de solución nunca abandonadas pero contrariadas en todo momento por la realidad. Su actitud representa las esperanzas de la moral ingenua que anhela la realización de las aspiraciones sociales del bien. Pero atendidas las condiciones presentadas y su necesaria fatalidad debido a que las características de los personajes se han convertido en leyes de su naturaleza no podía esperarse sino un nuevo fracaso. Pareciera ser que el narrador, sin entera convicción de las ventajas de la modernidad, simpatizara, sin embargo, con esta parte del mundo por su luminosidad y su progresivismo, pero a la vez puede observarse que tal simpatía se ve algo melancólicamente limitada por la conciencia de la necesidad de salvar la dignidad del antiguo régimen y su estabilidad de principios, siempre que ellos se muevan dentro del sentido común y de una piadosa sensibilidad por las debilidades humanas. La grotesca inhumanidad de Faustina se funda en la contravención de esta norma.

Al mismo tiempo, puede observarse que, en sentido estricto, estos personajes encarnan dos conciencias morales —estrato donde se constituye la estructura narrativa del mundo— contrapuestas. Se trata de una moral intransigente y rígida hasta la desnaturalización de lo humano en su falta de caridad y de piedad por el otro; y de una conciencia moral positiva y convencional que eleva las normas del uso social en principio moral y quiere obtener absolución para sus deslices fiada en la costumbre y su universal aceptación, convertida en ley de la humanidad que menoscaba a la mujer sometiéndola a las mismas prescripciones que la convierten en un ser retraído o confinado a la vida hogareña. Contra la subestimación de la mujer, contra el engaño universalmente aceptado, se levanta la dignidad herida y el desengaño de Faustina. Cierto es que su rebeldía no se agota en una actitud digna y humana sino en un recalcitrante rechazo del otro, en la anulación de toda posibilidad de concierto que se patentiza en los términos absolutos en que ha decidido sobre la cuestión y el rigor satánico con que los sustenta hasta el fin. Ciega para la destrucción que su falta de caridad siembra a su paso, incapaz de medir los términos propios de la realidad.

4 LEY DE ESTRUCTURA

La ley de estructura del mundo está constituida por la constante que conforman los términos de ilusión y desengaño de los personajes o los términos de apariencia y realidad de verdad que aquellos importan. Estos extremos encarnan en la unión ilusionada de los jóvenes debida al sentimiento, la belleza y las perfecciones con que los personajes aparecen adornados. Pero éstos aparecen enmascarados. En momentos sucesivos, cada uno de ellos presentará un aspecto desconocido, inesperado y sorprendente, para quien lo contempla en su transformación. Estos momentos de revelación de una identidad escondida, oculta hasta ese instante, constituye el juego de solución de lo aparente en la realidad. Tras aquella belleza y encanto fantástico, se encubre una rigidez y frialdad casi satánicas, un cálculo diabólico para el mal y una falta de piedad inhumana. Tras la ironía inteligente y el brillo, un hombre sensual, dado a la voluptuosidad, débil de carácter y de temperamento nervioso, violento pero inestable. Esta ley atraviesa los diversos estratos de significación que los personajes encarnan y vale igual para la comprensión de los sectores sociales que representan, como de las formas de moralidad que portan. Esta ley rige el sentido de la profundidad del mundo.

Su regularidad se hace sensible incluso en la vibración luminosa de los cuadros, retratos y paisajes, poniendo temporalidad en la luz y en la estratificación de espacio en planos de profundidad, luminosidad y vagarosidad variables[165].

Un aspecto extraordinario y novedoso se pone de manifiesto en la concreción de esta ley merced a la ironía de los acontecimientos y del narrador. Al revelar los secretos movimientos del inconsciente, de los estratos instintivos de la personalidad, los personajes aparecen sorprendidos por involuntarios movimientos que se han impuesto a pesar de sus determinaciones conscientes. Toda la rigidez moral de Faustina cae en su dignidad aparente frente a la debilidad que experimenta hacia el médico de su hijo. Y si bien fija los límites exteriores de sus relaciones con el médico y llega la separación definitiva, en la intimidad de su conciencia descubre el aliento de ese amor; en él se solaza en sustitución del ideal perdido y, con el mismo modo idealista insensible a la carne, cohonesta su sentimiento con la distancia.

La duplicidad de aspectos, en que por realidad se entiende siempre los términos vulgares, cotidianos y ocultos de la existencia ciudadana, conduce al narrador a mostrar el trasfondo inmoral y liviano de la sociedad santiaguina de los años 80.

La doblez de la vida matrimonial en la sociedad testimoniada por las amigas de Faustina y por el señor B., como por la propia experiencia de Faustina, acumula rasgos de variada crudeza: el utilitarismo de las esposas para manejar la libertad de los maridos, que se extiende a la educación de las jóvenes núbiles; las relaciones de los hombres dignos y respetables de la sociedad con las cortesanas, igualmente utilitarias, descocadas y ostentosamente voluptuosas; los lugares de encuentro y recreo; el trato callejero con aquéllas; las conversaciones que ponderan la fingidamente triste historia de una caída. El carácter desusado de estas situaciones en la novela chilena, de los personajes, escenas y diálogos semejantes, no podían menos que ser recibidos con escándalo en el momento de publicación de la obra. En ese momento se hace sensible una nueva concepción de la moralidad de la obra, es decir, de la función edificante del Naturalismo que oficia con otros medios que los proclamados hasta entonces por Lastarria y Blest Gana[166].

La patológica condición del carácter de Faustina y su desarrollo en la forma de un completo síndrome, obedece ya a definidas normas de la novela naturalista. Una función cognoscitiva de considerable importancia se pone ahora de manifiesto en el propósito de mostrar los mecanismos que obran en la conducta de los personajes.

El conocimiento de las deformaciones de la vida moderna en que se sume la sociedad chilena; la penetración en las condiciones de vida de los humildes, en su ignorancia, su miseria y su desamparo, y la simpatía por ellos —fenómeno desconocido antes—, adquieren un significativo relieve con las modificaciones de la sensibilidad que plasman los nuevos tiempos. Una nueva sensibilidad ha irrumpido y abre preferencias proscritas o resistidas por las generaciones anteriores. Bastaría comparar el carácter abierto y casi audaz que estas preferencias tienen en la obra de Vicente Grez, con las reticencias antinaturalistas de Blest Gana para advertir que algo ha cambiado en el mundo de la novela y de la literatura merced a las nuevas tendencias.

La función edificante que en *El Ideal de una Esposa* se pone de manifiesto tiende a proclamar una actitud comprensiva frente a la realidad positiva del progreso y de los nuevos tiempos y a sancionar en su rigidez tanto como en su debilidad dos sectores sociales contrapuestos y dos morales que en ellos se muestran.

IV CASA GRANDE

La estructura del narrador y el tipo de narración encuentran en la novela *Casa Grande,* de Luis Orrego Luco, la más acabada manifestación de la novela decimonónica en Chile. En ambos aspectos, se sorprende una continuidad con las obras antes estudiadas, que es garantía de tradición efectiva del género. El narrador, que ha interpretado regularmente en la novela anterior de Lastarria, Blest Gana y Grez, la vida nacional, alcanza en *Casa Grande* la más ambiciosa de sus formas al abarcar más extensas zonas de la realidad y elaborar su comprensión con criterios más variados y exigentes, en planos de significación diferente que se desarrollan con entrañables correspondencias[167]. Es ésta una característica del Naturalismo. La amplitud de la interpretación está en relación con el ensanchamiento del mundo literario que esta tendencia trajo consigo. La novela naturalista desarrolla un análisis de la naturaleza, los seres y las cosas. Esta función analítica desplaza el interés romántico por la fábula. El narrador no tiene otro interés que el de la observación exacta, la penetración del análisis y el encadenamiento lógico de los acontecimientos. No atiende al relato completo de una existencia, toma sólo una parte de ella, unos cuantos años de la vida de un hombre o de una mujer; una página de la historia humana o social, que analiza como el químico analiza un cuerpo. Borra el límite entre los géneros; la novela no tiene ya nada específico para este narrador: toca todos los géneros, hace historia y filosofía, trata de fisiología, política, poesía, economía y religión, pues la naturaleza entera es su dominio. En esta novela analítica que no inventa nada, que no imagina nada, el Naturalismo descubre una forma nueva y mira con extrañeza la novela que se margina de la genealogía de Stendhal y Balzac, Flaubert y los Goncourt[168].

Esta perplejidad —siempre presente con ocasión de saltos en la sensibilidad y las formas literarias— se asemeja a la sentida por Diderot ante el nacimiento de la novela moderna en el siglo XVIII[169]. "La palabra *novela* se ha conservado —decía Zola—, pero ya no tiene significación alguna"[170]. Se trata efectivamente de un cambio semántico que corresponde a una modificación del género comprendido ahora de una manera diferente al período anterior. Para el punto de vista del Naturalismo se trata de una mutación radical. Pero, mirado con más amplitud y perspectiva —desde la estructura de la novela moderna—, tal cambio pierde su radicalidad para convertirse en un nuevo condicionamiento histórico de la misma forma, modificada por la tendencia literaria. Los cambios alcanzan a algunos aspectos importantes, como la función del género, por ejemplo, pero no transforman la estructura del género. Cierto es que se ensancha el mundo, que la motivación de los hechos adquiere un acentuado cientificismo, que ya no se habla de caracteres sino de temperamentos, que la función cognoscitiva pretende una exclusividad absoluta y que todo se ordena en la disposición y el sentido de un experimento. Pero, los aspectos esenciales de la estructura de la novela moderna, el tipo de narración, p. e., establecen una forma extrema dentro de la relación objetiva que caracteriza este aspecto en la novela moderna. El narrador afecta, desde luego cierta impasibilidad —la impersonalidad del científico—, parece no tener otra misión que hacer constar los hechos observados, sin juzgarlos ni desprender consecuencias. Se atiene a la observación fría, al escrupuloso estudio de la naturaleza. Hace desaparecer u oculta su propia emoción. Expone lo que ve y no interviene nunca en los hechos. Esta actitud —como el propio Zola observaba— salva de ordinario al escritor naturalista de las acusaciones de inmoralidad que la crítica le hizo a menudo[171]. Su propósito fue siempre enseñar la verdadera ciencia de la vida, presentar la realidad tal como es, sin falsearla, obedeciendo al más riguroso análisis. El narrador había de ser un sabio, un analista, un anatomista y la obra debía tener la exactitud y la solidez de las obras científicas.

Está claro que esta objetividad del tipo de narración que imita la actitud del científico, su impasibilidad, su impersonalidad, para la observación y el análisis, no debe entenderse como la ausencia del narrador, que constituye un fenómeno contemporáneo ajeno a la experiencia de la novela moderna y del Naturalismo[172]. El narrador presenta una estructura definida y concreta y un aspecto fundamental de su concreción la constituye su carácter cientificista: su modo de considerar cuidadosamente las causas, de aislar los temperamentos y ponerlos en juego entre sí o sujetos al determinismo del medio y del momento, la manera misma de elaborar, a veces latamente, los elementos causales.

Ahora bien, esta actitud que reclama la validez y la primacía de un punto de vista científico, ve con claridad lo que en el mundo es oscuro o permanece oculto a los seres humanos. El narrador considera de ordinario los riesgos del error o del engaño y, entonces, la superioridad de su punto de vista dota a su actitud de un escorzo singular. Los personajes parecen ciegos que caminan al borde del abismo y terminan por precipitarse en él. La ironía del narrador que los observa y analiza sus yerros o la fatalidad de su existencia, llega a convertirlos en figuras de guiñol, defraudadas continuamente en sus expectativas por el plan real, secreto para ellos, de sus vidas que sólo domina el narrador[172]. Este es omnisciente, interpreta exhaustivamente la realidad por sus causas eficientes; su conocimiento se extiende desde la fisiología y la herencia individuales, hasta los elementos determinantes de la raza, la educación, las costumbres y creencias, el pasado, la economía y la religión, como aspectos del medio y de las circunstancias. Por esta vía confiere cierta profundidad al mundo cuando penetra bajo la superficie aparente de los seres y de una sociedad o del momento histórico. Su cientificismo y su conocimiento en general constituyen un reclamo de la racionalidad de la naturaleza y de la vida. De esta característica deriva no solamente la ironía de su narración, sino también su tendencia profética.

1 ESTRUCTURA DEL NARRADOR

¿A dónde mira el narrador? Provisto de sus instrumentos de observación, el narrador, vuelca su mirada sobre un extenso y variado campo. El argumento que narra constituye una línea o perspectiva de desarrollo breve y regular, que se interrumpe en diversos momentos para ser retomada hasta completar su curva necesaria y comunicar su sentido completo a los acontecimientos. El narrador abandona a menudo la secuencia argumental para mirar a otros personajes que los protagónicos y a múltiples escenarios y muy variados aspectos de la realidad[174]. Describe la celebración de la Pascua de Navidad en las calles de Santiago, siguiendo a sus personajes principales en medio del río humano que corre por las calles y la Alameda[175]. Muestra, en seguida, el interior refinado y lujoso de la casa de las Sandoval. Más tarde, las reuniones veraniegas en el fundo, las costumbres descocadas de los jóvenes, una función campesina de cine, la industrialización de la leche. Los paseos principales y los barrios de Santiago, la riqueza ostentosa y la miseria de la ciudad, las señala con detenimiento o las entrevé. Mira morosamente los salones; describe la Bolsa, la ópera, el hipódromo, es decir, los lugares habituales de concurrencia aristocrática. En seguida, con motivo del viaje europeo de Angel Heredia, muestra la vida a bordo, el rumbo de la vida europea de los chilenos y del protagonista. Granada y el palacio de la Alhambra ocupan un lugar especial por ser el escenario de los amores de Angel y Nelly quienes encuentran estímulo en la sensual maravilla del palacio árabe y en el encantamiento de la primavera andaluza. El narrador capta toda la riqueza pictórica y el esplendor arquitectónico de la Alhambra, el perfume de los jardines y el colorido opulento del atardecer granadino acompañado del rumor de las aguas y la música de los insectos. En estos cuadros la sensibilidad del narrador se vuelca con la profusión pictórica de la paleta impresionista atenta a lo exótico y atraída por el cosmopolitismo que convierte en afán aristocrático caracterizador de su personaje.

La mirada no se mueve solamente en el espacio, sino también en el tiempo. El narrador busca en el pasado las causas del presente inmediato y prevé, además, en la actualidad concreta las ruinas del mañana o el porvenir triunfante del futuro social. Tampoco el tiempo agota la orientación variable de esta mirada infatigable: ésta se mueve igualmente de adentro hacia afuera, de lo oculto a lo manifiesto, de lo inconsciente a lo consciente, del engaño a la realidad, de la ilusión al desengaño; establece la ambigüedad del lenguaje, pero sienta a la vez el criterio de realidad apelando a la creencia en la seguridad de la ciencia y en la racionalidad del acontecer natural. En esta creencia funda el propio narrador la seguridad de su lenguaje.

La actitud superior y distante con que el narrador parece manejar a sus personajes se revela en el análisis clínico y experimental: observa a los protagonistas, primero; los une, luego; contempla los obstáculos, los ve desaparecer, para considerar la unión definitiva determinada por una gama de aspectos que juegan con la pura apariencia de las cosas. Luego observa la equivocación fatal en sus necesarias consecuencias, todas ellas lamentables, que viene a confirmar las previsiones y las reservas premonitorias que se fundaron en el conocimiento científico. Realizado este primer juego experimental, que constata un error y plantea un metafísico anhelo de perfección humana[176], el narrador enfrenta al personaje al determinismo del medio y del momento histórico. Sujetos al *fatum* con que nos los ha presentado previamente, los verá en seguida precipitarse a la ruina, confirmando las anticipaciones lógicamente desprendidas de las leyes científicas que se manejan. El error cometido por los personajes tiene así algo de trágico —como en la novela de Vicente Grez—, pero se trata de un trágico empobrecido por la anulación de toda libertad en sus decisiones. El narrador la niega frente al determinismo que ve obrar sobre los personajes. La aspiración de éstos se transforma en espejismo empobrecedor, en una expresión de las limitaciones ineludibles de sus temperamentos y de su herencia; en ningún caso aparece como un aspecto positivo de su realidad, sino como una caída más, como una ilusión perniciosa y unívocamente determinada. El hecho es que el narrador conduce las condiciones previamente observadas, derecha e inflexiblemente, a sus consecuencias lógicas, mostrando las ocasionales desviaciones, como aspectos puramente engañosos, correspondientes a un aspecto negativo de la condición humana que lleva a los hombres a la ruina por ignorancia o por separarse de la óptima norma racional de conducta que, pudiendo dirigir sus vidas, fue rechazada en favor de la vanidad, el sentimiento o la multiforme ilusión.

La singularidad de este tipo de narrador se pone de manifiesto en el rigor con que observa las características temperamentales hasta en los actos más nimios del comportamiento. Lo mismo acontece en la medida en que el narrador no es solamente el analista del temperamento o el observador clínico de un caso morboso, sino el intérprete de la sociedad aristocrática y de la vida nacional. Establecidas en este último papel, las determinaciones raciales, un temperamento y una herencia colectivos —que tienen su genuino representante y el producto neto de su evolución en Angel Heredia—, deduce, con actitud jeremíaca y apocalíptica frente al momento histórico, las ruinosas consecuencias que alcanza la mantención en el medio de antiguos rasgos de vida y de conducta, en circunstancias nuevas que se han tornado hostiles para la supervivencia social y exigen una heroica adaptación. La inadaptabilidad de esa clase aristocrática a las nuevas circunstancias es anuncio de ruina y decadencia que apunta el narrador.

La actitud profética otorga al narrador uno de sus rasgos más distintivos. Comparte esta cualidad con don Leonidas Sandoval, personaje que se muestra capaz de penetrar en el conocimiento del proceso social por encima de los prejuicios de su clase y de las características fundamentales que la distinguen. Esta actitud fija un punto de vista unilateral desde el que se avizoran los aspectos negativos, casi los únicos que aparecen, de la sociedad[177]. La polaridad establecida renueva el extremoso esquema de las ideologías y de las actitudes polémicas, que parecen precisar de la fuerte abstracción de los rasgos contrapuestos para hacer sensible lo esencial del castigo de la realidad criticada. La riqueza y el lujo obtenidos sin trabajo; el desdén por el esfuerzo productor; la pasividad cultural; las trabas que la moral dominante establece en el orden social; la rémora del coloniaje y la inestable e ilusoria modernidad; encuentran su contrapartida en la ciencia, la sobriedad de la vida, el esfuerzo creador de su propia riqueza, la formación para la lucha por la vida, el amor al conocimiento científico, el ascenso de una clase dueña de sus fuentes de recursos. Estas últimas afirman la decadencia de la clase aristocrática y anuncian su ruina irremediable. Sin embargo, las esperanzas de superarla —señaladas por el narrador— afincan en el atavismo racial que suele reaccionar adecuadamente en las circunstancias graves[178].

A la multilateralidad de la mirada del narrador corresponde una gran variedad de actitudes narrativas que dan buena idea de las aptitudes proteicas del mismo. Este sabe imponer, por encima de la observación y del procedimiento experimental, exigentemente frío y brutal, la vivacidad adecuada a la narración para mostrar la exultante alegría de la sociedad joven, en escenas de gran movimiento, de ruido y de alocado dinamismo durante la Navidad santiaguina; o para describir una cueca en las chinganas de la Alameda, las bromas descocadas de Magda, las audacias deportivas de Heredia o el cinismo pintoresco del "Senador" Peñalver. Penetra vivamente en las perturbaciones y el sentimiento de sacrilegio que se manifiestan en el ánimo de los jóvenes cuyas miradas se cruzan en la atmósfera sagrada del templo. Sabe desplegar una actitud amable y sentimental para mostrar el impacto de la belleza femenina o de la apostura viril. Representa las seducciones de la voluptuosidad o las emblematiza en un pie o una pantorrilla que viste media de seda negra que se llevan la mirada del narrador y el alma del personaje tras ellos[179]. Los místicos arrebatos y las ascéticas inclinaciones que dominan en diversos momentos a Heredia, son comunicadas con un patetismo que se renueva en los momentos en que representa la ilusión voluptuosa o la alucinación morbosa y enloquecedora del criminal. El dramatismo de diferentes momentos, entre ellos las terroríficas tensiones que vive Gabriela y la experiencia aniquiladora del crimen de Angel, son otros tantos ejemplos de la versatilidad del narrador para adecuar sus actitudes a la diversidad de lo real.

El humor permite conocer la variedad de aspectos que pueden alcanzar las formas de la realidad; así, p. e., la vis cómica y festiva de algunos momentos de franca broma, pero también la sarcástica muestra de una escena de pésame que se convierte en un acto más de vanidad y de superficialidad elegante y mundana[180]. Este humor no se prodiga ya promediada la Segunda Parte de la novela, a partir de la cual, se hacen sensibles los aspectos más dramáticos que alternan con la estética representación del lujo, de la ornamentación, de la arquitectura o del paisaje. A partir de ese momento el narrador desenvuelve su irónica manera de manifestar la superioridad de su perspectiva científica burlando las expectativas de los personajes cifradas en el uso de su libre albedrío[181].

La situación del narrador es contemporánea a lo narrado; guarda, sin embargo, la distancia suficiente para mostrar el desenvolvimiento social de 1900 a 1907 y justificar la omnisciencia, la anticipación y el cumplimiento dentro de lo narrado. El desarrollo requiere tiempo para ser apreciado en la totalidad de su curva; por ello la distancia subjetiva del narrador que se sitúa en el año más próximo a los lectores, era necesaria.

La elaboración temporal reviste en *Casa Grande* ciertos rasgos de interés y una complejidad mayor que lo que hasta aquí se había visto. Sin escapar a las características generales que la comprensión del tiempo tiene en el siglo XIX, el tiempo de la disposición superpone el desarrollo del experimento al desenvolvimiento decadente de la sociedad, de manera que este último se convierte en factor o aspecto significativo del primero. La disposición condensa para los efectos del experimento los cuatro años que siguen al matrimonio de los protagonistas, que se representa como el período en que aparecen todos los rasgos y la experiencia de la incompatibilidad de los temperamentos diferentes, es decir, de 1900 a 1905[182]. En 1905, se fija el instante agudo de la crisis económica de la sociedad, que se corresponde con la agudeza alcanzada en el conflicto de los esposos. A partir de este momento, el proceso se precipita ruinosamente en la decadencia de la clase alta y en el meditar en el crimen y cometerlo, con los sorpresivos hechos subsiguientes. La condensación señalada más arriba se explica, pues el narrador se conforma con verificar la ley que hacía extraña la unión entre dos temperamentos diferentes. En ese camino avanzó toda la narración desde el comienzo hasta la constatación. Apenas traspasado ese instante, el narrador, pone el acento en el modo cómo esos temperamentos disímiles quedarán expuestos al juego de factores deterministas como el 'milieu' y el momento histórico.

El tiempo del amor de Angel y Gabriela se precipita en dos momentos: rápido y fuertemente condensado el primero, más lento, el segundo, dividido en dos por el *intermezzo* que pone el viaje europeo de Angel. Ligado morbosamente al primer momento, tocado de idealidad, del carácter propio de la 'cristalización' amorosa de que habla Stendhal –de allí toda la psicología amorosa de la novela chilena del siglo XIX– aparece el tercer acápite de la novela, "Nostalgia de amor", en el cual la imaginación de Angel retrotrae alucinantemente la figura de la joven Gabriela provocado por la imagen de Elena o Nelly, idéntica a aquella. La joven norteamericana le ofrece la expectativa ilusoria de felicidad al lado de un temperamento afín al suyo. La fijación de esta imagen se emplea obviamente para testimoniar la morbosidad del personaje y acrecentar el engañoso propósito de liberación emprendido por un imaginativo inestable y enfermizo. Todo un pasado hereditario pesa sobre estas visiones y decisiones: el tiempo de la herencia y de la evolución. El propio temperamento pone premuras y exigencias, vacilaciones y retrocesos plasmando un tiempo singular en el mundo de la novela.

Graduada cuidadosamente está la tensión que prepara, que premedita el crimen, que crea el clima de terror y de inseguridad pavorosa en Gabriela, que la somete a la insidia del anónimo, y finalmente, la mata. La tensión que avanza hacia el crimen, después de desatada, se recrea en vacilación lacerante, en una inestable voluntad de expiación que proyecta al personaje sobre un futuro de previsibles oscilaciones que no le llevarán a puerto, pues, es legítimo pensar, no habrá decisión.

El narrador atiende también al desgaste físico de los rasgos y de las líneas del rostro que el tiempo pone en los protagonistas. Una nota proustiana que no se observaba en la novela chilena y que da ocasión ahora, a apuntes significativos de la erosiva acción del tiempo humano[183].

Se ha considerado los medios indirectos de la narración y de la caracterización. Estos son considerablemente reiterativos en *Casa Grande,* y dan lugar, a veces, a repeticiones, que pueden estimarse enfadosas o sencillamente, eliminables por excesivas. Las condiciones personales apuntadas entre las actitudes del narrador encuentran de ordinario su mejor expresión a través de los medios directos, como el diálogo, las escenas y los cuadros, que se brindan con gran variedad. Atienden a múltiples aspectos de la realidad, caracterizándose por su vivacidad, verosimilitud, gracia ligera, cinismo, ironía, dramatismo u otras formas acordes al variado contenido de ellos[184].

El lenguaje es, en los diálogos, caracterizador de los hablantes, individualmente, pero también traduce un hablar propio de la clase alta con sus variados matices. Ocasionalmente, se transcribe, con propiedad fonética y expresiva, el hablar campesino.

2 NOVELA EXPERIMENTAL

En atención a los pasos característicos del conocimiento experimental, que viene a dar a la novela el rasgo científico que el Naturalismo echaba de menos en la tradición anterior, la novela pasa a configurarse intrínsecamente en desarrollo de las cinco etapas determinadas por Claude Bérnard: observación, hipótesis, experimento, verificación y ley[185]. Se debe mantener aquí, para los efectos del análisis estructural, la distinción entre los momentos preparatorios, en que el novelista, estudia la realidad empírica, histórico-social, y los momentos a que nos referimos como componentes o aspectos desplegados en la conexión interior del mundo narrativo.

El narrador observa en actitud exploratoria los personajes y los diferencia mediante una caracterización exterior, que los destaca del conjunto, y expone simplemente algunos modos de conducta singularizadores a modo de meras constataciones; fenómenos sugestivos, pero desprovistos de profundidad. Diferenciada la joven pareja de Angel Heredia y Gabriela Sandoval, e identificados sus temperamentos como los de un sanguíneo y de una linfática, se va a desarrollar gradualmente el enamoramiento de los personajes. Su amor, recibido con beneplácito por toda la sociedad, recibe, sin embargo, la resistencia del padre de la joven, don Leonidas Sandoval. Se establece en este punto un conflicto que hace del vínculo amoroso un amor imposible. Las razones de don Leonidas son estrictamente positivas. Pone una valla al amor de los jóvenes por considerar que su hija padece la condición engañosa del amor en las muchachas sentimentales, y que Heredia, joven aristócrata, pero sin recursos para desenvolverse con ventajas en el mundo, no es mejor candidato a la mano de su hija que un hombre de inferior condición social que tenga la fuente de su fortuna en el trabajo de sus manos[186].

Mientras don Leonidas vive, es un obstáculo para esa unión. Pero, luego, muere y, a poco, la unión de los amantes se produce. Pareciera que, vencida la barrera inicial, el amor alcanzará la plenitud de sus posibilidades. No hay tal, sin embargo. Tiempo después, experimentadas las primeras vicisitudes de la vida en común, ambos personajes comienzan a vivir motivos cada vez más hondos y numerosos de desavenencia y antipatía, que parecen originarse en una incompatibilidad de sus temperamentos. Las disputas y desacuerdos conducirán a Heredia a las relaciones extramatrimoniales y a una separación del matrimonio, así como Gabriela se entera de la vida de su marido y de la marcha de los negocios familiares. Fracasa en principio la unión matrimonial. Los buenos oficios del consejero familiar, el cura Correa, procuran atenuar el rigor de las diferencias sugiriendo un viaje por Europa a Angel Heredia. Este viaja tocando en Norteamérica y permaneciendo en diversos países del viejo continente, especialmente en España. Durante el viaje conoce a Nelly, joven norteamericana a quien corteja engañosamente, que le hace evocar hasta la alucinación, por un parecido notable, a la Gabriela de su primer momento de enamoramiento e ilusión. En el nuevo enamoramiento de Heredia hay un extraño fenómeno de transferencia y nostalgia en que parece intentar la recuperación del amor perdido y la ilusión de antaño. Al regreso al país el contraste entre las dos imágenes de mujer se le hace vivamente ingrato. Comienza entonces a germinar en su ánimo el propósito de eliminar a su mujer como a un obstáculo para su liberación y felicidad efectiva. No tardará en pasar de los pensamientos tortuosos a la acción. Después de tentar diversos procedimientos, prepara una inyección de digitalina con atropina y se la administra en lugar de la morfina de su tratamiento[187]. Gabriela muere por rápido envenenamiento. Se realiza, hasta este punto el motivo del *amor imposible.* Queda abierta en seguida la narración a las torturantes alucinaciones de Angel y a los contradictorios movimientos de su sentimiento de culpa[188].

Si se observa la tradición anterior en que se inserta regularmente el motivo de amor imposible, puede observarse cambios sustanciales en la manera de conformarse el motivo es una novela naturalista. Dos aspectos fundamentales llaman la atención: ha sido modificada la índole de los personajes que no se definen esencialmente por rasgos típicos de representación espacial ni propiamente como caracteres sino en estricto sentido como *temperamentos,* esto es, como personajes sometidos a un específico determinismo de su fisiología que da forma necesaria a sus rasgos psíquicos. Así, Angel Heredia no es en vano un sanguíneo[189], es decir, un temperamento eminentemente inestable y oscilante, lleno de extremadas contradicciones y bruscas variaciones del ánimo; de componentes sensuales y deportivas, pero también de hiperestésica inclinación artística, de refinamiento y espíritu místico. De un extremo de sensualidad puede pasar sin transición a una exaltación mística, según se muestra sistemáticamente desde las primeras observaciones hasta su conducta final. Por su parte, Gabriela Sandoval es un temperamento linfático[190], opera en ella un determinismo fisiológico que hace de su personalidad algo eminentemente centrado, estable, permanentemente idéntico a sí mismo, que rechaza la innovación y todo cambio. Diversos momentos a lo largo de la narración, desde las primeras observaciones, igualmente, hasta el análisis de su conducta, van revelando en los más ínfimos detalles del comportamiento y en su intransigencia, el determinismo linfático que la caracteriza. De tal manera, enfrentados dos temperamentos tan contrapuestos, operará, a partir de la observación del comportamiento dispar de los temperamentos, la ley de su incompatibilidad esencial. Un determinismo científicamente concebido impide ahora la felicidad de los amantes.

Este momento —una hipótesis afirmada en la observación y en una ley psicofisiológica— viene a reemplazar al viejo recurso de la *anticipación* que ahora adquiere el valor de una legítima previsión científica. El amor no es ya imposible por signo alguno de fatalidad sobrenatural que pese ominosamente sobre un delicado personaje[191], ni tampoco, unilateralmente, por el determinismo omnímodo de la educación, de la política, de la economía o de los intereses sociales. El naturalista reclama la prioridad en la determinación científica, de la motivación inmediata de los personajes y de los acontecimientos. Abandonados entonces los personajes —como objetos o cosas— al puro juego de su determinismo fisiológico, la incompatibilidad originada en el temperamento dispar y contradictorio no puede sino engendrar una hipótesis como la señalada, tras la cual, los acontecimientos se desarrollan como un experimento que arriba, como al tradicional *cumplimiento,* a la verificación, de donde se puede inferir —confirmar— la ley mediante la inducción experimental —de los hechos a las leyes—: que dos temperamentos diferentes son incompatibles. El grado de las incompatibilidades va desplegándose desde su origen en forma creciente hasta motivar el *crimen de seda*[192] con el que se desenlaza el motivo, la situación narrativa dominante de la novela.

La situación se desarrolla, entonces, como un experimento y atiende con exactitud a los pasos mencionados. Pero lo analizado constituye sólo la primera parte del experimento que consta, realmente, de dos. La segunda parte, pone a los dos temperamentos bajo el determinismo del 'milieu'. Prevalecen en esta parte los determinantes individuales señalados para la primera parte del experimento; la experiencia singular consiste en determinar cómo se conducen estos dispares temperamentos bajo los mismos factores ambientales determinantes: medio y circunstancias históricas[193].

La situación se describe como un período de transición de la sociedad aristocrática santiaguina y nacional, conmocionada por la crisis económica de 1905. Aparece descrita eminentemente en una perspectiva económica y moral. En tal sentido, una desmedida inclinación al consumo de toda clase de bienes, especialmente suntuarios, se presenta como una propensión desequilibrada considerando que no hay proporción entre la elevada ambición de consumo y la limitada producción de bienes y riquezas de esa sociedad. De modo que la alternativa inmediata se hace fácilmente previsible. Agotados los recursos heredados, la fortuna recibida de los antecesores originada exclusivamente en la producción agrícola, la clase en su integridad aparece incapaz de recuperar el mayor desgaste, pues carece de recursos para producir o reproducir la riqueza. Es hábil en el dispendio, absolutamente incapaz en la producción de riquezas. Para compensar la diferencia el hombre de fortuna así heredada, se entrega al azaroso y entonces fraudulento juego de la Bolsa. Las operaciones bursátiles, el juego y la institución de la bolsa de valores, se han transformado en un elemento altamente caracterizador de la sociedad, junto con los escenarios habituales que dan la justa medida de su fastuoso tren de vida.

La crisis financiera que se sitúa hacia 1905, contribuye a borrar la imagen de esplendor renacentista —el 'risorgimento'— en que la aristocracia vive envuelta y engañada. Falsos yacimientos mineros, sociedades industriales que jamás existieron, valores sin soporte efectivo, que se cotizaban en el mercado de valores y cuya fraudulencia era conocida ahora con la consiguiente ruina de muchos. El aparente esplendor económico se derrumbaba después de la especulación desmedida y falaz[194].

Situados en estas circunstancias, Gabriela y Angel se van a conducir en conformidad con sus respectivos temperamentos y serán determinados entonces de manera diversa. Cuando Heredia haga ver a su esposa que las pérdidas experimentadas y el desgaste natural de su fortuna, obligan a modificar el tren de gastos y la intensidad de los compromisos sociales, Gabriela le acusa de haberla arruinado, de haber dilapidado la fortuna que aportó ella a la sociedad conyugal. Se niega a modificar las normas de su vida considerando las obligaciones de su rango social. Con la resistencia al cambio, su temperamento se revela al vivo. Por su parte, Heredia experimenta en medio de la crisis económica, las alternativas contradictorias de su temperamento. Se precipita fatalmente al desastre en circunstancias que provocan demasiado fuertemente la inestabilidad y las oscilaciones propias de su temperamento. Así, cuando en la Bolsa sus valores se juegan a la baja violenta y todo el mundo vende, Heredia presume una jugada artificial de un corredor a quien menosprecia, y es el único que compra. Conducido casi al borde de la ruina, al terminar la operación recibe, de aquél, testimonio del fraude; pide, entonces, a su ocasional adversario, que venda en la Bolsa de Valparaíso parte de sus acciones como manera de evitar una ruina completa.

Desde el punto de vista moral, el matrimonio destruido debe conservar, sin embargo, la vida en común y aparentar frente a la sociedad la felicidad. Gabriela se entera casualmente en una fiesta de los amores de su marido con una cantante de ópera del Municipal. Desde el momento en que los amores de Heredia son públicos, Gabriela se separa y pasa a vivir a casa de su madre con sus hijos. Entonces, se planea el viaje de Angel para permitir la reconciliación al regreso y hacer menos notoria la separación real. Aunque gravemente afectada desde un principio, Gabriela aparenta indiferencia conforme a su tendencia temperamental[195] y se comportará con gran dignidad posteriormente. A pesar de la maledicencia y de los anónimos malévolos, no se entrega a ninguna clase de aventura amorosa. En cambio, Heredia, llamado por su sensualidad, su personal capacidad de ilusión y autoengaño, reanima en la imagen de Nelly, la joven norteamericana, a la Gabriela amada en la primavera de su vida. Las mismas imágenes sensuales pueblan su mente y orientan su mirada, sólo cambia el color de la fina media que envuelve ceñidamente el pie y la pantorrilla de la joven.

De regreso al país y frente a la resistencia universal del medio para disolver el vínculo matrimonial, concibe arteramente el crimen como la única salida, como el único modo de anular el obstáculo que encuentra para su posible unión con la joven Nelly. El crimen se ejecuta dentro de las circunstancias concurrentes para lo que Orrego Luco llamaba un *crimen de seda:* una acción alevosa, realizada con cálculo frío y científico y que atrae además —con rasgo agónico-romántico— la belleza y la muerte juntamente con el detalle sensual. Gabriela en la plenitud de su belleza física y llena de elegancia en el vestido se ofrece al crimen mostrado su hermosa pierna que Heredia punza con la aguja hipodérmica inyectándole el veneno más arriba de la media, recogiendo el calzón de batista, y sus vuelos[196]. Todos estos rasgos, que las circunstancias acumulan, persistirán tenazmente en la imaginación de Heredia y constituirán la negación misma de su propósito inicial: creyendo liberarse de ella llega a tenerla ahora más presente que nunca sintiéndose además dominado por un tenaz sentimiento de culpa que le hará oscilar entre la conformidad con su condición aparente, de viudo dolorido para la sociedad a que pertenece, y la voluntad de expiación que le domina en sus momentos de exaltación del ánimo perturbado por la culpa. El narrador, en recta consecuencia con su caracterización, concluye la novela sin resolver la alternativa que el último capítulo propone sobre el desenlace de la vida de Angel Heredia.

En cada momento, entonces, se halla la manifestación estrictamente consecuente de los temperamentos, precipitados a la ruina por el determinismo que pesa sobre ellos y por las fuerzas de las circunstancias de las cuales son igualmente productos.

Concluye así el experimento con una verificación completa de la ley que ha servido a manera de hipótesis. Los personajes no han podido escapar a las limitaciones de sus temperamentos ni a las circunstancias sociales en que se desenvuelven. Son fatalmente castigados por esos factores que complejamente trabados los precipitarán a un fin previsto. Don Leonidas, vocero científico de esta dimensión narrativa, encuentra corroboradas sus aprehensiones de la Primera Parte de la novela[197].

3 VIDA Y SOMBRA

Un nuevo plano significativo de la novela puede sorprenderse y articularse con el análisis anterior, atendiendo al epígrafe que precede a la Primera Parte y a la novela en su totalidad. Es parte del *Libro de Job* de Quevedo y se propone bajo el título de *Vida y sombra:*

> *Al fin hombre nacido*
> *De mujer flaca, de miserias lleno,*
> *A breve* vida *como flor traído,*
> *De todo bien y de descanso ajeno,*
> *que como* sombra *vana*
> *Huye a la tarde y nace a la mañana*[198].

Los versos de Quevedo apuntan a la brevedad de la vida, a la condición perecedera y mezquina de la vida humana, nacida de la propia condición del hombre, ser caído y entregado a las fatigas y al mal. Los sostiene una concepción cristiana del mundo que quita al hombre la ilusión puesta de ordinario en los bienes mundanos. Vanidad y fugacidad de la vida, que son nada frente a la eternidad de la trasvida. El acento está puesto en el carácter incierto de esta vida, ella no es sino una *sombra vana*. El motivo orienta el sentido del desengaño del mundo, tan dominador en Quevedo como en la totalidad del Barroco.

Orrego Luco pone este epígrafe cargando el acento sobre dos términos que para Quevedo son una misma cosa, haciendo de ellos dos momentos distantes y contradictorios. *Vida,* por una parte, apunta a la realidad de verdad, y *sombra,* por otra, se refiere a la condición engañosa o ilusoria que suele alcanzar la experiencia vital cuando se aleja de toda conciencia o conocimiento científicos. No se está ya en el estricto contexto de la cita de Quevedo ni en el subentendido de una concepción cristiana del mundo. La oposición establecida en la narración abre una concepción cientificista del mundo y apunta a su visión general como naturaleza.

En el texto narrativo se encontrará explícito el sentido de estos dos términos, motivos fundamentales para la comprensión y expresión del significado del contenido cósmico, en las palabras de don Leonidas a Gabriela, en la Primera Parte[199], y, luego, en la Cuarta Parte, *La Sombra*. Ellos tiñen de un matiz definido a cada una de las cuatro partes de la novela y penetran cada momento narrativo.

El motivo de amor imposible recientemente analizado, presenta desde el punto de vista de su composición una falla aparente: dos temperamentos contrarios son incompatibles, se rechazan; sin embargo se produce un fenómeno 'anticientífico": los personajes de temperamento tan contrario se enamoran y luego de vencer algunos obstáculos se casan. Es cierto, que su matrimonio llega a ser un funesto fracaso. Pero ¿cómo ha sido posible que se enamoraran y llegaran a casarse si tal incompatibilidad estaba dada, sin discusión, desde el primer momento?

Es en este nuevo nivel de análisis donde se encontrará la respuesta. La unión se hace posible gracias a la *sombra* engañosa tras la que corren los humanos. Don Leonidas dice a su hija:

¿Pero qué raro es que a ti te engañen, si la mayor parte de los hombres viven perturbados, corriendo perpetuamente tras quimeras, en pos de *sombras?* Desde luego, nadie se conoce, ni existe armonía entre estos tres valores: lo que *somos* en realidad de verdad; lo que nosotros *creemos ser;* en nuestro fuero interno, y lo que el mundo juzga que somos. En seguida, viene la imaginación y todo lo abulta y todo lo transforma, convirtiendo hechos insignificantes en montañas, sea creándonos desgracias inminentes, que no vienen; sea poniendo en nuestras manos, como próximos, la riqueza, el poder, la felicidad, que nunca llegan. La imaginación hace que el mundo viva fuera de la vida real, corriendo tras la *sombra,* esa imagen, ese reflejo fascinador que a todos nos engaña, ya lo creamos poder, ya riqueza, ya dicha, ya el amor, y que no es sino forma de la vanidad humana..., simplemente la *sombra,* que sólo llegamos a conocer cuando ya es tarde. La humanidad, como Don Quijote, muere cuerda, después de haber vivido loca...[200]

Don Leonidas contrapone esta imagen ilusoria de la vida humana, las limitaciones del autoconocimiento y los daños de la imaginación, a la vida verdadera. Suma a los elementos que favorecen la ilusión, una serie de presiones colectivas o creencias determinadas por superfluas apreciaciones de la sociedad que ve en los jóvenes una pareja hermosa, la mejor pareja juvenil, y los empuja el uno hacia el otro halagando su vanidad personal y favoreciendo sus encuentros[201]. El temperamento sentimental de Gabriela, la inclina, según observa don Leonidas, a los galanes buenos mozos y atrayentes. Pero Gabriela es sólo el objeto de una serie de factores que eligen por ella y que no son reales sino ilusorios. La imaginación los alimenta y ella resulta ser juguete de estos elementos. Si se ha enamorado y llega, luego, de la muerte de don Leonidas, a casarse con Angel Heredia, es engañada por esos imponderables determinantes que encubren la realidad de verdad a sus ojos, pues ella no se ha sometido a las reglas de la experiencia objetiva; se ha dejado arrebatar completamente por ilusiones, humanas vanidades. Esto delata el poder de la ilusión en la vida humana y anticipa duramente el desastre de una unión mal fundada desde el punto de vista biológico. Pero los personajes son, en la concepción naturalista, seres biológicos, en buena medida objetos que no pueden escapar a la necesidad de sus determinantes exteriores.

También es don Leonidas[202] quien fija la perspectiva experimental y naturalista del mundo en este mismo punto analizado. La perspectiva desde la que juzga la ilusión o engaño de la vida es la de un severo darwinismo[203].

Los personajes creen ser dueños de sí mismos, de sus decisiones y de sus afectos, sin embargo, don Leonidas los muestra absolutamente determinados por factores externos y faltos absolutamente de libertad[204]. A este determinismo absoluto, reiterado más adelante en diversos momentos del narrador y del mundo, se agrega la concepción de la vida como una lucha feroz y la idea de la selección natural a través de la supervivencia del más apto. A través de este último aspecto se juzgan tanto la debilidad de Angel Heredia como las limitaciones económicas de la clase alta y se pondera por primera vez en la tradición literaria nacional la aparición de una nueva clase profesional que adquiere con su esfuerzo y su entereza moral los medios de producción de su propio bienestar y sustento. Don Leonidas elogia a estos hombres y los pondera por encima de los jóvenes aristócratas, pero ineptos:

Felizmente, hay un corto número de hombres que a mí me gusta; los de combate, los que se agarran mano a mano con la vida sin pararse en barras, y luchan contra todas las dificultades, la pobreza, la indiferencia de los más, el egoísmo general, el desprecio de los afortunados, el eterno desdén de los que han nacido más arriba y se consideran semidioses por el hecho de criarse en cuna dorada. Esos que dan y reciben golpes sin pedir cuartel, y que suben a fuerza de talento, de estudio, de constancia y de trabajo, me agradan a mí en extremo; esos que van con los pantalones remendados y zapatos de doble suela, tiritando de frío, a sus clases de medicina; esos que se levantan con el alba a estudiar y que sueñan con redimir el mundo y con poner algún día su patria a la cabeza del continente, mientras golpean una contra otra, sus manos azuladas por el frío, esos me son simpáticos. Pero la vida es lucha feroz, en que los hombres se muerden y se arrancan trozos de carne a dentelladas. El que surge, se levanta ya gastado, coloreando en sangre, con el brazo roto, viejo en plena juventud[205].

Se fija de esta manera en la tradición naturalista, la significación de la vida frente a la acción desfiguradora de la imaginación que impide tomar plena conciencia de las limitaciones inherentes a la condición ilusionante del ánimo determinado por factores como el medio y el tiempo o momento.

Desde este instante en que don Leonidas rechaza la posibilidad de matrimonio de su hija con Heredia, se establece definitivamente una doble perspectiva que irá contraponiendo sistemáticamente la capacidad de ilusión, el temperamento imaginativo del joven, que lo engaña regularmente, y la realidad de verdad de su vanidad, de su propensión natural, temperamental, al engaño funesto, del principio de egoísmo que preside su desmedida ambición de poder. Su voluntarismo y su ambición, unidos a otros factores —hereditarios éstos—, constituirán una psicología egoísta y agresiva que se deformará hasta la alienación.

Esta limitación humana hará posible que se unan dos temperamentos tan dispares. La unión constituirá, naturalmente, un error que contraviene las leyes de la realidad. El proceso narrativo tiende a mostrar la ejemplaridad del caso. Heredia debe pagar su error para que éste aparezca en toda la gravedad de su sentido. Sólo el horror de las consecuencias, puede mover a atender seriamente a las causas y evitarlas.

Dos momentos más nos muestran a Heredia entregado al juego engañoso de la imaginación, de la sombra engañosa e ilusoria. Una, en el capítulo 'Nostalgia de Amor', donde el conocimiento de Nelly despierta en él la imagen vívida de la Gabriela joven hasta el extremo de la alucinación, fundada en la extraordinaria semejanza física entre la joven norteamericana y su esposa. Este espejismo jugará posteriormente un papel funesto en la vida de Heredia.

El otro, es el momento final, el capítulo 'La Sombra', donde Heredia da muerte a Gabriela, estimulado su instinto de destrucción por el alcohol[206]. Cree así estar definitivamente libre para unirse a Nelly que lo ama y le escribe reclamándolo a su lado. Pero su temperamento mórbido le llena de remordimientos y su vida soporta diversas perturbaciones que le desvelan y le conducen a la bebida. Una noche padece de una atroz alucinación: Nelly, transformada luego en su mujer, se le aparece vívidamente envuelta en la capa Trianón que vestía el día de su muerte y sentándose en el lecho abre su capa para mostrar el lujoso vestido de fiesta, levantándose en seguida la falda, muestra en el muslo el lugar donde clavó la aguja hipodérmica. Esta visión despierta en Angel la conciencia de la imposibilidad de su unión con Nelly, pues la similitud de las figuras producirá siempre la intercepción de todos sus actos por la imagen de su mujer. No ha conseguido, pues, matarla ni eliminarla de su vida; está, por el contrario, más presente que nunca.

Al mismo tiempo, ha llegado a la conciencia inconfortable de la duplicidad de su vida[207]. Aparece como un viudo triste y dolorido que provoca la compasión y la solidaridad de sus amigos. Sin embargo, ante su propia conciencia es un simple criminal. Se debate entre las dos posibilidades extremas de vida: vivir en la sombra, engañado y engañando, o desencubrir su real identidad mostrándose ante la sociedad y la justicia como el asesino que es y expiar su culpa para acallar su conciencia perturbada. En este trance le sorprende el final de la novela, tocado sensiblemente por la imagen de un Cristo que le pone de manifiesto el sentido del sufrimiento redentor. La lectura de Kempis, en seguida, le revelará la vanidad de su vida. En diversos momentos de la novela el libro de Kempis sirve de soporte para significar la vanidad del mundo cifrada en la *sombra*. El libro ascético, que afianza un aspecto hereditario de Angel, se superpone extrañamente a la cientificista interpretación del mundo que priva en la novela.

4 RITMO DE LAS PARTES

Casa Grande está dividida en cuatro partes, que son: Sonata de Primavera, Al caer de las hojas, Nostalgia de Amor y, finalmente, La Sombra.

Sonata de Primavera es título que trae connotaciones literarias conocidas, correspondientes a la relación entre las edades de la vida humana y las estaciones del año. Son parcialmente las mismas de las *Sonatas* de Valle-Inclán, es decir, apuntan al conocimiento de una edad del amor, en este caso, el amor juvenil. En *Casa Grande,* constituye el momento en donde se conocen y enamoran Gabriela y Angel; el momento en que se dejan engañar por la presión del medio social y por la *cristalización* amorosa de que habla Stendhal[208]. Ambos jóvenes se dejan arrebatar por las propensiones particulares de sus temperamentos; por su sentimentalismo y su emoción ante la belleza varonil de Angel, Gabriela, y aquél por su vanidad personal y su ambición, sin parar mientes en las diferencias fundamentales que los separan.

Al caer de las hojas es, también, título que pone ante connotaciones populares con su clara resonancia de los versos de Espronceda en *El estudiante de Salamanca.* Toca también a la estación del año, como en la parte anterior, en que los acontecimientos transcurren. El tiempo pone una nota triste, decadente, disolutoria. Narrativamente es el momento en que el amor se destruye por efecto de las incompatibilidades temperamentales que se han ido revelando hasta en los aspectos más íntimos y mínimos de la vida matrimonial. Ha acontecido la *descristalización* amorosa: la imagen engañosa del enamoramiento idealizador se ha disuelto. Es el paso natural del engaño al desengaño que estructura esencialmente el motivo de amor imposible.

Nostalgia de amor, la tercera parte, es un intermedio. Heredia abandona el medio determinante, el medio local, pero carga todo aquello que es inherente a su condición biológica, porta su herencia y su temperamento sanguíneo. Su amor por Nelly nace de la aspiración nostálgica de recuperar la felicidad del amor antes del desengaño. Comoquiera que sea el temperamento imaginativo de Heredia interpone la visión de una Gabriela amada antaño a la posibilidad del amor presente. Su conducta ante la muchacha, negando los rumores de que es casado y padre de varios hijos, es hipócrita. El encantamiento sensual a que es proclive por temperamento, lo devuelve al país sin la transformación interior que se esperaba después del viaje y la ausencia. Los correctivos tradicionales de las pasiones no surten efecto cuando los factores determinantes de su personalidad que son ley de la naturaleza, han permanecido intocados y constantes.

Finalmente, *La Sombra,* la cuarta parte, muestra a Angel dispuesto a eliminar a su esposa para obtener la libertad en una sociedad que no admite el divorcio y sanciona el error con el encadenamiento perpetuo[209]. Sabido es que Heredia intenta eliminar a Gabriela sin lograrlo, último espejismo engañoso a que lo conduce su temperamento.

Si volvemos ahora la mirada sobre estos cuatro momentos observaremos que ellos representan alternativamente *vida* y *sombra.*

Sonata de Primavera y *Nostalgia de Amor,* que se conectan tan estrechamente, entregan dos momentos de engaño supremo que son también el origen de dos amores igualmente imposibles, bien que uno brote de la incompatibilidad de los temperamentos, en su imposibilidad, y el otro, a pesar de una identidad estrecha de los mismos, de la condición patológica de Heredia. *Al caer de las Hojas* y *La Sombra* narran dos desengaños fatales, dos encuentros con la realidad cruel y feroz de la vida; dos encuentros igualmente tremendos por las limitaciones de la vida sometida a insalvables determinismos que anulan toda voluntad de arbitrio, niegan la libertad y la autodeterminación del individuo.

Estos momentos se van ordenando alternadamente —sombra — vida — sombra — vida—, hasta estructurar cerradamente el mundo narrativo de acuerdo a una constante de configuración del mundo, que alcanza a los aspectos narrativos de mayor significación de la novela. La construcción narrativa sigue, entonces, estrictamente la configuración total de la obra y pone de manifiesto el sentido orgánico del mundo.

5 ESPACIO

Si desde la división en partes de la novela se contempla, ahora, el todo social del mundo se puede sorprender en la configuración del espacio una correspondencia con lo ya visto.

Sonata de Primavera, no representa solamente el amor juvenil, sino también la juventud plena, el acmé, la alegría de vivir de una sociedad que se manifiesta en toda su riqueza y su esplendor engañoso. La alegría de un vivir social despreocupado y jocundo, aparece estimulado por las festividades de Navidad y las vacaciones veraniegas. Todo el mundo anima ruidosa y alocadamente en esos momentos. La sociedad chilena vive plenamente confiada un período excepcional.

Al caer de las hojas, por su parte alcanza, junto con el desengaño de los protagonistas, también a las formas sociales. Ahora se exponen sus fallas y limitaciones que parecen prolongaciones de los seres ya personificados como sus representantes. La sociedad revela los defectos de su estructura económica: la desproporción entre su irrefrenable voluntad de consumo suntuario, siempre creciente, y la nulidad de sus fuentes de producción. Una crisis universal de las finanzas pone de manifiesto la debilidad constitucional de la economía del país. Entonces se inicia el descenso, la decadencia económica y social. Se está ya ante la catástrofe. Vanard, el corredor, se suicida; el pánico domina las operaciones de la Bolsa de valores; las mascaradas financieras se descubren; el engaño sume en cruel desesperación y ruina a muchos.

Los motivos de *vida* y *sombra* se espacializan y alcanzan un valor significativo más vasto para comprender las características de la estructura social, así como revelaba las condiciones personales de sus representantes egregios. Esto mismo hace de aquellos personajes expresión cabal de las características del medio, tipos de un sector social aristocrático. Sirven así para ilustrar las modalidades del mundo al tiempo que aparecen como productos de él.

Una precisión mayor se alcanza al observar los rasgos que presenta la motivación en la novela *Casa Grande,* y la manera cómo se produce el tránsito de las características personales a las representativas de sector humano y social a que pertenecen.

Angel Heredia se aparece como la figura conspicua en quien reside la representación de la sociedad aristocrática en sus rasgos dominantes y más definidos. El narrador naturalista utiliza, como uno de sus procedimientos principales, el mostrar de qué manera el medio configura al individuo y éste proyecta su temperamento sobre él. En el capítulo IV, de la Segunda Parte, de alcances generales muy significativos en la narración, se muestra a Heredia paseándose nerviosamente en su escritorio. La sala aparece como una cabal expresión de las contradicciones implícitas en su temperamento. Así lo corrobora el narrador al describirlo: "Ese gabinete daba indicios del carácter de las condiciones y del estado de su dueño, pues si el medio moldea la personalidad, ésta, a su turno, se refleja y refluye sobre el medio por ley de reacción inconsciente"[210].

De las peculiaridades personales, el narrador pasa casi inadvertidamente a la espacialización, es decir, a convertir al personaje en tipo de representación social; de su nombre se hace legión y de su pasado personal, el pasado histórico de la sociedad chilena:

Hurgando el pasado de la familia, sólo se encontraban en ella dignatarios, oidores, capitanes generales de España, soldados, hombres de guerra, agricultores ricos. En ellos predominaban instinto de acción, temperamento sanguíneo, carácter resuelto y violento, como en aquel don Jaime Silva de Heredia, cuyo retrato de mirada bravía y de barba hirsuta estaba colgado en marco redondo y pequeño; un historiador ha referido la historia de su duelo en plena plaza pública, en mitad del día, con don Rodulfo Lisperguer en 1625. Colgados de las paredes del escritorio se veían dos floretes, con máscaras y guantes, y debajo de la silla, un par de guantes de box; en los rincones, rifles de precisión y pistolas de tiro. Eran indicios de su afición entusiasta por los ejercicios corporales, por cuanto da juego y campo de acción a los músculos y permite movimiento rápido en la sangre, circulación acelerada que dé salida a las violencias naturales del carácter[211].

Esta caracterización se completa con nuevas notas que acentúan sus rasgos raciales, contradictorios éstos como su temperamento:

En aquella atmósfera de *sport* y de sensualismo, hasta las comodidades de los sillones Maple, de suaves resortes, los encajes de las cortinillas *brise bise*, el águila cincelada con pie de ónix del aplastador de papel, el cuchillo damasquinado, todos los detalles revelaban el sibaritismo de un temperamento sensual y violento a la vez, de hombre de fuerza y de placeres, de vividor impulsivo y enérgico.

Sólo una cosa llamaba la atención, por aparente disonancia con aquel medio: era el gran crucifijo de cobre, sobre cruz de madera sencilla, de muy antigua fecha, a juzgar por la vetustez de la madera y por ciertas imperfecciones de ejecución; la cabeza y los pies del Cristo eran desproporcionados con el cuerpo. Se encontraba, según tradiciones, desde hacía trescientos años en la familia; su madre tenía su reclinatorio colocado al pie de ese Cristo, a quien ofrecía sus angustias, los agudos padecimientos morales de una vida sacrificada y dolorosa de calvario. En el alma de Angel existía, también, por un rasgo de atavismo, su veta mística, exaltaciones religiosas de ensueño que le sobrecogían de repente, luchando con sus tendencias sensuales, venciéndolas, o cambiándose con ellas en un estado nervioso de sensibilidad suma, en el cual se alternaban las grandes depresiones morales con las exaltaciones incontenibles de los temperamentos impulsivos[212].

El narrador convierte estos aspectos en criterio fundamental para la inteligencia de lo que habría de ocurrir más adelante. Resulta de interés destacar cómo el narrador propone expresamente la necesidad de comprender los acontecimientos por sus causas, buscándolas, en la actitud cientificista que se ha señalado como característica suya, en la realidad biológica del personaje. La reducción del personaje a la condición de tipo social se hace también expresamente:

Para comprender la generación del drama que debía conmover tan profundamente a la sociedad santiaguina en una noche de invierno; para penetrar en esos misterios hasta hoy no conocidos, es preciso desnudar las almas, estudiar hasta los antecedentes fisiológicos y hereditarios que prepararon lentamente la catástrofe. Angel era uno de los tipos más genuinos de un estado social enteramente chileno, hijo de su época y de su medio, heredero de preocupaciones y modo de ser de una familia en la cual, como en otras muchas, aún se conserva intacta y palpitante el alma de la Colonia, sus preocupaciones aristocráticas, su estiramiento, su espíritu derrochador y orgulloso, su antipatía por el esfuerzo continuado y modesto del trabajo rudo, su desdén de ciertos oficios y de ciertas clases, su fanatismo unido a su horror de la cultura científica; a esto suelen mezclarse las más nobles cualidades, la generosidad sin tasa, valor enérgico, espíritu de sacrificio en las angustias nacionales. Esta sociedad, respetuosa de tradiciones, se ha visto desbordada, de repente, por la improvisación de fortunas en salitre y minería, mientras ella, en parte, se empobrecía con especulaciones de Bolsa desgraciadas. Ha nacido de aquí el espíritu de inquietud, de inestabilidad nerviosa, de conmoción general, en el cual reaccionan a veces fuertemente los atavismos de raza[213].

El narrador hará, en seguida, una pormenorizada revisión de los antepasados de Heredia en correspondencia con los principales períodos de la historia del país, de manera que la herencia personal y sus rasgos servirá para caracterizar la historia de la sociedad chilena, entendiéndose por ello, la sociedad aristocrática que dictó rumbos a la vida nacional e imprimió carácter a sus instituciones desde los albores de la vida colonial hasta el presente en que se narra.

De lo antes visto, destaca el carácter necesario que, atendidas sus causas eficientes, se muestra en las peculiaridades personales de Heredia y en la configuración colectiva de la sociedad chilena[214]. La misma necesidad se muestra en el desarrollo de los acontecimientos por venir. La fatalidad de los determinantes que se ponen en juego explican suficientemente la ruina personal de Angel Heredia y la decadencia catastrófica de toda la sociedad aristocrática.

6 NOVELA DE EPOCA

Casa Grande posee una estructura espacial muy particular. No se trata simplemente de una novela que se ordena en la suma de una serie de espacios reunidos en su diversidad para alcanzar una imagen de totalidad. La estructura espacial tiene en este caso la singularidad de presentarse como una estructura dinámica que muestra la evolución de un sector social observado primeramente en sus rasgos óptimos y así caracterizado. Es decir, al lado de los significativos elementos espaciales, que impone su impronta al mundo narrativo, se concede especial significación al tiempo. Se ha visto cómo sólo la Primera Parte de la narración ofrece términos positivos —se pinta la plenitud de la vida, la alegría del 'risorgimento'— por más que sean ilusorios; pero a partir de la Segunda Parte todo delata la progresiva desintegración moral y social que va siguiendo el desarrollo de las partes de la narración y acompañando los acontecimientos principales en una compleja trabazón que confiere esfericidad notable a la novela.

Esta manera de plasmar la estructura del mundo, confiere a la novela las formas de una novela de época, esto es, de una narración cuyos propósitos no son dar una verdad humana, válida para cualquier tiempo y lugar, sino mostrar una parte de la sociedad contemporánea y enseñarla principalmente en su particular modo de transición o decadencia. Todo se hace en ella particular, relativo e histórico. La dependencia de la novela de una época determinada naturalmente la degrada. La vinculación servil de la obra a un período o época histórica determinada ha falseado largamente los criterios de la crítica literaria y sus efectos pueden percibirse todavía. La exactitud de los detalles contemporáneos llegó a ser más importante que la plenitud o el vigor y la exactitud de la imaginación. Particularmente, el naturalismo hizo enorgullecerse al novelista del esfuerzo gastado en documentar sus asuntos, como si las manifestaciones de la imaginación fueran, en comparación, frívolas y fáciles y no exigieran energía alguna. Todo el interés de la crítica se volvía sobre el asunto y su posible clave. Como se ha señalado antes, Omer Emeth llegó a decir, con la aprobación posterior de Domingo Melfi y otros muchos, que el valor histórico de *Casa Grande* se acrecentaría con el tiempo:

> Creo que, antes de muchos años, este libro será el mejor documento histórico que tengamos sobre la vida social chilena en los años 1900-1908. Todo historiador lo tomará en cuenta y entonces se verá cuán importante es *Casa Grande*[215].

Los datos históricos han sido evaluados por encima de la estructura y de los valores literarios intrínsecos y, en el caso de esta novela al menos, dejaron ocultas las cualidades que habrían permitido un conocimiento cabal de la obra, deformándola en la visión exclusiva de lo que Alfonso Reyes llamaba, festivamente, la 'asúntica'. Si las cosas fueran como la crítica las mostró durante sesenta años, *Casa Grande* no sería más que una novela de época, en verdad, una clase espúrea de historia que irrumpe ocasionalmente en ficción para ilustrar el conocimiento de la sociedad. En definitiva un relato, por lo tanto no necesariamente una forma estética. Toda la novela chilena moderna se mueve en el filo de esta distinción y podría agregarse que toda la crítica chilena la ha enjuiciado alejándose de su vis estética para arrojarla de lleno a la servidumbre de la historia. Pero esto conduce a tratar, finalmente, de las funciones presentes en la novela estudiada.

La pluralidad de funciones que se ha observado en las novelas anteriores, encuentra en esta novela todavía nuevas notas. En primer término, se halla fuertemente acentuada una función constante de la novela moderna cual es la cognoscitiva. Se ha visto de qué manera el análisis cientificista de la realidad del mundo constituye un aspecto saliente de *Casa Grande*. La representación de la decadencia de la aristocracia nacional, entre 1900 y 1907, como resultado de atavismos raciales que arrastran un cúmulo de vicios y deformaciones sociales, educativas, económicas y religiosas, se interpretan como rémora de una infancia teológica y metafísica, vinculada a la supervivencia del espíritu de la Colonia en la sociedad moderna. El análisis psicológico expone el síndrome patológico de los temperamentos en un proceso de estructura experimental. El conocimiento por las causas de los más diversos hechos, en fin, confieren a la función cognoscitiva los característicos rasgos que el positivismo —de excluyente tendencia cientificista— pone en la novela naturalista. Desde el punto de vista cognoscitivo puede advertirse que el mundo es comprendido en sus aspectos históricos, sociales y psicológicos con un racionalismo restrictivo. Lo que marcha con la razón experimental, con las leyes de la naturaleza es ponderado como lo real y verdadero. Todo el mundo se ordena en el proceso de revelar esta verdad, este conocimiento que en el mundo defectuoso permanecía oculto bajo un velo de apariencia engañosa o de ignorancia. En este conocimiento se penetra en la condición feroz que posee la lucha por la vida; en la necesidad de armarse convenientemente para la supervivencia en la sangrienta pugna; en la necesidad de enfrentarse a la historia, la sociedad y el hombre, ateniéndose al determinismo insoslayable de la raza, del medio y de las circunstancias históricas, al determinismo de la herencia y de la fisiología.

Así se invoca una creencia en el valor de la ciencia y en la imposibilidad de todo libre albedrío referido a la realidad humana. Este pensamiento excluye y proscribe de la vida humana el valor del sentimiento, de la imaginación, de la poesía y de la religión. Pugnaz, en este último aspecto, una tendencia activista se desenvuelve contraponiendo polémica e ideológicamente la ciencia a la religión. Características abstractas e ideológicas comparables a las de Lastarria.

De esta manera se perfila una función ideológica, tendiente a edificar la conciencia social y conformarla en vistas del progreso, porque, una vez más, éste es concebido como un crecimiento de la racionalidad del mundo.

No se agota en este punto el capítulo estudiado, también se da una función profética que avizora la catástrofe y anuncia la ruina, con tono jeremíaco y por veces apocalíptico, para una sociedad que se empecina en el error, esperando, sin embargo, que encuentre en sus propias virtudes atávicas la capacidad de volverse regeneradoramente sobre su descomposición actual y, dirigida por la ciencia y la razón, emprenda el camino del verdadero progreso.

V ZURZULITA

La novela *Zurzulita,* de Mariano Latorre, se articula perfectamente en la tradición estudiada de la novela chilena moderna en cada uno de los aspectos estructurales que se ha venido considerando. Adopta también las formas de la novela experimental, como *El Ideal de una esposa* y *Casa Grande* —que suman con *Zurzulita* el grupo más valioso y representativo de los tres momentos diferenciables en el Período Naturalista—, y cada una de las características que la tendencia literaria impone a la novela en el período. Pero se diferencia sustancialmente de las anteriores por los contenidos, que ponen de manifiesto con gran originalidad una nueva sensibilidad generacional: el Mundonovismo[216]. La publicación de la novela en 1920[217] modificó el sentido total de la tradición anterior. Por su asunto apareció desde luego, como un rechazo de las preferencias acusadas hasta aquel entonces; señaló el agotamiento de éstas y afirmó la necesidad del cambio y la renovación que restituyera su interés al mundo narrativo[218].

Mariano Latorre reclamó para sí la prioridad en la expresión de este cambio y en la incorporación del campesino como personaje visto en sí mismo[219]. No se trataba, para él, de un nuevo exclusivismo de los asuntos —como se le aprecia en las gastadas novelas urbanas—, sino de la necesidad de integrar, precisamente, una realidad nacional que se le aparece variada y compleja. Nunca consideró con exclusivismo significativo la realidad campesina[220] o el paisaje, aunque sí le entregó sus preferencias más cálidas.

Su actitud literaria importaba una nueva forma de nacionalismo y de americanismo literarios que se constituyó en la cifra de la sensibilidad de su generación. Después de Lastarria, es el primero en recuperar el sentido americanista de una interpretación de la realidad. Pero esta vez el Naturalismo le permite reconocer en el paisaje el aspecto diferencial más significativo[221]. En este aspecto *Zurzulita* precede a las más importantes novelas hispanoamericanas del mismo período y generación[222].

En *Zurzulita* se observa un sector material reducido de una realidad vasta que se revela al novelista de una variedad geográfica considerable y multánime.

Zurzulita es —como una novela cualquiera del siglo XIX— una historia de amor desencontrado y funesto. La exposición del motivo de amor imposible y la visión de una naturaleza agresiva y bestial a través de un temperamento —el de Mateo Elorduy— nervioso, hiperestésico, abúlico e inadaptado, sirve a la demostración de las características de la vida campesina chilena en un pequeño rincón de la provincia de Maule, sobre la Cordillera de la Costa.

Como en las novelas espaciales hasta aquí analizadas, el motivo central está destinado a ilustrar las condiciones generales del medio y a expresar fundamentalmente el sentido del mundo mediante el conjunto bien integrado de sus rasgos típicos. El desarrollo de la situación permite poner en juego todos los rasgos de relieve destinados a lograr la finalidad pictórica que se persigue.

El argumento de la novela se desarrolla en la forma lineal que es característica del narrador naturalista, sentando en primer término los antecedentes que preceden el caso que ha de contarse y, luego, sus consecuencias fatales.

La muerte repentina del padre de Mateo, obliga al joven a enfrentar las dificultades de la vida a los veinte años de edad. La liquidación de algunos compromisos debidos a su progenitor le dejan en posesión de un fundo en Millavoro. El campo, la naturaleza, se ofrece a la imaginación del joven como una tierra de promisión para superar las limitaciones del pueblo de Loncomilla donde ha vivido. El poblacho agrícola, aletargado y tedioso, ha comunicado a su ser las inclinaciones a la inacción, a la rutina, a la pereza, de la vida de aldea, desprovista de estímulos y necesidades. El campo se le aparece como la salvación y la posibilidad regeneradora; el aire puro vigorizaría sus miembros y el trabajo áspero haría nacer una voluntad poderosa de vivir que ya lo elevaba a sus propios ojos. Con estas ilusiones emprende un día la jornada acompañado de On Carmen Lobos, administrador de las tierras de Millavoro que adquiría.

Llegado al lugar, vivirá en la escuela que atiende Milla, hermosa muchacha campesina. Desde un comienzo, Mateo es recibido por los campesinos como un intruso, un advenedizo, sin que lleguen a enterarse de que es el nuevo propietario de las tierras. On Carmen pretende desposeerlo de toda autoridad postergándolo desde el primer día. Su velado propósito es apropiarse de las tierras en la esperanza de que el joven se rendirá ante las dificultades de la vida campesina. El mismo Mateo se considera más bien un visitante que el auténtico patrón. Su pusilanimidad y su ignorancia de las cosas del campo son interpretadas como poquedad de carácter por los campesinos.

El conocimiento de Milla, despierta en el joven, gradualmente compenetrado con el medio, el anhelo de posesión. Una pasión primitiva se acrecienta en su ánimo cuando adivina las intenciones de Lobos. En relación a la niña, se establece una rivalidad sorda entre los dos hombres. Triunfa Mateo en el corazón de Milla y la posesión de la muchacha llega con la primavera.

El equívoco relativo a la autoridad y a los derechos de propiedad de Mateo se dirime en una lucha con On Carmen que concluye con la derrota del administrador. Desde ese momento trama la venganza que se irá tejiendo gradualmente en perjuicios cada vez más graves a la propiedad del joven. Se da cuenta Mateo de la índole de fieras implacables, sin moral y sin compasión, que prevalecía como la ley única de la fuerza astuta en animales y hombres de la región. Desea entonces dejar el campo y volver a la ciudad. Su distanciamiento se acrecienta con la contemplación de un velorio de angelito y de la procesión de San Francisco. Cede, a veces, al mismo influjo primitivo movido por las incitaciones de la vendimia, plena de resonancias dionisíacas. La joven Milla se le revela de índole semejante a los otros lugareños. Afirmada, por atavismo y por primitivismo supersticioso y fatalista, en su condición de hembra desconfiada y desamparada por el macho, segura sólo en medio del mundo en que se mueve, rechaza el matrimonio que Mateo le ofrece y reclama el hijo que espera para ella sola[223].

On Carmen concluye su venganza haciendo asesinar a Mateo por mano del bandido Juan Rulo. Mateo muere apuñaleado por la espalda y es abandonado en el monte a los jotes de Millavoro. La muerte de Mateo llega cuando en el espíritu del joven se ha manifestado ya el desencanto, la desilusión de sus primitivos proyectos de regeneración.

Después de tres días, Milla encuentra el cadáver cuando ya ha sido mutilado por las aves de rapiña y voraces hormigas consumen sus restos. En ese mismo instante la muchacha siente en forma lancinante la presencia de la nueva vida en su seno[224].

Mateo Elorduy aparece como un temperamento hiperestésico e imaginativo en quien se aúnan las condiciones heredadas de sus antepasados, hombres de empresa, marinos, contrabandistas. La muerte del padre lo sume en un estado de cansancio de la sensibilidad propio de un temperamento nervioso. Su voluntad aparece anulada por influjo de la monótona vida aldeana y la falta de estímulos en la sesteante y gris monotonía de Loncomilla. Múltiples imágenes acuden a su mente afiebrada por la agotadora tensión que sigue al entierro y que le despierta a la realidad de vivir. Su orfandad, su aislamiento espiritual le dan la noción clara y distinta de la soledad con que la vida le rodea[225]. Mientras su padre vivió, su abulia había carecido de toda censura y su voluntad sin estímulos se embotó. Mateo se complace, sin embargo, en la embriaguez deliciosa del ocio y de la inacción. Como advierte el narrador, "La rutina había agarrotado su espíritu con sutiles ligaduras"[226].

Pero ahora el joven se ve enfrentado al problema de su supervivencia. El recuerdo de su padre, del viejo marino y contrabandista, y las sugestiones que parecen brotar de los objetos náuticos conservados por el viejo piloto, alientan en Mateo una viva tendencia a la acción.

Su propia condición imaginativa le lleva a ensoñar en la vida de campo la gran posibilidad de regeneración:

El campo era la salvación. El aire puro y vigorizante, las ásperas labores harían nacer en su cuerpo una voluntad poderosa de vivir, ya que la inacción, la vida sin ideales, la satisfacción de todos sus apetitos habían concluido por convertirlo en un mecanismo mohoso que se derrumbaba penosamente. Su imaginación viva representábase los beneficios de la vida campesina, sentía ya deseos de conocer aquel rincón de montaña y de ver producir la tierra con el esfuerzo de su mano[227].

Su sensibilidad se entona mágicamente con la claridad de la mañana de agosto —sol de primavera en un paisaje de invierno— o el vuelo de un ave, que proporciona la imagen de su nueva disposición interior, alada, ascendente y alegre; o se trastorna por la belleza de un duraznero en floración. En esta sensibilidad estética de Mateo se establecerá la perspectiva interior de la narración. Ella proporciona explicación suficiente para la ilusión que anima su visión del porvenir[228]. Así se fija la actitud de su ánimo antes de la partida al fundo de Millavoro, tierra de promisión. Es el mecanismo que permitirá crear la tensión narrativa entre el temperamento personal de

Mateo y la crudeza de lo real que se pondrá de manifiesto a la luz de su hiperestesia herida por mil y un rasgos de contrariedad ética. Mientras, la naturaleza se revela a su temperamento en su vis estética con cualidades de color, esplendor y forma, llenas de plenitud y armonía. La dignidad moral del trabajo campesino le parece a su sensibilidad estética temperamental, el remedio para la degeneración de la voluntad.

La narración, establecida en una perspectiva interior, va dando el movimiento secreto del ánimo de Mateo Elorduy, las variaciones de su disposición interior, el modo circunstanciado como la realidad golpea en su sensibilidad, el juego de acción y reacción a que se reduce el mecanismo de su conducta anímica. A partir del punto señalado, la imagen paradisíaca y la ensoñación idílica que la acompaña, comenzarán gradualmente a ser minadas por el choque con la realidad brutal.

El viaje a Millavoro va mostrando los contradictorios efectos que el conocimiento de On Carmen Lobos y de las tierras pobres produce en él. Algo de inseguro y malévolo le parece sorprender en el administrador cuya charla incesante y cuya sapiencia le parecen ser la voz misma del campo. Su sensibilidad se modifica bajo el efecto de los más menudos accidentes:

le parecía a Mateo, en el dolor de su cuerpo machucado, que era el mismo campo el que le hablaba, contándole campechanamente los secretos de su entraña, los amores de los pájaros vagabundos, la secreta fuerza de las semillas entre los terrones, la puñalada certera al enemigo en los matorrales, el brutal acoplamiento del gañán y de la china impúdica bajo el estrelleo de las noches primaverales.

Aquel hombre rudo que vivía en contacto con la tierra, adquiría para Mateo un inmenso relieve. Agradecíale sus recomendaciones y el afán solícito de cuidar de su cabalgadura en los instantes escasos en que descansaba sin bajarse del caballo, colocando su pierna en el borrén delantero de su historiada montura. Hasta un sentimiento generoso le germinaba en el fondo del pecho. El deseo de hacerlo su socio, de trabajar juntos aquel rincón[229].

Pero en seguida la visión de las tierras pobres oprimirá su ánimo y su temperamento se dejará llevar de nervioso descontento. Al mismo tiempo, descubre en Lobos un temperamento frío y burlón que le lleva a desconfiar de él y a modificar contradictoriamente la tonalidad de su espíritu:

Odió en aquel instante con toda su alma al administrador que escuchó complacido al principio del viaje. Presentía ahora en él un enemigo, del cual no había que fiarse. Le pareció haber caído en una madriguera de ladrones aislado de todo el mundo, sin conocer a nadie. ¿Quién lo metía a él, pusilánime, flojo, sentimental, a una vida de férrea lucha, sin amigos, sin arma alguna para vencer?[230].

Lo asedian penosas visiones, pero desde el fondo del desánimo su herencia paterna se rebela en una firme decisión de vencer en la pugna haciendo abstracción de la charla del administrador. Olvida el dolor y reconfortado se hace el épico propósito de vencer, dejando a un lado sentimentalismos y puerilidades y los miedos sin fundamento que lo han ganado.

Al llegar a Millavoro la actitud autoritaria de On Carmen y la atracción de Milla, que le domina, como cree ver que domina al administrador, contribuyen a definir su actitud frente a él:

Aquel hombre ya no le gustaba. Su naturaleza impresionable había reaccionado instintivamente y con la visión certera de la sensibilidad, veía en él un peligro. Mal disimulaba su charlatanería campechana, el instinto perverso, la avasalladora sed de mando, la hipocresía amable, la confianza petulante en sus propias fuerzas y en su buena estrella. Mateo adivinaba una lucha sorda, implacable; pero en ella tenía una ventaja sobre su adversario. El haber descubierto el mal, el estar apercibido, ya que el otro en la ciega confianza de su superioridad, no lo consideraba un enemigo peligroso[231].

Mateo veía que no había sido sino el instrumento de don José Santos Bravo, el deudor de su padre, para sacarse de encima el compromiso de diez mil pesos, que el fundo seguía siendo de él, que seguiría dominándolo y sacando provecho a pesar de él mismo, que terminaría, acaso, por aburrirse y dejarlo todo a su merced y, de no ser así, vería sin duda el modo de quitárselo de encima.

De esta manera quedan anticipados ya en el primer contacto con el campo los términos de una pugna que decide no rehuir sino hacer frente virilmente aprovechando con disimulo la ventaja que descubre en la situación.

Mateo tiene muy diversas ocasiones de comprobar el dominio insolente que Lobos ejerce, sus silencios sospechosos y sus impúdicas maniobras para alejarlo de Milla al conducirlo a casa de las Espejo, donde toma su primera experiencia del modo brutal que adquieren las relaciones de hombres y mujeres en el valle.

Al terminar el invierno, la atracción sensual que Milla despierta en Mateo ha comenzado a transformarse en una emoción tierna, en un franco enamoramiento. El amor que allí germina y la posibilidad prevista tempranamente por el administrador, crearán una nueva tensión de singular violencia que pasará, con la llegada de la primavera, a ser el motivo dominante de la obra.

La nueva estación anima en la sangre del joven nuevos deseos y aspiraciones indefinidas. Con la esquila, don Carmen se ha ausentado a Nirivilo y los jóvenes quedan libremente abandonados al juego de sus corazones. La declaración amorosa ingenuamente correspondida despertará nuevamente en él la visión optimista de la vida. "La vida vuelve a ser una escala que conduce al cielo, toda palpitante de séricas alas angélicas, donde las contrariedades no asoman sus ásperas greñas de demonios"[232].

Enamorado, piensa que Milla se irá con él a la aldea, dejando la vida del campo a la que parece no adaptarse en definitiva:

> Se daba cuenta que no sería nunca un agricultor. No le disgustaba el campo, pero sus faenas no lo atraían, no lo sacaban de su apático enervamiento. Las observaba como un visitante y entreveía en las cosechas, en los mil detalles de la vida rústica, engorrosas dificultades que nunca podría vencer, que sólo llegaban a conocer los que habían convivido con ellas durante años, en contacto directo con todos los accidentes del campo. En el pueblo podría reabrir el negocio de la agencia, sentíase más cerca de él. Pensaba firmemente que llegaría a dominarlo mejor, por lo que a veces recordaba haber visto ejecutar a su padre[233].

Mateo se sentirá afectado por la reticencia y la desconfianza de la niña[234]. Escuchará luego las palabras del ciego que acrecientan su tristeza, "¡Qué viene a hacer aquí ese intruso!"[235]. Ambas son la consecuencia inmediata de las recomendaciones exigentes de Carmen Lobos. El disgusto le lleva sin embargo a una determinación severa y a establecer los términos efectivos de su situación[236]. Para ello decide el viaje a Loncomilla a casa de su tutor, en busca del consejo sano y la orientación definitiva.

Al llegar frente al rancho de On Varo, verá a Samuelón, el idiota, atado a un árbol y objeto de las burlas y maltrato de los muchachos bajo la lluvia. El espectáculo le irrita profundamente y comienza a engendrarse un nuevo ánimo en él, primero un sentimiento de impotencia y, luego, una emoción casi heroica de humanidad y rebeldía ante el abuso insensato[237]. Desata a Samuelón y lo libera de su tortura. El acto lo hace revelarse a sus propios ojos como desprendido de la opresión primera y advertir que mediante su intervención generosa dominaba a aquellos seres instintivos para quienes la miseria era un espectáculo y el dolor humano una entretención. En casa de On Varo encontrará a Hortensia Espejo quien le revelará las maquinaciones de Lobos, mientras Mateo intenta afirmar la propiedad del fundo. La mujer, llena de resentimiento en contra del administrador, le advierte al joven: "—¿Pero no ve que quieren enyugarlo, señor?"[238]. La hipocresía del administrador, que toma carácter de norma en la vida del valle, lo convence de que jamás podrá vencer a esos hombres[239].

Hortensia le revela las tortuosidades de la vida en el lugar. Pero ella misma se le revela como un animalillo salvaje, en nada diferente de Carmen Lobos o Juan Rulo, el bandido; comprendió que Hortensia misma se interpondría entre él y Milla en adelante previendo entonces amargamente su destino:

Algo instintivo e inasible que estremeció sus nervios le mostró el porvenir, el aislamiento, el hielo de la soledad, quien sabe si la tristeza de una fosa, al pie de los ásperos cerros; pero algo superior lo empujaba[240].

Se siente aislado en medio de seres tan desemejantes. Trata de separarse de la proximidad de Milla que se le hace extraña, pero de la misma espontánea y oscilante manera recupera en un gesto de ésta el temple optimista y alegre. Sólo el amor de la maestrita empujará su rebeldía.

Los saludables efectos de la vida campesina, del aire puro y la alimentación obran efectivamente sobre su complexión física y acompañan con su fortaleza manifiesta el despertar de sus decisiones viriles. La fortaleza de su físico, en un temperamento nervioso, crean el extraño complejo de este poeta, heredero de hombres de empresa, que exterioriza en las contradicciones de su ánimo, alterado por la inadaptación, la inestabilidad de su existencia. Comoquiera que sea, el medio va a determinar su creciente identificación con las características de la tierra en desmedro de sus condiciones espirituales[241].

La decisión de resolver su destino y el de Milla, fija el momento crucial —centro matemático de la narración— y se acompaña con la pérdida total del encanto que el campo despertaba en él hasta entonces. Desde ese momento en adelante la visión de la naturaleza estará tocada de un temple de ánimo desencantado y teñido de repugnancia y horror[242].

Al regresar de Loncomilla hace fracasar el rapto intentado

por Lobos. El frustrado rapto de Milla traerá al administrador a Millavoro a pedir cuentas por el desacato a su prepotencia de cacique lugareño. En la lucha por el predominio, que da la totalidad de su sentido a la vida, triunfará el joven sobre el viejo; la noble y valerosa defensa de la muchacha sobre el abuso hipócrita del alcalde de Purapel. El evento será una pugna de hombres entregados a la violencia, de un encuentro vulgar y primitivo en que la agilidad y fortaleza de Mateo se imponen a la pesadez de Lobos. En estas circunstancias Elorduy era "uno de esos temperamentos apáticos que tienen, de improviso, arrebatos temibles. Sílabas truncas, envueltas en temblores de rabia, salían de sus labios apretados"[243].

La plena posesión de sus derechos no llena de alegría a Mateo, sino que le muestra cansado y lleno de amargura. Sólo Milla ha pasado a ser suya plenamente y las noches de estío son testigos de una pasión desplegada ahora sin limitaciones. Con la pasión absorbente, Mateo se desentiende por completo de las labores campesinas y descuida las tareas del hacendado frente a los riesgos de la sequía que se produce[244].

La destrucción de su bosque por Juan Rulo, que tiene el monte propio intocado, comienza a mostrarle la rapacidad vengativa de sus enemigos. Signos funestos acompañan sus comprobaciones. La Calambrienta, la yegua esquelética y monstruosa que cuida Samuelón, es encontrada muerta y devorada por las aves carniceras[245]. Puede considerarse una anticipación del propio fin de Mateo.

La miseria proveniente de la sequía produce comentarios que hieren duramente a Mateo y más por venir de Milla:

el joven asombrado, se dio cuenta por primera vez del alma del valle de Millavoro. Todos, animales y hombres, jotes y aldeanos, mostraban sus dientes implacables de fieras, sin moral y sin compasión. Prevalecía siempre la fuerza astuta como única ley. El *Trapi* mañero, que Samuelón llevaba impreso en su tosca mano simbólica vencía eternamente, en la manada salvaje, sobre el Manqui inexperto, sobre el débil, sobre el bueno, sobre el que guardaba en el alma soñadora, el arrullo de las zurzulitas ariscas e inconscientes[246].

De aquí en adelante, los acontecimientos se precipitan tocando cada vez más hondamente en la sensibilidad de Mateo, llenándolo de repugnancia, de horror y cansancio. Se acrecentará la visión negativa y antipática de la realidad campesina que hiere con cada objeto su exacerbada sensibilidad. La muerte del hijo de On Varo le conducirá a un velorio del angelito.

La escena que daría para un cuadro de costumbres deriva en una repulsa de la bárbara tradición popular al detenerse en el detalle grotesco y horroroso[247]. Establece y sorprende él mismo una distancia entre lo contemplado y su modo de sentir que le hace verse extraño, un espectador pasivo, del que nadie se preocupaba y para quien todo aquello era absolutamente indiferente.

Los términos de lo acontecido hasta aquí adquieren en la conciencia de Mateo, cada vez más, las formas de un *error*. Desde los primeros capítulos se ha ido proponiendo su contorno definido. Es notorio que, como ocurre en la novela naturalista en general, se está ante una actitud cognoscitiva y experimental del narrador que pone en evidencia que la conducta adoptada, al viajar a Millavoro, ha sido una decisión equivocada. Enceguecido por la imaginación de un temperamento nervioso y sensible, no atiende a la crudeza de los términos reales de la vida del campo. Su inexperiencia le hará caer inerme en manos de los astutos y crueles dominadores del valle.

> ¡Qué gran error había sido esta venida suya a Millavoro y esta unión irreflexiva que lo sujetaba a la tierra para siempre! Y la visión repentina de un hijo suyo, encaramado en la sillita, con la embadurnada cara llena de cincos viejos y la orgía de huasos a su alrededor, oprimió su corazón con la acritud de una herida incurable[248].

Su cansancio y su repulsión de la vida campesina se acrecientan al par con el deseo de llevar a Milla a vivir al pueblo. Había decidido retornar a Loncomilla después de la vendimia. La óptica de Mateo ya no era la misma para ese mundo y su disgusto se siente compensado con la miseria de la tierra. Todos los acontecimientos últimos desfilan ante sus ojos en su mediocridad y en su brutal y grotesca realidad[249].

El estribillo de don Juan Oro, el rapsoda campesino:

> *De ver de que en este mundo,*
> *hoy soy, mañana no soy*[250]

engendra en él pensamientos funestos que llenan de malestar su temperamento nervioso y lo mueven a huir lejos, abandonándolo todo como si temiese contagiarse con la pasividad sin remedio del campesino. El deseo se le presenta preciso, neto, terrible. La cabalgadura que comprara en su viaje a Loncomilla parece ya haber adquirido bajo el influjo telúrico los rasgos degenerativos de los caballejos de los cerros[251].

Con la llegada del otoño viene la disolución de la seguridad de Mateo; siente su soledad agudamente, como una herida incurable de hastío, de desorientación y de inadaptación[252]. La vendimia, como verdadera fiesta dionisíaca, libera la bestialidad campesina. Pero también Mateo sucumbe ante la seducción sensual de una muchacha.

El ánimo de Mateo ha llegado, en el proceso completo de su oscilación, al extremo opuesto. Antes, el campo era tierra de promisión donde esperaba regenerar su espíritu castigado por la monotonía del pueblo. Desengañado por la tierra bestial, Loncomilla se le presenta ahora como la liberación efectiva y la salvación:

> Su liberación estaba próxima. Una semana más y volvería, de nuevo, a su vida antigua que ahora consideraba como su salvación. Había olvidado que antes de venirse de Loncomilla, Millavoro fue la tierra de promisión. Se iba casi alegre, no obstante estar convencido que había hecho un mal negocio. Recordaba satisfecho aquella noche de la vendimia en que vagó por los bosques con la chiquilla rubia que le ofreció miel y mote y cuyo cuerpo medio desnudo era sabroso como el mote y la miel montañesa. Habíase olvidado casi de Milla, pero estaba resuelto esta mañana a decirle que había llegado el instante de la partida. Considerábase unido a ella para siempre, aunque la actitud áspera de la zurzulita lo hiriese en lo hondo[253].

En relación a la muchacha su vida se resolverá extrañamente. Para su vieja moral de casta española, resulta incomprensible la negativa de la niña a seguirlo y la decisión de esperar la maternidad sin someterse al hombre ni procurar en Mateo un marido. La actitud de la muchacha obedece al mismo primitivismo de la vida lugareña y el carácter supersticioso de sus habitantes[254]. El narrador explicará el desencuentro de la manera siguiente:

> La moral heredada de sus padres españoles, moral de vieja raza religiosa, no permitía que Mateo se diese cuenta de ese curioso caso de mujer, arisco e independiente como tórtola de los bosques, que miraba al macho no como un marido, sino como un hombre. La maternidad había despertado en ella ese rudo egoísmo de clueca. Sin prejuicios en este punto, parecía decir que el hijo era sólo de ella y para ella[255].

La decisión de la muchacha aclara su destino y certifica a sus propios ojos el error cometido:

El problema se había resuelto ya. Nada tenía que hacer en adelante en Millavoro. Restábale sólo una opresión aguda en el ánimo, como un vieja herida que volvía a palpitar después de muchos años de estar cicatrizada. Aquel año campesino era como un lejano cautiverio, lejos de la civilización y del mundo, del cual iba a libertarse pronto. Volvería a Loncomilla y a su vida antigua de la cual no debió salir. La ruta señalada por su padre era la única que debió seguir[256].

Después de algunas nuevas visiones de degradación humana y de degeneración local, será asesinado al regreso, en imprudente soledad, de las festividades de San Francisco. Con la horrorosa muerte de Mateo, se cumple la atroz sanción naturalista con que se castiga el yerro cometido en la elección de su destino de un temperamento incapaz de adaptarse a las características de la tierra y de una vida campesina artera, bestial y deshumanizada.

2 UN EXTRAÑO EN EL CAMPO

La posición de Mateo como un extraño en el campo —aparte la efectividad narrativa que este motivo (un extraño en el mundo) ha tenido en general en la narración moderna y en el Naturalismo—, es la posición de un individuo que ha escogido un medio en nada adecuado a sus condiciones personales por lo cual ha llegado a ser un *inadaptado,* un hombre que permanecerá extraño al medio, incapaz de comprenderlo e interpretarlo adecuadamente. En cuanto permanece en él, sin embargo, será determinado por la fuerza del influjo telúrico que lo hace juguete de las mismas cosas que repugna. El motivo marchará en el sentido de una precipitación cada vez más grande en su inadaptación. Al tiempo que en la conciencia de Mateo se hace más viva la certidumbre de haber cometido un yerro, se hacen también más fatales las consecuencias de su vacilación y de su marcha atrás. Antes que pueda liberarse de la decisión errada que lo llevó a Millavoro, caerá bajo la sanción cruel de los hechos, bajo la fatalidad de los determinismos que han entrado en juego. La falla personal, la limitación temperamental o hereditaria, se castigan brutalmente con la muerte del personaje. Ahora bien, ¿dónde está la fuente del engaño en la vida y en el amor de Elorduy? En su temperamento nervioso de poeta, en su imaginación de hombre estético hipersensible. Y, por otra parte, en el imperativo del instinto revelado a su naturaleza que se manifiesta con vigor y se proyecta sobre todos los aspectos de lo real, de lo que anima vivo y mutante.

Los términos tradicionales del amor imposible, del amor funesto —sus rasgos decimonónicos—, han sido sustituidos en su motivación por los determinantes naturalistas. El *fatum* romántico se sustituye aquí también por el nuevo *fatum* determinista del Naturalismo afincado en la precariedad temperamental del personaje.

La contemplación de Milla provoca en Mateo una atracción puramente sensual y despierta sus primeras reacciones ante lo campesino. Imprecisas en un comienzo, sus sensaciones le producen extrañeza[257]. La visión próxima —la mirada del joven se complica en variadas perspectivas e insólitos escorzos— modifica su imagen inicial y acrecienta su interés, haciendo más natural el retrato de la joven que se daba, en la primera, nimbada de oro, como cristalizada por la imaginación de Mateo[258]. Durante los tres primeros días se entrega a la contemplación progresivamente enternecida de las formas, del rostro, de la piel de la niña[259]. La atracción sensual es cada vez más ardiente. Los términos en que se presenta son los de la animalidad espontánea de hembra y macho encelados[260]. El joven ha comenzado a enamorarse y su imaginación se puebla de agradables ensoñaciones. El regalo de una tórtola cautiva, una zurzulita, en la cual encuentra el símil adecuado para la tierna imagen de Milla, sirve como acto de ofertorio en el ensueño amoroso de Mateo[261].

También a Milla un enternecimiento sin motivo aparente la domina, se imagina que las cosas son menos ásperas y que se enternecen como ella con suaves languideces. Para esta ternura encuentra un eco en las aves que esponjan sus trinos bajos los primeros efluvios de primavera. Un miedo súbito detiene, sin embargo, esta alegría que se despliega como una onda que hace correr su sangre. Vislumbra su destino: llegará el día en que el administrador la tomará como recompensa de los regalos y atenciones que brinda al ciego Aravena —su padre— y a ella misma. No temía ese día antes de ahora: es el nacimiento de su amor por el joven el que abre esta angustiosa expectación en ella. Sabe que la vida se ha petrificado allí en la violencia establecida como ley ineludible de las costumbres. Evoca a sus amigas: todas tienen un hijo o dos de padres diferentes; todas beben hasta embriagarse. No temía este destino antes, ahora sí. Este es el movimiento oscuro de su psicología elemental modificada por el amor.

Con el amanecer de un día de primavera viene la declaración amorosa, tímida e ingenuamente correspondida. Sigue luego la incertidumbre de vacilantes y equívocas decisiones, pero la pasión crece poderosamente.

El capítulo *Luz de Luna* describe la plenitud de la estación primaveral con la vibración sinfónica de toda la realidad. Ambos jóvenes padecen la intranquilidad de sus impulsos juveniles y son empujados a buscar en el aire de la noche el alivio para su bochorno y su desvelada inquietud. El primer encuentro amoroso tiene lugar en el medio de la noche animada de fermentos y temblores, de rumores y luz que pone de improviso una nota de fría premonición. Un eco universal responde al estremecimiento sensual de los jóvenes enamorados.

La descripción de la posesión en el capítulo siguiente, *Cóguiles de Maqui,* toma todas las características del asedio y del acoplamiento animal. La humanidad de los personajes se anula para hacer aflorar la pura manifestación del instinto primario, sin las notas de humana ternura o de generosidad amorosa. Mateo se ve despojado de improviso de su humanidad para sentir la intensidad de la sangre y la opresión anhelosa que prepara el asalto:

> Sintió nacer dentro de sí una curiosa reacción de disimulo. La hembra debía estar desde ese momento en peligro inminente, porque el macho, favorecido por la soledad del bosque, cobarde y cruel, se armaba con su potencia más temible: la asechanza hipócrita. El hombre ya no pediría nada, porque todo lo iba a tomar en el momento propicio. La fuente de ternura que brotaba en él al recuerdo de la niña habíase secado de pronto. Mirábala como una presa a la cual no hay que tener compasión[262].

En medio de la armonía natural del bosque tiene lugar la posesión, acto definitivo de dominio del macho y de abandono tembloroso de la hembra. Toda la naturaleza responde en un eco sinfónico al instante. La conciencia de los personajes vueltos a sí mismos les arroja la plenitud rumorosa del bosque y la luz vibrante de la bóveda verde que deja entrever al cielo entre las hojas.

La posesión ha acentuado en Mateo la voluntad de dominio, el ancestro de conquistador y de hombres de empresa. Se apresta para rendir batalla al administradoı y expulsarlo definitivamente del fundo.

Con la llegada del estío la pasión desata ya todas las trabas y los amantes se entregan a su deliquio amoroso sin inhibiciones. Pero la sensibilidad de Mateo absorbida por el amor y desinteresada por el campo y la sequía, que se extiende amenazadora, acusará los primeros reparos a la inseguridad de la situación y a la imprevisión del joven. Los aspectos egoístas que se suscitan hieren su sentido plácido de la vida y su necesidad nunca satisfecha de afecto.

La fatiga de una velada revela, posteriormente, la preñez de Milla y reanima la ternura de Mateo. Elorduy se hace el propósito de llevarse a la muchacha después de la vendimia, creyendo satisfacer su ambición de madre ofrécele matrimonio y una vida lejos de las vicisitudes brutales de la vida campesina.

Milla, entretanto, experimenta una transformación, determinada por su estado, que la convierte en un ser de extraña madurez y seguridad en sí misma. Se ha hecho repentinamente mujer y una actitud desafiante la induce a empujar a Mateo para que no se deje atropellar y haga frente a las agresiones del administrador, que se han multiplicado en un plan de venganza creciente. No responde directamente al requerimiento de Mateo. En cambio, le indica la conveniencia de hacer lo que todos hacen en el lugar: defenderse si a uno lo atacan[263].

La muchacha, convertida en imagen de la fecundidad, mira con resentimiento a Mateo, germinando en ella la voluntad egoísta de separación. Los personajes se mueven con independencia total y con ofensa del amor que los une. Requerida por Mateo sobre su decisión de acompañarle a Loncomilla, la muchacha responde con aspereza que no piensa dejar el lugar por él y lo empuja a irse solo. Ello despierta en Mateo un sentimiento de liberación[264].

Culminaba así un año de extraña aventura. El retorno al pueblo es ahora la posibilidad de renovación en su ánimo, la ruta desoída antes, que su padre le señalara. Sólo el pensamiento en su hijo futuro le llena de ternura.

En la víspera de la fiesta de San Francisco es abandonado por todos. Al visitar en su desamparo el cuarto de Milla, medita sobre su extraña conducta. Todo el determinismo del medio se vuelca en la comprensión de su comportamiento y toda la herencia de sus antepasados coloniales:

Mateo se da cuenta que hay en ella algo de instintivo, de violento, de inasible para su espíritu de hombre de ciudad. El ya no es nada para ella. Un egoísmo extraño, nacido en la soledad del rincón de montaña, ha brotado súbitamente con la maternidad. Sus antecesores, los soldados campesinos, debieron proceder en una forma muy distinta con las hembras que vivían con ellos. No debieron ser buenos como él. Milla se dejaba arrastrar por esa costumbre ancestral hecha de instinto. Consideraba al hijo como de ella solamente y el terrón donde nació la atraía ahora con las mismas raíces que a su padre. Era como las vainas de los frutos que se abren automáticamente en una época del año, para dejar caer la pelotita coriácea de la semilla a los pies mismos del árbol en que germinaron[265].

Evoca, como en despedida, cada momento de su vida en el lugar y nuevamente se sorprende de hallar un retrato de Carmen Lobos y lo intriga la relación que pueda existir entre ambos. El por su parte, era mirado como un extraño y le parecía, ahora, ver en la entrega de la muchacha más un efecto de la siesta cálida del bosque en Primavera que un acto de su voluntad. Un eco de circunstancias naturales muy poderosas, tanto como el medio mismo.

Cuando Milla sorprende la tentativa de asesinar al joven, intentará ponerlo sobreaviso. Pero advertirá que Carmen Lobos ha tomado el tordillo de Mateo sin su consentimiento. Regresa al fundo sin hallar a Mateo. Sólo tres días después el vuelo siniestro de los jotes de Millavoro, delata la presencia de los despojos del joven. Un sentimiento de culpa, forma de su espiritualidad primitiva, la lleva a reprocharse su conducta hacia el joven. Evoca la plenitud sensual de su amor y se acrecienta su remordimiento. Comprendía la venganza impune del administrador y veíase como el único ser que conservaría el recuerdo de su existencia y la prolongaría en el hijo que sentía en sus entrañas[266].

El hallazgo del cadáver semidevorado de Mateo —cuadro grotesco de horror naturalista— la desatentada carrera de Milla, derriban a la muchacha e invocan junto a la visión espantosa de la muerte la palpitante manifestación de la vida que continúa en el hijo; manifestación de la renovadora fuerza de la naturaleza[267].

Este es el desarrollo del motivo de amor funesto, un caso de desencuentro donde múltiples factores se conciertan para hacer incompatible la aproximación entre dos seres cuya juventud los llama a la unión espontánea guiada por causas arraigadas en la sensualidad diversa, temperamental y primitivamente telúrica, de un hombre de ciudad y una muchacha campesina. Circunstancias propicias, como las mutaciones estacionales, determinan los acontecimientos amorosos, junto a otros factores situacionales que revelan la estructura normal de la vida en el valle mísero de la Cordillera de la Costa. Un sentido eminentemente darwinista de la vida como lucha y una reducción física de la vida a momentos de acción y reacción, permiten comprender la perspectiva desde la cual se ilumina el sentido y la motivación del amor.

3 LAS ESTACIONES

Las estaciones del año constituyen un soporte estructural que más que apuntar una mera cronología exterior es el animado índice de la mutación natural que va determinando de un modo estricto y precipitando los acontecimientos bajo la presión de los factores telúricos. Pictóricamente, es de singular importancia la riqueza con que el narrador va desplegando el variado cuadro de las manifestaciones estacionales y el modo sinfónico como se articulan los diversos fenómenos de la vida campesina con los momentos más secretos de la vida de los personajes. Toda la vida se modifica claramente al influjo de las alteraciones del ciclo anual que en la novela toma de invierno a primavera, verano y otoño.

La narración comienza a fines de la estación invernal, cuande un sol de primavera comienza ya a iluminar los días. La visión de la primavera próxima acompaña las vicisitudes del ánimo de Mateo. La alegría de su esperanzada decisión de ir al campo para iniciar una vida nueva ilumina el paisaje, encuentra en él la respuesta a la gloria de la decisión anterior[268].

Todo el temperamento hiperestésico se vuelca en el detalle naciente de la naturaleza que revive. La entonación del ánimo encuentra en el medio el recurso para proyectarse sentimentalmente ora en el vuelo del pájaro ora en la floración renovada de la vida natural. Una clara sintonía se va así estableciendo entre los momentos del ánimo y sus variaciones y las formas estacionales de la naturaleza. Al mismo tiempo queda el cuadro despojado del invierno sobre el cual renace, en ciernes, la vida.

La primavera se muestra la estación más ricamente matizada y de determinismo más poderoso sobre el personaje y los acontecimientos. Su desarrollo acompaña ceñidamente el crecimiento de la pasión tierna que se va cargando cada vez más de notas sensuales. La presencia de la primavera se va haciendo omnímoda hasta envolver por completo a los personajes en la vibración que comunica al paisaje esplendente[269].

La misma alegría repercute hondamente en Milla; se llena de suspiros y en su pecho parece esponjarse también una corola que el sol se obstinara en abrir y colorear con insistencias de macho[270]. Un enternecimiento inmotivado la sorprende medrosa, las cosas se le hacen menos ásperas y se llena de languideces.

Los enamorados contemplan juntos los brotes verde claro de las maravillas, cuotidianamente; y Mateo se complace en pensar que su amor va naciendo junto con la flores campestres, a medida que avanza la primavera y se avecina el verano. Meditando, al recuerdo de Milla, el olor de las flores, la tibieza suave del campo, eran para él un delicioso beleño; reconfortante como un sorbo de agua fresca.

Cuando la estación entra en su etapa más esplendorosa, hacia el mes de diciembre, una vibración y una animación coloreada y musical se extiende sobre la naturaleza; una fermentación seminal llena la atmósfera de deseos y dulzuras indefinibles.

Esta atmósfera preside el ardoroso encuentro de los enamorados y determina definitivamente la entrega. Ambos momentos se conciertan con la total manifestación de la naturaleza orquestada en órdenes matizados que incorpora el ritmo de los amantes al ritmo universal[271].

Para Mateo, el dictado de la posesión le hace paciente de la presión sorprendentemente fuerte del instinto que lo deshumaniza, despojando su visión de los momentos estéticos y revelándole el cruel instinto del macho que persigue el dominio de la hembra. La entrega de Milla tiene, para el sorprendido adolescente, los mismos signos instintivos: un hechizo misterioso en la libertad con que la niña obedecía al instinto, una depravación inocente y cálida de flor abierta bajo la luz de siestas luminosas, a la semilla vagabunda y anónima de la fecundación, que despertó en él su nobleza y vigor varoniles[272]. Cuando el desengaño sobrevenga, la certidumbre sobre lo instintivo de la conducta de Milla se acrecentará como un determinismo de la hora y de los ardores de primavera, más que de un afecto personal y de un acto voluntario[273].

El verano trae con su policromía y su bochorno el despliegue de la pasión de los jóvenes. La descripción del paisaje estival se enriquece con la notación de las variaciones de tonos, del color y la aquietada pesadez del movimiento. Formas, colores, sonidos, aromas, hápticas sensaciones, senestesias, concurren a integrar el cuadro ricamente pictórico del cambio estacional[274].

A la par, la pasión estalló entre los amantes en una noche a partir de la cual un ansia inagotable de goce los unió[275]. Milla experimentará corporalmente las transformaciones del fruto en sazón[276].

Luego, cambia el campo en su aspecto, calcinado por el sol estival, mientras Mateo se absorbe en su pasión y en la languidez del ánimo aletargado por los sentidos, desinteresado de la acción y de la sequía que agosta sus campos implacablemente. Un negro aburrimiento le domina y un encogimiento de hastío le sorprende cuando la muchacha llega a su cuarto. El cuadro de la sequía es otra página de pictórica riqueza que describe la consumación del paisaje sediento de linfas y la fatiga de la hora[277].

El otoño trae variedad a la vida y renueva el interés de Mateo por las actividades campesinas[278]. Con el otoño también ha madurado la preñez de Milla y se ha creado la distancia entre los amantes. La vendimia contagiará a Mateo con su báquica sensualidad a la que cede encantado y olvidado de la muchacha. La conducta de Mateo acentuará el egoísmo de la preceptora que, con violencia, desencantará definitivamente sus ilusiones. Al mismo tiempo la desilusión se precipita en el ánimo del joven en forma definitiva y no piensa ya sino en su pronto regreso a Loncomilla para reiniciar la vida en el viejo sendero de su padre. Un profundo sentimiento de desengaño domina su espíritu y se extiende sobre los momentos finales de la narración hasta la procesión de San Francisco, en Purapel, que ve a la manera alegórica de los monstruos colectivos del naturalismo zolesco. Las panateneas campesinas concluyen con la visión brutal de la muchacha violada y de la propia muerte de Mateo asesinado. En conjunción con el sentido del movimiento estacional la vida se manifestará nuevamente en el hijo de Milla que anuncia la continuidad de la especie y el signo de la esperanza que toda renovación del mundo trae consigo a la humanidad.

El determinismo telúrico que se manifiesta en la estructura estacional se convierte en símbolo de vida y proyecta un sentido optimisma sobre el sentimiento brutal de la vida como lucha violenta. La nota otoñal pondrá una melancólica instancia a la muerte del joven dotado de tan finas cualidades que sacado de la inclinación estética de su temperamento sucumbe en las lides de la acción destruido por la avilantez y la bestialidad del medio rústico, de las tierras pobres que producen seres miserables, egoístas y astutos.

4 EL NARRADOR

En *Zurzulita* la personalidad del narrador queda mejor disimulada que en las otras novelas naturalistas estudiadas[279] debido principalmente a que él establece el punto de vista de su narración en la conciencia de Mateo Elorduy, el protagonista. Instalado allí, asiste a las transformaciones interiores del ánimo de su personaje y describe las modificaciones experimentadas por la visión del paisaje y de los hombres de los cerros costinos. La objetividad científica y la impersonalidad reclamada por el Naturalismo, no sólo parecen aquí cumplirse de modo significativo, sino también es posible reconocer en tal tipo de narración una extremada interiorización de la substancia narrativa mediante la perspectiva apuntada. Esta modalidad pone la novela en el plano más avanzado que el hasta entonces conocido, si bien el proceso de interiorización comienza, como se ha visto, con el primer momento naturalista considerado[280].

El narrador también sigue a Mateo en los contradictorios movimientos de su intimidad modificada por su desorientación, sus vacilaciones, sus espasmódicas exaltaciones y sus depresiones. Muestra la imaginativa y poética disposición que ensueña en el viaje una regeneradora vuelta a la naturaleza y, a la luz del temperamento del joven, hace emerger la violencia y bestialidad del mundo, su grotesca y defectiva condición. La elaboración de la historia, del temperamento, de la situación y del enfrentamiento del hombre y mundo, piden al narrador una plasticidad y una condición analítica que es uno de los rasgos notables de su estructura. Las actitudes del narrador frente a los diversos aspectos enumerados, alcanzan desde el perplejo sentimiento de abandono en el mundo y de la impotencia para la acción, hasta el ensueño fantástico de lo heroico, pasando por la ternura y las formas más delicadas del sentimiento y de la poesía a la sensualidad y la agresividad feroz establecidas en un plano de animalidad pura.

La mirada del narrador sobre el mundo destaca dos ámbitos esenciales, contradictorios, que se organizan como dos campos de sentido diferente, uno de los cuales desplaza al otro. El hombre estético que hay en el joven conducirá al narrador a la extraordinaria elaboración del mundo llena de riqueza, variedad y color del paisaje natural cuando éste aparezca a la vista del personaje, que es lo más frecuente, es decir, un paisaje interiorizado, una visión impresionista que nace de la verificación por el narrador de lo contemplado íntimamente por Mateo[281]. Ello da lugar en muchas ocasiones al estilo indirecto libre y, por tanto, al impresionismo de la descripción. Al margen de la contemplación del paisaje por Mateo el narrador describe el escenario impresionísticamente, con ese don visual que mereció el elogio encomiástico de Neruda[282], o con puro naturalismo idiomático transcribiendo la onomatopeya de gritos animales y cantar de aves que enriquecen sonoramente el mundo. Nada de esto tiene un carácter excesivo, que haga enojosa la morosidad o el progreso de los acontecimientos. Todo ello tiene su necesidad en la armónica elaboración del mundo, y no menor exigencia en la condición misma del paisaje natural y agrario.

Esta dimensión estética al proyectarse en la acción bajo la forma de un ensueño pastoril, que quiere renunciar a la necesidad de un mundo hostil y salvaje, quisiera sumirse en el letargo de la inacción y en la sensualidad muelle de sus idílicas ensoñaciones, es ironizada por el narrador. Justamente allí donde la primavera entona el cuadro del idilio encantador, muestra a Milla "como a las protagonistas de las pastorelas" vista desde la altura por Mateo. Pero en seguida la imagen se transforma por sus grados en una caza animal de la hembra[283]. De esta manera el idilio agreste cede ante la fuerza del instinto, ley de la naturaleza que establece el nivel de realidad fundamental de la vida campesina. En este plano se identifican o tienden a hacerlo prontamente los más diversos personajes. Milla, particularmente, cede ante la pura naturaleza y se identifica con la condición de las otras muchachas del lugar que antes temía. Adquiere, incluso en su maternidad, una condición llanamente instintiva que se completa además con una determinación atávica y se comprende también como una inmediata consecuencia del medio. La superstición, la menguada contextura del espíritu, la dejan abandonada a la presión de díceres campesinos y palabras de aparente autoridad que la mueven a permanecer en el valle y desistir de unirse a Mateo para marchar al pueblo[284].

Estos elementos de interpretación del mundo, comprendido como pura naturaleza, sometido al determinismo de la raza, del medio y del momento se generalizan sobre las demás figuras y todos los límites del campo abarcado por la mirada del narrador. Esta mirada recorre ese sector mostrándolo en sus características típicas. Así enfoca al trío rector del poblado, alcalde, cura y comandante, en quienes se acrisola la ruindad del lugar[285], o contempla las costumbres primitivas del velorio del angelito, la vendimia y la procesión de San Francisco, claras manifestaciones del medio, donde la superstición, el elementalismo de la vida y la exacerbación de los instintos por las libaciones, constituyen rasgos ordinarios. La mirada toca en otros momentos en una serie variada de efectos de degeneración natural provocados por el medio, en este aspecto un mismo perfil alcanza el caballejo lugareño, el tinterillo de Purapel, el antiguo condiscípulo —alegre y presto entonces— apenas reconocible en su lamentable condición actual. El mismo caballo traído por Mateo desde Loncomilla adquiere los degenerativos rasgos de la cabalgadura costina, y, aun Mateo, espiritualmente alerta en un comienzo, se ve avasallado por el medio.

La repulsión que el medio suscita en el joven es atentamente seguida por el narrador en notas o aspectos más extremos. Samuelón, el idiota de Purapel, la Calambrienta, el cuadro de la niña violada al lado del camino, extienden la pintura en cuadros de monstruosa deformación, en mirada de horror y de asco.

En la sinfonía universal de la naturaleza, del mundo visto como naturaleza, los hombres repiten los rasgos y el comportamiento de las bestias; la lucha entre los tiuques y el águila en el cielo de Millavoro preludia la resistencia que los lugareños presentarán al intruso; los toros pugnaces, en la bestial imaginación de Samuelón, el Manqui y el Trapi, representan eventualmente la lucha entre los pretendientes de Milla; la zurzulita repite su imagen en la joven. El gallinazo, los jotes, los zorros a que se igualan los campesinos del valle; la huiña a que se asemejan las mujeres de Purapel; confirman esta correspondencia.

La vida como lucha feroz por la primacía y el dominio se extiende al conocimiento de todo el mundo narrativo. La constante renovación de la vida natural convierte el amor funesto en un hecho episódico al asegurar la continuidad de la especie y su ritmo eterno en el hijo que espera Milla y cuyo advenimiento es el último hecho narrativo[286].

El carácter sinfónico del mundo está obtenido mediante la reducción de todos los momentos narrativos a las estaciones del año agrícola, cuyo ciclo encierra el desarrollo completo de la novela[287]. En el rítmico desarrollo, varía el paisaje y las tensiones de la vida, pero éstas se presentan igualmente imbricadas en cada estación y despliegan un panorama natural integrado por la codicia rapaz, la voluptuosidad bestial y primitiva y la violencia feroz de la lucha por la supervivencia. En cada personaje de la novela podrá hallarse la filiación a alguno de estos aspectos primarios —codicia, voluptuosidad y violencia— y aun a varios de ellos así como se acentúe el relieve de la caracterización. El conocimiento por las causas lleva al narrador a explicar el fenómeno tanto por el determinismo telúrico, que uniforma e iguala a todos los sectores naturales en función del paisaje, como por el atavismo presente en el corpulento costino en quien reconoce la herencia de los conquistadores españoles modificada por la tierra[288].

Para la superación del determinismo fatal de estas tierras pobres que agostan la humanidad y los seres animales y vegetales, se apela como resorte salvador a la civilización correctora[289]. La observación establece, desde el punto de vista de Mateo, la posibilidad salvadora del lugar miserable, pero este no llega a imponerse la tarea y sólo pretende en aquel instante reclamar sus justos derechos sobre la hacienda. Falta en él la disposición creadora y el titanismo de la voluntad necesarios para llevar a efecto la regeneración de la tierra. Ya se sabe por qué acontece así, Mateo no porta los valores de la civilización como el Santos Luzardo de Rómulo Gallegos[290], pues carece de la preparación y de la entereza del ánimo que lo haga posible. Su presencia fija sólo el temperamento que hace posible a redropelo la visión del campo a través de una conciencia estética susceptible, que tolera difícilmente lo grotesco, y de una débil voluntad éticamente expuesta a la caída.

La perspectiva de la narración presenta como rasgo singular su constante movimiento y la consecuencia con que se fiscaliza el foco de la narración en sus diversos saltos. Se advierte predilección por mostrar paisajes, o visiones de seres u objetos, desde lo alto o en escorzos que llaman la atención por la insólita posición del punto de vista. Este es, por otra parte, un foco que responde invariablemente a la condición estética y sensual de Mateo Elorduy cuando el narrador lo toma como el punto de vista de la narración. Pero la perspectiva del narrador abandona la interioridad de Mateo a menudo para contemplar otros aspectos o dirigir la mirada hacia otros seres o personajes. Esta movilidad del punto de vista mantiene la variedad que impide toda fatiga de la atención y del interés de la lectura. Para los efectos espaciales donde estos cambios ocurren ordinariamente, los saltos del foco narrativo imponen un montaje de eficaz resultado impresionista, vivo, variado y dinámico, en la exhibición de las imágenes. La riqueza de la estructura del mundo es la que comunica su morosidad a la narración.

5 PAISAJE E HISTORIA

En *Zurzulita* se representa un pequeño rincón: la vida en los cerros costeños de la provincia de Maule. Su paisaje es poesía e historia, visión y trabajo. Representación plástica y psicológica de la realidad. El afán es dar una pintura compleja y variada donde se integre la vida del pequeño valle en su plasticidad y en el ritmo y *tempo* de su actividad vital. Esta actividad no se concibe en momento alguno al margen del paisaje al que se otorga una función determinante y decisiva que arrastra consigo todos los aspectos del mundo. Una gran complejidad se da en las relaciones que los hombres guardan con el medio, pues se ven tales conexiones desde un punto de vista histórico, estableciendo no sólo los antepasados de los habitantes actuales del lugar, sino también la 'historia' del medio mismo, antes rico por sus yacimientos auríferos, ahora exhaustos, que sólo dejan una huella en la toponimia y en el dorado de las tonalidades otoñales o estivales; también mudado en su paisaje, antes selvático, y ahora empobrecido en una flora que se aferra tenazmente a la tierra miserable para extraerle su escasa substancia.

En esta perspectiva, la naturaleza aparece degradada y degradándose progresivamente y comunicando de la misma manera su degradación progresiva a todo lo que vive en el contorno, hombres y animales. Esta forma degradada ilustra la condición actual de los costinos y se caracteriza en su grado extremo en los monstruos humanos que representa a los verdaderos detentores de aquellas tierras, sus herederos inmediatos. A ello se agrega la explicación del efecto que sufre el forastero que llega al valle cuando experimenta el determinismo del medio. Es el caso principal de Mateo Elorduy, matizado en el caso lamentable de su antiguo condiscípulo y que encuentra correspondencia en la degeneración del caballo adquirido en Loncomilla que pierde su prestancia primera y adquiere la innoble deformación del caballejo costino.

A los mismos rasgos de complejidad y variedad corresponde la representación cuidadosa de múltiples facetas de la vida lugareña: el primitivismo instintivo y criminal de los hombres, su sensualidad brutal; las costumbres agrarias, funerarias, y religiosas, entrevistas con rechazo; la economía rapaz, delictual y codiciosa de los campesinos; el caciquismo político abusivo y violento; la educación limitada y deformada en sus instituciones; la religiosidad supersticiosa, masiva y desrealizada; los cultivos ausentes de ciencia y de recursos. Este variado complejo proporciona plenitud al cuadro tipificador de las formas de vida en los cerros de la Cordillera de la Costa, aislados y sometidos a la hegemonía de triunviros sin contrapeso del alcalde, del cura y del comandante de policía, detentadores abusivos del poder. Los términos negativos del mundo invocan la voluntad de reforma, claman atención, delatan limitaciones ignoradas, pero vergonzantes de la realidad social campesina[291].

Pictóricamente se salva el paisaje al integrar una zona de realidad efectivamente nueva que se fija con riqueza en la novedad de nombres que crean cosas de diverso orden: aves y animales, flores y frutos. Nombres que proyectan un mundo de colorido singular, de grata eufonía y de amoroso trato en la contemplación estética del personaje o del narrador, que viene a ser en definitiva la primera y verdadera aprehensión del paisaje chileno en la novela moderna. El paisaje eleva su estatura no sólo en la antropomorfización impresionista, sino en la acción efectiva que se le otorga en el mundo del cual viene a ser el fundamento.

La riqueza sensible de la descripción, el continuo montaje espacial a que se somete, la dominancia del color, de los aromas agrestes, del movimiento, de las formas y del susurro de la floresta y de la onomatopéyica transcripción de los ruidos y voces animales, completan el cuadro en un entramado apretado y funcional que confiere armonía al mundo. Todo está determinado por las variaciones del universo natural y encerrado en el ciclo agrario que comunica temporalidad al mundo y que naturaliza todos los términos de comprensión del mundo, pero no sólo éstos sino también el ritmo de ese mundo y aun el *tempo* moroso de la vida campesina.

La representación de este mundo natural, del paisaje vivo y omnipotente constituye lo esencial de la función cognoscitiva de la novela. Es, también, su rasgo más original y ciertamente logrado, no tiene par en la literatura chilena. Sin embargo, esta función no se agota en este punto, ni siquiera sería posible si no se propusiese previamente la estructura experimental que presenta el caso del joven inexperto, hiperestésico y abúlico que elige erradamente su destino y que, como un extraño en el mundo, muestra, de rechazo, las características que encuentra o, con emoción, la novedad prodigiosa del paisaje. En el primer aspecto, su inadaptación comunica negativismo a la visión del mundo, pero despierta también entre lo más positivo y revelador de las relaciones entre hombre y mundo en el sector escogido, un heroico sentimiento épico una ambición de reformar el orden corrupto del valle, imponer el derecho y la razón, reclamar la primacía de su amor y de su juventud y, todavía, enmendar con la civilización la miseria de las tierras y la barbarie de sus habitantes. Sólo las contradicciones de su temperamento y de la herencia que alimenta su sangre: impulsos potentes y repentinos seguidos de desfallecimientos de la voluntad; su necesidad de poesía y de ilusión, y su repugnancia por la lucha vital y, finalmente, el ineludible castigo del medio, concluyen por exponerlo a la muerte desastrada.

Como en otras novelas naturalistas que se ha considerado también aquí, la muerte se erige en la sanción para un error, para una ilusa ensoñación, para un sueño de civilización y reforma, desprovisto de voluntad; para la incomprensión de un tipo humano, el costino del Maule, aferrado tenaz, egoísta, astutamente, a la miseria de los terrones en donde obtiene su sustento, en donde permanece sin voluntad de cambio, con deseo feroz de persistir en su ser, bestial y demoníacamente dirigidos por la herencia y por el determinismo absoluto del medio.

El enfrentamiento de la sensibilidad citadina, de herencia europea, del protagonista al mundo natural y al hombre mestizo de los cerros, proyecta de inmediato la función social de la novela por cuanto la emoción estética ante la belleza espléndida del paisaje no obnubila a Elorduy hasta el punto de impedirle manifestar su desagrado y repugnancia frente a los aspectos primitivos del mundo que visita. Siendo la suya la perspectiva desde la cual el mundo emerge en sus rasgos típicos, la función que desempeña en la exposición de la negatividad del mundo y de la necesidad del cambio se convierten en él en aspectos primordiales. Hay en suma un testimonio documental destinado obviamente a obrar sobre la conciencia social del lector inclinado naturalmente a identificarse con la perspectiva de la narración en la medida en que es culto y extraño al mundo degradado que se describe. Civilización y barbarie son términos pertinentes para significar los polos contrapuestos que plasman personaje y mundo. Hay en este aspecto violencia crítica y conciencia social vivísima. El contenido cósmico revela múltiples aspectos limitados del mundo que engendran vivas nostalgias de reforma y perfeccionamiento. No está, pues, ausente del narrador mundonovista la conciencia social como se ha dicho sin fundamento y con ignorancia.

La condición trágica de la narración, atendido el destino del héroe, pone un singular aspecto ético que puede ser consignado en el capítulo de las variadas funciones que se ordenan en la novela. El punto esencial viene a ser la condición problemática de la autognosis, como otras veces; cierto es que el fracaso en tal aspecto se debe al carácter conflictivo de la herencia y del temperamento que conforman una personalidad de decisiones inestables, de ánimo oscilante, con determinismo absoluto. Las circunstancias, el abandono en el mundo, la desorientación, la oportunidad que despierta el ensueño poético o la voluntad épica, trazan el aciago destino del personaje. Juvenil e inexpertamente expuesto, poeta y soñador, moralmente entero y noble, su muerte sanciona también la caída de valores estimables que despiertan el sentimiento trágico, a pesar del *fatum* que pesa ominosamente desde el comienzo y en todo momento sobre el joven. La opción ejercida lo condena a muerte. Sin embargo, ¿dónde estaba la libertad de su elección? Nos encontramos ante la misma ironía tremenda del narrador naturalista que se ha visto antes en las novelas de Grez y Orrego Luco.

VI HIJO DE LADRON

Con Mariano Latorre y los novelistas de su generación culmina y concluye la vigencia de la novela moderna. La novela de la tierra intentaba innovar con su asunto preferido en la forma ya fatigada del género moderno. El descontento que traía consigo delataba ese cansancio pero también la imposibilidad de salir de la situación innovando puramente en el sector material. La novedad vino a resultar a fin de cuentas en la conciencia especial con que se dominó un tipo de novela que representaba el espacio en sus rasgos estáticos, procurando una imagen típica e invitando a la interpretación del mundo representado como símbolo complejo de la realidad nacional. Esta es una posibilidad de la novela espacial moderna, como lo era también la creada por Orrego Luco cuando hacía la novela de época al representar el espacio en un momento específico de su evolución, acentuando así lo irrepetible de cada momento, su singularidad histórica. Estos dos tipos caben claramente entre las formas posibles de la novela espacial que se desarrollaron dentro del género moderno.

Si observamos la historia de la novela chilena moderna podemos ver la extraña coherencia de sus manifestaciones, la constancia singular que muestran los rasgos típicos expuestos en las consideraciones precedentes. Podemos notar la presentación de las narraciones por un narrador personal cuyos rasgos generales, cuyas actitudes, cuyos métodos, cuyas interpretaciones de la realidad, cuya elaboración del tiempo, cuyo tipo de narrar, en definitiva, son constantes, atendidos los matices diferenciales que convienen a la singularidad de cada obra y de cada momento diversamente condicionados. Esta figura de intérprete de la realidad nacional que se enfrenta al mundo con la actitud de un reformador, crítico y descontento; que enarbola con ingenua convicción su ideología, su saber precario; que invoca ese saber como creencia fundamental para el perfeccionamiento social, es el narrador moderno. La incongruencia con relación al mundo narrativo, designa su tipo de narrar. Su concepción del mundo mejor que eso es una concepción de la sociedad. Por ello su concepción del tiempo es pura historicidad, escatología y soteriología secular; es tiempo que marcha hacia la racionalización social y hacia la libertad como hacia el paraíso en que culmina la historia humana en un progreso natural e irreversible. Esta es la forma que adopta esta general teoría de los mitos degradados que constituye, desde este punto de vista, la novela moderna.

El mundo que presenta este narrador está lleno de su espíritu, como que no es visto sino a través de él, de su mirada, de su ideología, de la opción que ejerce sobre la realidad. No es otro que el mundo cotidiano, común, representado con ilusión de realidad en formas concretas, particularizadas, con precisión de sus coordenadas temporales, con frecuentación de lugares públicos conocidos y aposentos privados comunes. En ese mundo animan seres ordinarios, en nada diferentes a las gentes corrientes, con sus mismas pasiones, sentimientos, vicios y virtudes; sus mismas aspiraciones e inquietudes. Los modos de experiencia que se ponen de manifiesto y que pide el mundo así representado son los comunes a todos los hombres, a la experiencia frecuente de quienquiera que sea. Las creencias en que se mueven envuelven por igual a todos.

Las estructuras típicamente reveladas son las de personaje —que hemos visto en su forma dramática en la novela de Vicente Grez— y la de espacio, la más corriente y de dominancia generalizada en toda la novela hispanoamericana. Son efectivamente las formas llamadas, exigidas, por los aspectos señalados que piden su necesaria funcionalidad a las partes de la novela. Es cierto que admiten alguna variedad y la novela chilena, según hemos visto, revela el uso de varias formas posibles dentro de cada tipo.

Los momentos constructivos de las novelas consideradas dentro del género moderno revelan también una apelación muy viva a instancias edificantes de índole política y social principalmente. Pero debe señalarse que el rasgo más significativo es en este sentido la función cognoscitiva, que se configura en la obra como forma de realismo típico de la novela moderna en la medida que representa la vida cotidiana y sus formas.

En la andadura de esta historia, debemos separar con claridad lo que es transitorio e histórico de lo que es permanente, atemporal, y posibilidad de estructura. Aparte el matiz individual que corresponde a cada obra no ya de diferentes autores pero de uno mismo, son elementos variantes los que corresponden a las preferencias generacionales y a las tendencias literarias, que pueden leerse en círculos de diversa extensión y vigencias superpuestas. En su forma más estable la novela se lee como tipo o género de vasta vigencia histórica. Sin embargo, de su carácter histórico, debe reconocerse en la novela moderna la actualización de una posibilidad de estructura que permanece como una conquista de la historia de la novela: la de una forma en que se ponen en acto, en su máxima plenitud, las virtualidades encerradas en la situación narrativa, en la presentación de mundo, en la variedad de estructuras y de funciones de la novela.

La historia de esa novela parece cerrarse, sin embargo, como hemos observado, con la generación mundonovista, con el último estadio del período naturalista. Lo que viene en seguida es en gran medida un salto, un momento discontinuo, un movimiento de ruptura[292]. No ya una variante o una serie de variantes individuales, generacionales o tendenciales, sino —y en ello reside lo decisivo del cambio— una serie de variantes que alcanzan a la estructura del género, que configuran un nuevo tipo general de novela[293].

La sensibilidad de una nueva generación, la nueva concepción literaria de la actual tendencia, la nueva estructura que el género novelístico presenta, irrumpen como un fenómeno complejo y subitáneo que constituye realidad madura y vigente hacia 1935[294]. La actividad literaria entre 1920 y esa fecha es vivamente polémica. Lo es más que por los actos, manifiestos o querellas periodísticas, por el carácter inusitado de sus obras. Es cierto que la iniciativa y la madurez primera y hasta se diría el máximo prestigio corresponden a la poesía lírica[295]. Sin embargo, la novela impone igualmente, primero, de un modo simplista pero evidente y, luego, más notoriamente, por los efectos inmediatos de la prioridad de la forma que el fenómeno novedoso parece revelar a la primera mirada, las condiciones de un género fuertemente evolucionado.

Las obras que estudiamos en los siguientes tres capítulos de esta parte representan tres de los puntos más altos en el desarrollo del nuevo género. En ellas encarnan las características medias en que reconocemos el tipo diferencial. Las leeremos en plan de reconocimiento de este tipo, pero como hemos hecho antes con la novela moderna intentaremos salvar sus matices diferenciales que son importantes y que en los casos escogidos corresponden a obras de singularidad poco común. El tipo que describiremos es un tipo ideal, no aparece en concreto en ninguna de las tres obras donde bien podría hacerse valer, desde el punto de vista concreto, su esencial diversidad y su fuerte particularidad y unicidad. El tipo ideal descansa en las notas de considerable generalidad en que nos movemos para el reconocimiento de los cambios experimentados por el género, pero que residen en la obra y constituyen la forma en que se aproximan todas ellas. La imposibilidad de deducir cada una de ellas del tipo de novela que concebimos como contemporánea, obedece a la índole de los conceptos que se refieren a formas y no a objetos. Pondremos el acento en el reconocimiento de este tipo y dejaremos las lecturas de tendencias y generaciones en las notas como hemos procedido hasta aquí[296].

1 ESTRUCTURA DEL NARRADOR

La novela *Hijo de Ladrón*[297] nos ofrece interesantes características en la estructura del narrador. Podemos distinguir en ella tres aspectos diversos: (I) la presencia de un narrador básico que nos entrega la historia de los diecisiete años de vida de Aniceto Hevia cuando ya sus años le han permitido acumular una importante experiencia, dominar un vasto pasado, considerar aquellos años con una extensa perspectiva y así generalizar y comunicar una concepción de la existencia maduramente elaborada; éste es el intérprete de aquella existencia infantil y juvenil, de las condiciones inherentes al existir humano y de una situación particular del existir humano, cuya comprensión parece ser uno de los aspectos cardinales de esta notable novela; la capacidad interpretativa, la ontologización de la existencia humana, individual e histórica corresponden a las capacidades de este narrador; (II) el segundo aspecto nos remite al reconocimiento de un narrador que en la misma forma autobiográfica en que se nos aparece el anterior, nos entrega una experiencia puntual, en sus momentos particulares e independientes de cualquier otra acción, a los momentos perfectivos del acontecer, en que se actualiza el pasado en los instantes en que fue vivido; ello mismo expone al narrador al efecto inmediato de los acontecimientos, elimina toda posibilidad de comprensión general o de elaboración o interpretación de los acontecimientos; aquí la existencia de Aniceto Hevia es inmediatamente vivida, se trata de momentos ónticos; en el caso anterior (I) esa existencia es comprendida en categorías generales, ontologizada; en este plano el narrador aparece ordinariamente en busca de orientación en el mundo, preocupado, eminentemente expuesto. Es la forma en que se revela esencialmente su condición inocente, su inocencia infantil; (III) la tercera forma, nos pone ante una decena de narraciones enmarcadas que introducen o presentan aproximadamente un número igual de narradores, están vinculadas al narrador II, brotan de circunstancias que lo envuelven y nacen de la voluntad de consolación o de simpatía, de compartir la soledad o la confianza, de ilustrar la caída de lo humano o las formas insólitas de su rescate dentro de un mundo lleno de lo extraordinario a los ojos de un niño. Estas historias son: Historia de Nicolás (I, IV), Historias de ladrones y policías (I, V, VI), Historias del vagabundo (I, VIII), Historia del segundo viaje del vagabundo (II, VIII), Historia del solitario (II, I), Historia de Alfredo (III, II), Historia del maestro Jacinto (III, VII), Historia de Cristián (IV, I).

Consideraremos separadamente, en el orden enunciado, las características de cada uno de estos narradores.

El primero de ellos se autocaracteriza en el comienzo de la novela[298]. En este breve capítulo inicial se formula el modo narrativo, que será la forma autobiográfica en primera persona. Además se formulan dos rasgos que parecerán como las motivaciones de otros dos aspectos fundamentales de la narración que se presenta. Se trata de limitaciones de que el narrador padece y que producen un mismo efecto general sobre la narración: la hacen confusa. La primera es la incapacidad de pensar coherentemente, con lógica y necesaria coherencia; la segunda, la incapacidad de recordar ordenadamente. Vacila, igualmente con incertidumbre, sobre la verdad de los hechos que narra, aunque esa incertidumbre se funda en buena medida en el incierto suceso que trata de evocar. También queda representada en este capítulo la distancia que separa al narrador del personaje: sus limitaciones parecen señalar una edad algo madura[299].

La incapacidad de pensar con lógica coherencia condiciona las variadas y características inconexiones de la narración en la novela, sus frecuentes anacolutos, que determinan modos narrativos singulares con violencias a los modos de la narración moderna y 'natural', cuando no se originan por el cambio de la estructura del narrador I al narrador II reconocible por el cambio en el aspecto verbal de imperfectivo a perfectivo o, a la inversa e íntimamente relacionado con ello, al cambio en la distancia del narrador, en el grado de conocimiento: de la experiencia existencial inmediata a la comprensión media y generalizada de la existencia o de la sociedad[300]. La diferencia constituye el marco subjetivo de la narración[301].

La incapacidad de recordar pone un sello más significativo y extenso en la narración, puesto que envuelve la 'disposición' de la novela, su singular 'découpage' su desorden característico. La redistribución de la secuencia de una fábula lineal reconocible en sus diversos motivos[302], con el propósito de un determinado efecto estético-narrativo es uno de los aspectos más notables de la novela. Comienza por ser la consecuencia de un rasgo limitado del narrador I y termina por constituir una manifestación de la estructura de su conciencia rememorativa, a partir de cierto punto en que la complicación inicial es seguida por una natural linearidad del relato sin narraciones retrospectivas, llama la atención por la correspondencia que encuentra con los momentos mismos del contenido y con el temple general de la narración: patético al comienzo, tierno y plácido al final. Finalmente, el montaje total, su disposición singular, se convierte en una imitación de la condición superreal de la conciencia. Una ficción intolerable habría sido repetir las formas convencionales de la autobiografía. La disposición completa así un diseño, un diagrama característico de la conciencia que revela su estructura hecha de reiteraciones, de circularidades, de continuidades y discontinuidades y no evoca para nada la forma enteriza de la memoria natural o convencional en las formas de la experiencia petrificada.

Lo que se presenta como limitación es recurso, logro y ventaja de la narrativa contemporánea; expresión de fatiga de las formas tradicionales ya irrepetibles; expresión también de la incertidumbre o inseguridad con que el narrador contemporáneo sustituye la presuntuosa fe del narrador moderno en el conocimiento positivo y en la ideología, que encuentra como supuesto la universalidad de creencias que caracteriza a la época y que el narrador contemporáneo no puede reclamar y se prohibe auténticamente.

El grado de conocimiento de este narrador I tiene una máxima apertura y llega a contarnos acontecimientos que preceden su llegada al mundo sin darnos, como en otros momentos, razón del origen de su conocimiento. Pero su omnisciencia ya está condicionada por el hecho de que narra con distancia temporal y espacial su propio pasado. Ello le permite no sólo la anticipación segura y la objetividad sino la posibilidad de generalizaciones y de conocimientos generales que den sentido a su propio pasado, capacidad ésta que queda ajena por completo a las posibilidades del joven Aniceto que vive una experiencia inmediata y, ciego ante el futuro oculto, intenta tomar orientación y salvarse en el mundo. Cuando el narrador I reduce la estructura de ese pasado al pago necesario de cuatro cuotas (en la medida en que apunta tan sólo a los diecisiete años de su sujeto) en la existencia de Aniceto, cuando generaliza sobre las limitaciones sociales con puerilidad o anarquismo generalizante, cuando enrostra a la sociedad cristiana, democrática y occidental la miseria de sus limitaciones inhumanas, cuando considera la herida, la enfermedad y la automatización de la vida como limitaciones del existir, habla el intérprete. Pero es un intérprete que se inspira en su experiencia de la vida y no en la seguridad que le viene de su fe en la ciencia o en el progreso, mitos en los que descree fundamentalmente. Ahora bien, esto obedece principalmente a un cambio en la mirada que se posa ahora en la condición humana, en su aspecto individual y social, que racionaliza una forma de experiencia desconocida en la novela moderna. A la nueva luz brota también un sujeto nuevo. Ahora nos enfrentamos a la soledad y al desamparo del niño y a su alternativa en el refugio materno y el sustento paterno; a la soledad y la incomunicación que se sal van en el encuentro con el otro mediante los vehículos excepcionales de la sonrisa y la mirada; a la situación en el mundo y a la conciencia de sus límites, a la experiencia angustiosa de las situaciones extremas que configura el despojamiento y el imperativo de las necesidades primarias, al absurdo portento de la subsistencia del existente de precariedad extrema; la dificultad de vivir, la increíble dificultad de morir. En fin, se nos enfrenta a la agudización de estas situaciones extremas cuando quien las pone a prueba y las experimenta es un niño, es decir, un inocente que parece pagar, sin embargo, la culpa de su especie. Se trata pues de una nueva esfera de realidad; una esfera de realidad que también pide una nueva modalidad de la experiencia que la ilustre. El contenido del mundo en la novela contemporánea ha cambiado sustancialmente[303].

Si miramos ahora a la elaboración del tiempo en la estructura de este narrador I, observamos que el montaje temporal, sus diversas formas de inconexión o yuxtaposición, hace aparecer los diversos momentos como si existieran en el mismo tiempo. La actitud de este narrador constituye una negación del tiempo, actúa en un intento de recobrar la interioridad de que el tiempo y el espacio físico lo privan. Muestra que el hombre experimenta en un mismo instante muchas cosas diferentes, inconexas e inconciliables e igualmente que hombres diferentes en diferentes lugares experimentan las mismas cosas, que las mismas cosas están ocurriendo al mismo tiempo en lugares muy separados. De esta experiencia obtiene el narrador contemporáneo su sentido de la totalidad. Su experiencia del tiempo consiste eminentemente en una certeza del presente, es el presente inmediato apretado de momentos simultáneos, preñado de los tres éxtasis temporales que enriquecen su significación actual. Nada más diferente a este narrador obsesionado por el presente inmediato que el narrador moderno animado por una expectación del futuro, expectante ante el advenimiento de la ansiada perfección de la historia.

La espacialización del tiempo, es decir, la infinita expansión del instante, desata el juego de interrelación entre momentos distantes, su asociación, su contraste. Muestra así la multiplicidad que concurre en el instante: cómo la conciencia ordena singularmente coexistencia y movimiento. Ciertamente esta nueva elaboración del tiempo no está desvinculada de algunos aspectos decisivos del género contemporáneo como el abandono del argumento (Ortega), la eliminación del héroe y la prescindencia de la psicología, y no deja por supuesto de mostrar estrechas correspondencias con otras formas artísticas, como ha sido ya muchas veces señalado, especialmente con el cine.

La imposibilidad de obtener el certificado de embarque en Valparaíso concita todo el pasado de Aniceto Hevia y muestra de qué definitiva manera gravita él sobre su circunstancia actual. El certificado se convierte en un *leit motiv* que marcará la recurrencia sobre el momento actual y ordenará los diversos momentos del pasado en que el presente encuentra la razón de su imposibilidad o su dificultad. Una frase, una respuesta concita igualmente, en ocasiones, el recuerdo que le da pleno sentido. La asociación es así uno de los vehículos para pasar a momentos muy distantes, temporal y espacialmente, de aquél en que se está y la relación causal es uno de sus elementos principales. De esta manera los pasados diecisiete años de Aniceto se vuelcan apretados, recurrentes y diversamente asociados, en los escasos días en que persigue su certificado sin éxito, en los contados días que se nos cuentan de su prolongada estancia en la cárcel y en los pocos días de su salida y de su amistad con El Filósofo y Cristián. La salida de la cárcel y la necesidad de orientarse y salvarse es otro de los momentos recurrentes que al presentar la limitación actual atrae, por contraste y hasta se diría, por compensación subjetiva, el recuerdo del hogar y la hospitalidad generosa. Cuando la narración se hace lineal los acontecimientos desembocan en el encuentro amistoso, la fraternidad y la salvación[304].

El montaje es la disposición con que se expresa esta concepción simultaneísta del tiempo. En la estructura de este narrador el montaje toma las formas de la asociación ya señalada, de cortes que sacan, sin nexo perceptible, al menos inmediatamente, a nuevas circunstancias témporoespaciales. Hay, también, formas señaladas mediante recursos gráficos, algunos de los cuales han sufrido variaciones de la primera edición a las siguientes. Estos signos son los paréntesis [()] que parecen presentar un rememorar interior, el curso interior del pensamiento, una suerte de soliloquio; en otras ocasiones, se trata de la letra cursiva o de ambos recursos aunados para presentar la narración retrospectiva[305]. La actitud generalizante y categorizadora del narrador básico se pone de relieve especialmente en la exposición del motivo de 'las cuotas' y en el de 'las heridas'. El primero organiza y carga de sentido cuatro momentos distantes de la existencia de Aniceto Hevia, que en su inmediata vivencia éste es incapaz de aprehender en su generalidad. Por esto es perceptible con claridad la diferencia que en el modo narrativo y en la estructura del narrador pone la distinción entre el vivir inmediata y angustiosamente la experiencia de una situación límite y el considerarla a mucha distancia de lo vivido como constituyendo la constelación que revela un oscuro sentido de la existencia humana. Las cuotas son una representación del sentimiento de deuda que experimenta el personaje como inherente a la condición humana. Descubre de este modo cuatro momentos, traza su síntesis, subraya, luego, en cada caso, la correspondencia con la comprensión establecida[306]. El sentido de la deuda se identifica con el de la culpa que hay que saldar a alguien, desconocido pero exigente. Esta es la manera de que se vale para señalar el carácter ominoso de la existencia. Recurre a la misma comprensión en otros momentos de la novela. No se trata del reconocimiento de la divinidad, aunque la personificación brote con notas teologizantes, pues este narrador da pruebas varias de su agnosticismo. Se trata de la personificación de una potencia acechante, agobiadora y aciaga, de una entidad compulsiva y tiránica, inflexible en el requerimiento de la deuda contraída con el hecho simple de existir[307]. De este carácter necesario brota la dimensión dramática de la narración. La aceptación de este *factum* como necesario e ineludible no significa para el joven claudicación alguna, sino una optimista apertura que le muestra en constante disponibilidad sin expectativas ilusorias, pero con una extraña confianza en su destino, con una juvenil expectación de cumplimiento de promesas en el horizonte de su edad. Esta actitud y disposición de ánimo, contradicen las palabras del narrador básico cuando éste ironiza crudamente la significación de la esperanza humana[308]. Una superación del motivo vendría a representarse en la diferencia existente entre esperanza y espera. El joven espera de la vida lo que ésta da ordinariamente cuando se es tan joven y se está abierto a la salvación y no negado a ella. Otra superación puede adivinarse en la denominación sugestiva por las circunstancias e incluso por las instancias irónicas que ligan su nombre a las expectativas cegadas ya en el ánimo de El Filósofo, de la vecina del conventillo y de su compasiva ternura y generosidad hacia el grupo y hacia Cristián herido. Ese nombre es Esperanza[309].

El otro aspecto notable del modo narrativo de *Hijo de Ladrón* puede hallarse en la descripción de las limitaciones de la existencia en la exposición del motivo de las heridas[310]. Se trata de una narración en segunda persona, forma que el narrador básico suele adoptar en otros momentos de la narración. El apóstrofe es una forma que provoca la íntima relación o encuentro con el oyente o lector por el carácter directo en que se le habla en la segunda persona de confianza y forma corriente del español de Chile (*Imagínate que tienes una herida en alguna parte de tu cuerpo*...). El narrador, que no es dado a la apelación tradicional al lector, dedica este momento particular a enderezarle el discurso con el propósito de comunicar el sentido esencial que se encarna en la situación de Aniceto Hevia. El discurso va entre paréntesis y en letra cursiva, tiene así los elementos que le proporcionen un relieve externo, que lo aísla y destaca su importancia y su carácter singular. El texto describe varios tipos de heridas para dos de las cuales propone sendas imágenes o símiles que favorezcan, con su variedad y énfasis, una representación más universalmente comprensible de lo que se quiere mostrar[311]. Debemos pensar comoquiera que sea que la manera de esta descripción es lo que comunica su excepcional carácter a estas páginas y no lo que se describe. Sin embargo, no debemos desentender al contenido de estas páginas que nos comunican una de las generalizaciones más vastas y penetrantes que caracterizan al narrador básico y presentan su modo de concebir la existencia o cierto tipo de existencia peculiar. Así la marcha del texto va siguiendo una serie de alternativas que fijan las posibilidades de una existencia limitada por una u otra clase de heridas, las polaridades absurdas en que se ordenan los tipos de existencias limitadas: a mayor debilidad o condición expuesta o precariedad, mayor supervivencia; a mayor seguridad o resistencia aparentes, ninguna garantía de supervivencia. La marcha bivalente, bimembre, representa las alternativas de opción y de posibilidad que se abren a la existencia. Las enumeraciones encarecen la extensión o variedad del absurdo en que se desenvuelven existencias que nada parece salvar de su precariedad y que sin embargo ven aniquilarse a su lado a muchas otras, aparentemente más enteras, sin flaquear. Por la misma vía disyuntiva destaca la imagen de Hevia, nos señala el aparente engaño a que nos conduce su figura y nos advierte, finalmente, cómo salir de ese engaño y nos llama a la comprensión del tipo de la existencia herida[312].

El narrador II, como hemos señalado, se caracteriza por la inmediatez en que transmite su experiencia, anulada la distancia entre narrador y lo narrado. Esa inmediatez es conseguida por varios recursos o expresada de modos diversos. El tiempo de este narrador es el pretérito en su aspecto perfectivo, cuyo carácter puntual narra con efectividad la condición singular y completa e independiente de la experiencia de Hevia. Otras modalidades vivamente actualizadoras son las del diálogo, método presentativo o escénico por excelencia. En pocos momentos, pero bien definidos y muy expresivos se emplea la corriente de la conciencia ligeramente alterada por cierta enajenación desesperada en un caso o por la fiebre en otro caso[313]. Otras formas directas se producen con fuertes hiatos o elipsis que proporcionan gran velocidad al relato. Constituye un montaje de elocuciones diversas provenientes de diversas voces que se nos comunican en inmediata y violenta yuxtaposición, con asintactismo muy característico (de este recurso se ha valido posteriormente Vargas Llosa en *La Casa Verde*)[314]. Otras formas más violentas dan origen sin más a anacolutos con el mismo efecto de velocidad narrativa y de condensación temporal.

Entre los fenómenos de montaje ninguno posiblemente más generalizado y personal en esta novela de Manuel Rojas que la yuxtaposición violenta de los modos narrativos —generalizante, uno, y concretizante, el otro— de los narradores I y II. Otra modalidad es el "estilo indirecto libre"[315] que da origen a formas especiales y más tradicionales de montaje.

Este narrador es el que invoca la identidad de perspectiva del lector, pues esa identidad o solidaridad es una consecuencia de la forma directa, presentativa o de objetividad estricta. Este método llama al lector cómplice o activo al borrar la distancia narrativa. Por esto la comprensión del fenómeno debe hacerse desde la estructura narrativa y sus modos y no desde la estructura del lector ficticio cuya apelación no se expresa sino circunstancialmente (narración en segunda persona) [316].

Sol y viento, mar y cielo. Estos cuatro elementos que se enumeran al final del capítulo I, I, son como la suma simbólica de la libertad súbitamente invocada cuando se abren para Aniceto las puertas de la cárcel[317]. Constituyen símbolos recurrentes que en distintos puntos de la narración vuelven a traer las notas en que el narrador II simboliza la experiencia de la libertad o el anhelo o expectación de ésta. La presencia de estos símbolos hace contrapartida con una situación en que el protagonista aparece privado de libertad o comprueba la limitación o el carácter finito de las circunstancias. O bien, como en el primer caso, cuando obtenida la libertad la enumeración conjunta de estos cuatro elementos es el símbolo de una experiencia plena e intensa.

Combinado con otros símbolos contrarios ostenta su efectividad muy clara e inequívocamente como en la frase final de II,I. "De pronto terminó el muro y apareció el mar"[318]. Este momento continúa al de I, I. El muro representa la limitación en que se desenvuelve, cuando el muro termina se presenta de improviso el mar y el efecto de liberación o apertura se produce vivamente. Cuando este momento se retome[319], observaremos que esa apertura confirma doblemente la disponibilidad del joven y el efectivo cambio de su situación que encuentra refugio en la amistad de El Filósofo y Cristián. Estos símbolos se acompañan con los otros, también en las mismas circunstancias, bajo la emoción de la libertad: "¿Qué figura haré, caminando bajo el viento y el sol, a orillas del mar? Siento que a mi alrededor y más allá resuena un vigoroso latido, al mismo tiempo que una alegre y liviana invitación al movimiento y a la aventura"[320].

Las notas simbólicas del mar se desatan con nerviosa excitación, cuando privado de la libertad, atisba la proximidad del océano: "a la derecha se adivinaba tras unos galpones, el mar; luces rojas, verdes y blancas, oscilando en el aire, lo delataban; allí estaba el mar, ese mar que los hombres-archivadores, como si les perteneciera, me negaban; ese mar que me atraía, que podía contemplar durante días enteros, desde el alba hasta el anochecer, pues un pájaro, un barco, un bote, una boya, un lanchón, un humo que se acercaba, se alejaba o permanecía, y aun sin pájaros ni barcos, sin botes y sin boyas, sin lanchones o sin humo, siempre mostraba algo diverso: un color, una rizadura, una nube, el rastro de una corriente, sin contar con el viento, con el que juega, excitándose entre ellos con sus ráfagas y sus rizaduras, sus latigazos y sus ondulaciones, sus súbitos cambios y sus floreadas olas y su espuma volando sobre la cresta"[321]. Esto que es anhelo de libertad había sido impresión viva de lo mismo la primera vez que contempló el mar: "Es la primera vez que estoy junto al mar y siento que me llama, pareciéndome tan fácil viajar por él: no se ven caminos —todo él es un gran camino—, ni piedras, ni montañas, ni trenes, ni coches, y es posible que ni conductores ni funcionarios tragacertificados; amplitud, soledad, libertad, espacio, sí, espacio"[322].

En otras ocasiones, el símbolo libera sus notas complementarias; no sólo es símbolo de lo libre, sino también de lo absoluto, permanente e incondicionado. Así después de la salida de la cárcel con esa emotiva experiencia que se cristaliza en la reunión de los cuatro elementos simbólicos, cuando ha conocido a los vagabundos ha encontrado acogida en ellos y una posibilidad de refugio y subsistencia, comprueba satisfactoriamente: "El mar continuaba solitario; el cielo, limpio"[323].

Y más tarde: "El mar estaba abajo, frente a nosotros, al margen de la ciudad y de su vida sin descanso ni tiempo; parece reposar, no tener prisa ni urgencia y en verdad no la tiene y en él se ve, sin embargo, todo el cielo y por él corre todo el viento, el terral, que sorprende a la ciudad por la espalda, subiendo los cerros desde el sur... Vamos hacia el mar y el mar no se moverá de allí, nos espera"[324].

O bien, después de rechazar la urgencia y la angustia temporal de la ciudad y de sus hombres entregados a la contingencia obsesiva del cuidado diario: "¿Cuándo te librarás o te librarán, cuándo podrás levantar la cabeza, desprenderte de esa atmósfera, mirar el cielo, mirar el mar, mirar la luz?"[325]. Pregunta a la que sigue entre paréntesis la respuesta irritada de quien vive inmerso en ese tiempo arrebatado: (Déjame tranquilo. Qué te importa si voy así o si estoy asá. ¿Acaso te pido algo?).

La última nota simbólica que podemos rescatar se afirma en una vieja tradición literaria. Esta se despliega en I, IX[326], en ella la existencia de los hombres queda representada en la corriente del río que va a dar al mar: "el mar está allí y es inútil la aparente grandeza de los últimos momentos. No tienes más remedio que entregarte; ya no puedes devolverte, desviarte o negarte. Por lo demás saldrás ganando al echar tus turbias aguas, nacidas, no obstante, tan claras, en esas otras, tan azules, que te esperan".

Cada momento hace perceptible en grado diverso, de acuerdo

a las circunstancias narradas, la carga singular del símbolo como representación de una emoción plena de libertad, de apertura, de lo incondicionado, de lo en libre juego, originándose en cada caso en la experiencia de las limitaciones del existir en sociedad, fundamentalmente.

Estas limitaciones son vividas como ominosas con ser, como son, en realidad, una necesidad de la sociedad organizada. El anhelo de Aniceto en este sentido tiene algo de pueril y de anárquico, pero tiene también algo de sensible y de contemplativo que refleja con mucha agudeza los signos mínimos de la alienación de lo humano en las deformaciones de la burocracia. Cierto es que en esta sensibilidad se mueve merced a impulsos de un vitalismo que desemboca fatalmente en lo informe, es decir, al otro extremo de un formalismo mecánico y deshumanizador. Su posición debe entenderse como manifestación juvenil y como expresión de la alteración que experimenta su ánimo por las extremas condiciones en que su existencia se ha movido. Por lo mismo, más que representar los vicios o limitaciones de la existencia colectiva contemporánea, esas manifestaciones son expresiones de su hondo sentir, de su temple de ánimo que organiza vastas series de personeros entre las figuras ingratas y repugnantes a su sensibilidad[327].

Tomados en su conjunto aquellos símbolos representan la contrapartida de esas condiciones extremas o limitativas, representan una apertura a las formas de la trascendencia, un insatisfecho anhelo de lo incondicionado y de la libertad para superar la dolorosa experiencia del límite humano. Esta ley de estructura en que se desenvuelve la existencia de Aniceto Hevia es también forma interior de la novela como mundo que tiene su fundamento estructurante en la existencia personal de su protagonista. Esta ley pone a *Hijo de Ladrón* entre las novelas de auténtica universalidad que podemos sorprender, implica una modificación radical de cuanto se había conocido antes en nuestra tradición y una revelación extremadamente significativa de las posibilidades de un nuevo tipo de novela; novedoso por la estructura del narrador, por los recursos del modo narrativo, por la sorprendente incongruencia de su tipo de narrar, por la revelación de nuevas esferas de realidad que atraen inusitadas modalidades de experiencia y por la estructura que alcanza notable originalidad en las nuevas formas logradas. Su aparente formalismo —sólo aparente para los viejos puntos de vista de la modernidad— dista absolutamente de las superadas cuestiones del arte por el arte o del arte como expresión social. Todo en ella obliga a modificar la perspectiva tradicional del análisis y obliga —a riesgo de deformación e inactualidad— a replantear y descubrir posibilidades intactas del conocimiento de la obra narrativa. Entre las virtudes del modo narrativo de esta novela está la virtud dramática, activa, dinámica, dinamizadora del diálogo. Los momentos más notables narrativamente están presentados con vivacidad escénica por el hablar de los personajes. En muchas ocasiones este diálogo carece de *verba dicendi* para su introducción o para la identificación de los hablantes, pero ello mismo revela lo superfluo que es el uso de esos elementos introductorios cuando se ve a los personajes, sin riesgo de confundirlos en la inmediatez de su hablar.

Este diálogo puede presentarse de improviso ordenando línea a línea, encabezadas por guiones, las palabras de los interlocutores o anunciado por la narración precedente[328]. Puede también incorporarse en el estilo indirecto libre[329], o bien ordenarse, sin guiones, por simple yuxtaposición, con asintactismo característico, del juego de preguntas y respuestas proyectadas por el narrador de un modo que imita la viva producción del diálogo. En una de las escasas ocasiones en que se da lugar al monólogo interior, modo de representación del confuso límite entre conciencia e inconsciencia, se produce el diálogo bajo los efectos de la fiebre que padece el narrador[330]. Tamizadas por una conciencia confusa y alterada llegan las voces del médico y de las enfermeras junto con las quejas y los llamados de Aniceto.

3 FUNCION DE LAS HISTORIAS

En su forma más vasta el diálogo toma la forma de un narrar la vida propia, de un contar a otro las vicisitudes de la existencia[331]. Ello implica un gesto de simpatía y confianza o un gesto que invoca esa simpatía y pide correspondencia de esa confianza. El hablar y el narrar historias se convierte en un vehículo importante de comunicación o de simpatía o bien, ocasionalmente, de lo contrario. Es decir, lo contado en vez de concitar simpatía o confianza despierta la reacción contraria por la manera como el sujeto se ha puesto de manifiesto en su hablar y en su historia.

Todos estos momentos cumplen con la importante condición de presentar directamente el mundo a nuestros ojos sin referirnos lo que cada personaje es, como pedía Ortega y Gasset que veía en el diálogo la categoría esencial de la novela[332].

Consideradas las cosas hasta aquí básicamente tenemos en la novela un narrador que es quien cuenta la novela. Pero su lenguaje, su voz y figura, se modifican a lo largo de la narración de tal manera que podemos distinguir en él tres modos diferentes. Hemos analizado el narrador I y narrador II. Nos queda por considerar aquellos momentos en que el narrador adopta la voz y figura de otros varios narradores que presentan una serie de historias que hemos reconocido como en un número de nueve. En la primera[333], la historia de Nicolás corresponde sólo parcialmente al conocimiento inmediato de Aniceto Hevia, la mayor parte de la historia, con sus bruscos cambios, de tiempo y de aspecto verbal favorecido por la actitud evocativa de los hechos más remotos, corresponde a un momento anterior a su nacimiento; su conocimiento ha sido posible por los recuerdos familiares que le han sido transmitidos. La segunda[334], nace del diálogo amistoso del técnico que toma los datos del pequeño Aniceto en la cárcel. A ésta se suman las historias de ladrones que escucha Aniceto en su encierro. Estas historias tienen diferentes narradores que no aparecen introducidos como figuras ni van precedidas por *verba dicendi* algunos[335], salvo el identificado al final de I, IV que resulta ser el narrador de las historias que se encierran en I, VI. Es éste un viejo cuya larga experiencia lo convierte en un narrador variado e infatigable de anécdotas de ladrones y policías. Estas historias que llenan el ocio de su encierro distraen la angustia del chico que las oye y le permiten extender su mínima experiencia de la realidad con los rasgos excepcionales del mundo del robo. Pero su función fundamental es la que cumplen sin proponérselo, la de distraer a Aniceto de su desamparo, pues ha prendido sus oídos a la novedad de las historias. El viejo narra las historias de El Pesado, Víctor Rey, el Manco Arturo, El Camisero, el Negro Antonio y el policía Victoriano Ruiz. Aniceto es un oyente marginal pero interesado de estas historias.

Las otras historias tienen un contenido diferente, se introducen en circunstancias igualmente distintas y cumplen funciones especiales. Así por ejemplo, en tercer lugar, aparecen las historias del vagabundo de las tortuguitas[336] que corresponden a los dos viajes del personaje que ha abandonado su casa. Ahora las historias brotan de la simpatía y de la confianza y parecen propender al conocimiento mutuo. Es así que Aniceto se siente movido por las palabras del vagabundo a contar su propia historia para corresponder a la espontánea confianza de aquél. En la primera edición de la novela, la réplica de Aniceto, venía entre paréntesis y en letra cursiva lo que parecía proponer la narración como un hecho íntimo no exteriorizado. Este carácter ha desaparecido al eliminarse los rasgos gráficos que parecían dar un aspecto especial a la evocación del momento en que muere su madre y quedan abandonados del padre. La narración del segundo viaje y el recuerdo del vagabundo vienen después de la angustiosa experiencia extrema de Aniceto en la cárcel de Valparaíso. Viene a ser una evocación de la simpatía y de la amistad en ese momento de desamparo. La evocación deja que hable el vagabundo.

La historia del solitario nace del deseo de aliviar una conciencia inconfortable y disconforme consigo misma, pero estúpidamente culpable que despierta el desprecio de Aniceto[337]. La historia misma le parece aburrida, no despierta su interés y el conocimiento de la debilidad de ese hombre lo avergüenza y lo distancia. En vez de acrecentar el vínculo y la simpatía, la historia en este caso los separa.

La historia de Ricardo es entregada por el narrador básico que la conoce de su padre y está suscitada en el texto por la aparición del personaje que lo ha asesinado y su odiosa presencia. La historia del Mulato Pedro viene suscitada también por su aparición. Lo singular de esta historia, que pone una nota especial en la novela es el extenso parlamento en portugués del personaje. Es un personaje cuya fantasía llena la imaginación de los niños y su necesidad de maravillas. En ese mundo de cuentos las historias de ladrones ocupaban un lugar no despreciable. La historia de Alfredo, el ladrón enfermo a quien su mujer explota, es un recuerdo de Aniceto y una de las experiencias extrañas del mundo de relaciones de su padre. Es una historia curiosa que ilustra, como otras de ladrones, el extrañísimo mundo de estos seres a quienes alcanzan diversas deformaciones de los vínculos humanos.

Las últimas historias, la del maestro Jacinto[338] y la de Cristián[339], son entregadas por El Filósofo y tienen las características de su personalidad, de su temple. La primera está presentada entre paréntesis y parece una evocación interior del personaje o una narración a media voz dirigida a Aniceto. La narración representa muy claramente los rasgos personales de El Filósofo. Su función, aparte de lo que muestra del propio narrador, es conceder a Aniceto una confesión muy íntima y personal como manifestación de confianza y de estimación. Lo mismo puede decirse de la historia de Cristián. Esta se desarrolla en contrapunto con algunos aspectos de la vida de

Aniceto que éste cuenta en la ocasión; contrapunto que favorece la precisión caracterológica con que describe El Filósofo a Cristián.

Si sólo se atiende al contenido, una parte escasa de estas historias y algunos momentos de la estancia de Hevia en la cárcel de Valparaíso darían fundamento al juicio de Luis A. Sánchez —inválido para la obra considerada en su unidad, estructura y sentido—, cuando dice de *Hijo de Ladrón* que es "la más profunda y animada novela de ladrones"[340]. Pero no es el contenido de estas historias el aspecto fundamental sino más bien su oportunidad y su relación con las circunstancias que las llaman. El contenido en general corresponde a las circunstancias en que está el hijo de ladrón. Lo decisivo es que esas historias se incorporan a la narración como consuelo de un niño angustiado por el desamparo, pues en ellas se distrae y encuentra refugio. O bien, y ésta es acaso su función más original y significativa, esas historias son un gesto en procura del vínculo con el otro o una manifestación de simpatía y deseo verdadero de ese vínculo. Las amistades y, ocasionalmente, la frustración de la amistad, se establecen por vía de estas historias en que los personajes entregan la biografía propia.

Poniendo ahora el interés en la particularidad de cada historia resalta la diversidad de sus modos narrativos y de las actitudes en que esas historias se cuentan. Dos de esas narraciones llaman la atención desde este punto de vista. Primeramente, las sucesivas historias del ladrón viejo; seguidamente, las historias que narra El Filósofo.

Las historias del primero son hechas a los ladrones más jóvenes, las escucha Aniceto en la cárcel de Buenos Aires cuando niño. Son buena parte de la experiencia que tiene el ladrón de los avatares de su oficio y la variedad de tipos que se dan en él; la más extraña es aquella en que el policía Victoriano Ruiz por espíritu humanitario arruina su carrera al consentir y participar de los robos una vez que ha reconocido en los ladrones a seres humanos como todos. La narración es animada y diestra, apela frecuentemente a su auditorio y en ocasiones le da un dinamismo vivísimo al dejar a los interlocutores de su historia presentes en la viva inmediatez del diálogo sin *verba dicendi:* "¿Qué estás diciendo? La verdad ¿Y cuál es la verdad? A ver, vos sos un buen gaucho; aclaremos. Y el negro Antonio, fanfarrón y estúpido, lo contó todo: Victoriano, y como él la mayoría de los agentes, recibían coimas de los ladrones.

Mientes. ¿Miento? ¿Quiere que se lo pruebe? Te pongo en libertad incondicional. Hecho"[341].

La historia del maestro Jacinto que cuenta El Filósofo está encerrada entre paréntesis y se refiere a la pasión amorosa de que ha sido testigo, pasión que se ha extinguido y de la cual parecen no tener memoria sus antiguos agentes y subsistir sólo en el recuerdo del narrador. Es una suerte de confidencia que vuelca El Filósofo como un signo de amistad y confianza en Aniceto para explicarle cómo es que le gusta la vecina. La otra es la historia de Cristián que se da en diálogo con Aniceto y que contrapuntea historias del propio Filósofo y de Aniceto.

Resultan ser así estas historias el modo mismo que adopta el conocimiento del otro; conocimiento cuyas limitaciones se hacen evidentes junto con el misterio y la delicada índole de lo más personal de cada uno. El conocimiento de la historia de Cristián no es el conocimiento de Cristián, el personaje permanece cerrado para Aniceto, pero ello mismo le revela el misterio que toda persona encierra como su núcleo oculto "que se recoge cuando se le toca y que suele matar cuando se le hiere"[342]. Se le revelan diferentemente Cristián y El Filósofo. El primero vive encuevado, acaso huero, sin vida espiritual, se trata de un ex hombre a quien El Filósofo pretende salvar como ser humano; el Filósofo le parece una persona clara, abierta, comunicativa, cordial.

De este modo, por esta vía se cumple uno de los aprendizajes de Aniceto en la experiencia formadora de su infancia y de su juventud, el modo cómo se sabe del otro y cómo se le conoce análogo a sí mismo. Creemos ver en ello la función narrativa que estas historias cumplen en la novela. El conocimiento de los otros le lleva a la autognosis, a saberse distinto y provisto de otras expectaciones e impulsos que hacen de las circunstancias que vive algo transitorio; para él momentáneamente ineludible, es cierto, pero contingente.

4 TIPO DE NARRACION

Tipo de narrar llamamos a la estructura promedio de las relaciones que guarda el narrador con lo narrado, el mundo, los personajes, el lector. Esta forma de término medio presentaba una estricta *congruencia* entre los términos del narrador y lo narrado en la novela bizantina y barroca; el tipo se hace característico por su *incongruencia* en la novela moderna[343]. Ahora, si es preciso describir el tipo de narrar en la novela contemporánea, nada pareciera caracterizarlo mejor que su *incoherencia.* Si la incongruencia de la novela moderna, para tomar el momento inmediato, nacía del inconformismo con las condiciones del mundo y de una voluntad de cambio o reforma; la incoherencia de la novela contemporánea nace de la incertidumbre o de la imposibilidad de dar razón universal del mundo. Esta imposibilidad se proyecta incluso sobre la narración como tal. Así hemos podido ver cómo esta novela comienza con la manifestación consciente del narrador de su incapacidad para desarrollar una narración y proyectar un mundo con plena coherencia. De esta manera lo confirma la estructura y el diseño general de la obra constituida por un tramado complejo, oscilante, reiterativo y fragmentario, de múltiples experiencias discontinuas que expanden su significación espacializando el tiempo de la memoria que se hace moroso, complicado, profundo. La incoherencia es en sí misma un resultado del modo más 'real' de presentar la estructura de la memoria o en general de la experiencia del tiempo que caracteriza a la novela contemporánea. El que el narrador intente, como efectivamente intenta en *Hijo de Ladrón,* comunicar una cierta estructura de sentido superior mediante las generalizaciones relativas a ciertas categorías inherentes a la existencia humana, como la que se desprende de las cuotas o de la existencia herida y su variado condicionamiento, no desmiente lo afirmado. Sólo vendría a confirmar interiormente una necesidad de síntesis que se eleve sobre el caótico despliegue de la conciencia memoriosa individual. Esta necesidad debe verse como una de las secuelas de la vieja estructura y como una concesión al lector que busca en la novela, como en otros órdenes, una respuesta a lo universal. Pero la novela contemporánea ha renunciado a esta posibilidad precisamente en la medida en que también ha renunciado a la universalidad, al menos a una universalidad entendida modernamente, que su situación actual le impide auténticamente representar. De intentarlo caería en la mixtificación o en la imitación artesana o cursi de formas inactuales y ajenas. Todo ello confirma en la novela de Manuel Rojas la singular incoherencia con que se ha caracterizado y sostiene el tipo de narración de la novela contemporánea. La vieja universalidad es sustituida ahora por la totalidad estético-novelística de la obra, por su carácter hermético, su autonomía[344].

VII LA ULTIMA NIEBLA

La Ultima Niebla de María Luisa Bombal fue publicada por primera vez en 1935[345]. Esta fecha es significativa por más de una razón. Por una parte, es la fecha hacia la cual entra en vigencia la generación superrealista con la que se inicia propiamente la literatura contemporánea en Chile[346]. Los quince años precedentes significaron una dura resistencia a las manifestaciones de la poesía y de la novela nueva. El vigoroso Mundonovismo de la generación de Mariano Latorre había dominado casi sin contrapeso a la mayor parte de los narradores de la promoción siguiente. Hasta 1935, prolonga el período naturalista su larga vigencia de tres generaciones que desarrollan, con significativas variantes, las rígidas formas de la novela experimental y las uniformes preferencias consagradas por Emile Zola[347]. Hacia el año señalado, había comenzado a manifestarse una serie de cambios muy notorios en la sensibilidad y en las formas de la novela. Una nueva época comenzaba entonces con acentuados signos de desconfianza en las modalidades impuestas por las tendencias modernas, especialmente por el naturalismo, que habiendo caracterizado un extenso período, entraba ahora a su fin. Agotadas las posibilidades de la novela naturalista, ineficaz para dar expresión a nuevas características de la sensibilidad, la renovación venía confirmada por la renuncia a aspectos dominantes de la novela moderna. Un salto, como ha habido otros en la historia de la literatura, hacía cambiar la sensibilidad hacia el superrealismo. Todo hacía prever que una mutación en la estructura del género se avecinaba con rasgos de acusada diferencia[348].

Cuando María Luisa Bombal comienza a escribir, lo hace de lleno dentro del sistema de preferencias de la nueva sensibilidad. Perteneciente a una generación más joven que los superrealistas, se mueve con comodidad y segura de sus medios en los nuevos términos impuestos a la novela contemporánea. Su obra es muy representativa de la norma genérica ya establecida. La Bombal ha sido vista de ordinario como una narradora que señala con nitidez el momento de cambio en la estructura de la novela contemporánea[349].

Nos proponemos considerar tres aspectos fundamentales que pueden estimarse como variantes de la estructura del género que alcanzan expresión en *La Ultima Niebla*. El modo narrativo y el tipo de narración de esta novela nos pondrán ante una sorprendente modalidad que rompe la índole natural impuesta a las relaciones entre narrador, narración, lector y mundo en la novela tradicional y nos mostrarán una extraña limitación en la capacidad de conocimiento del mundo exhibida por el narrador: una de las características decisivas en que difiere la configuración de la novela contemporánea. Los niveles de realidad y la experiencia del mundo aparecerán tocados de la extrañeza debida a la aparición de aspectos que ponen en jaque nuestras ordinarias convicciones y nuestra seguridad para determinar la índole de lo real con criterios definidos. Contenidos insólitos animarán la estructura cósmica de la novela y se propondrán como un ejercicio compensatorio para nuestra incapacidad de amar. Las modalidades de experiencia del mundo nos harán enfrentar un nuevo orden de relaciones que encuentra en la yuxtaposición de elementos distantes la incitación para penetrar en sentidos no comunicables por otras vías. Finalmente, la hermeticidad del mundo y el acento puesto en la función estética de la obra nos harán considerar la singularidad autónoma y autosuficiente de la estructura narrativa que crea significaciones nuevas y da expresión única al encuentro de elementos que provienen, tanto de lo objetivo como de lo subjetivo, distinción que pierde así su sentido. La significación del mundo narrativo brota de un juego de internas referencias que despliegan una compleja estructura y se someten a una legalidad propia. No dejaremos, ciertamente, de hacer algunas consideraciones sobre las significativas correspondencias que se establecen, por último, entre estructura, estilo y visión del mundo. Nos abocaremos separadamente al análisis de los aspectos señalados.

1 EL MODO NARRATIVO

Frente al narrador personal[350], a la distancia guardada por él y al dominio que ejercía sobre el mundo narrativo con una conciencia eminentemente teórica, imitando la percepción objetiva de la ciencia, que caracterizó tan fuerte y sostenidamente la novela moderna, la novela contemporánea ostenta una actitud de rechazo que *La Ultima Niebla* ilustra con rasgos notables. Las peculiaridades del tipo de narración contemporánea, constituyen uno de sus aspectos más singulares[351].

No podríamos decir que ha desaparecido en su totalidad el narrador personal, tratándose como se trata, en este caso de una novela que se narra en primera persona, pero sí que nos hallamos ante un narrador que ha renunciado desde el principio a ejercer dominio sobre el mundo narrativo que presenta, con el agravante de ser en *La Ultima Niebla* el mundo personal del narrador.

La falta de una conciencia teórica, al modo tradicional, que discierna entre sueño, ensueño y realidad o vigilia, acrecienta la incertidumbre que el personaje padece, en tanto falta un criterio para la determinación o reconocimiento de la realidad de verdad.

Lo diferencial que aporta la estructura del narrador en esta novela es otro tipo de conciencia para la cual resulta caracterizadora la incertidumbre que nos dejan los sueños, la renuncia a toda determinación causal y la afirmación de una característica contemplativa de rara morosidad. Los cambios de planos que podamos sorprender, provienen de la opción ejercida por esta contemplación que selecciona sus preferencias y construye su mundo de valores en una perspectiva constante; de los cambios de mirada, o de la suspensión del sentimiento de realidad que motiva diversos cortes temporales en la narración. La sustitución de todo imperio por el moroso abandonarse a las instancias de la intimidad de la conciencia contemplativa, constituye uno de los rasgos más salientes de la novedosa singularidad poética de la obra.

Esta renuncia a todo dominio sobre el mundo narrativo se traduce en un modo narrativo presentativo, escénico, o de objetividad estricta de la narración[352]. La narración aparece mostrando, presentando y construyendo mucho más que puramente diciendo. Aparece desprovista de comentarios y de elementos explicativos que formaban parte importante de la novela moderna. Ahora el narrador pierde la locuacidad infatigable que antiguamente lo caracterizaba; renuncia a la omnipresencia intrusa a que estábamos acostumbrados. Un nuevo imperativo de discreción y parquedad se impone en la novela convirtiéndola en arte de elipsis. La nueva modalidad tiene, como en la novela que consideramos, efectos sobrecogedores obtenidos mediante la exposición de sucesos intensos y desgarrados que se nos muestran sin comentarios ni introducción en su sola presencia y desnudez inmediata.

Una nueva convención queda entonces establecida: el narrador se prohibe decir todo aquello de que su conciencia no ha podido tener inmediato conocimiento o percepción. Esta convención, rigurosamente sostenida, condiciona una nueva y reveladora modalidad narrativa que envuelve una notable limitación del narrador y que constituye un cambio esencial en el tipo de narración que configuraba la novela moderna El narrador renuncia a la omnisciencia y al dominio consciente y activo del universo, limitándose al conocimiento actual, a un presente que se desplaza a la par de las modificaciones de la conciencia del narrador. Por esta vía no hay más conocimiento que de la interioridad personal y de lo que aparece a la superficie fisiognómica de seres y objetos. La contemplación de lo inanimado se articula en los términos particulares del mundo personal[353].

La falta de distancia espacial entre narrador y mundo narrado proporciona la impresionante inmediatez del relato. Anulada por igual la distancia objetiva y la actividad teórica sobre los acontecimientos, se establece una perspectiva coloreada variablemente por el temple de ánimo. Tampoco hay distancia temporal. La novela se presenta como una narración casi obsesiva en tiempo presente, es decir, la perspectiva del narrador se desplaza en simultaneidad con los hechos. La narración en este tiempo verbal implica vivamente la renuncia a la anticipación y al dominio efectivo sobre los acontecimientos y sobre la narración. Esto le obliga a desconocer todo aquello que trasciende las circunstancias estrictamente actuales de la narración. En consecuencia, se puede observar que ninguna causalidad viene explícitamente a elaborar el sentido de los acontecimientos en el mundo personal. Ciertas frases de carácter sentencioso que podemos sorprender son más expresivas del estado emocional que efectivos comentarios sobre lo acontecido. Implican en cualquier caso un modo singular de comprensión del propio drama que no podría en rigor estimarse como teórico.

No sólo se prescinde propiamente de comentarios; tampoco es posible encontrar una conciencia que se establezca como la perspectiva superior desde donde discernir sobre el criterio de realidad. Al contrario, la conciencia que establece la perspectiva narrativa padece la incertidumbre en grado extremo y si la resuelve, por último, dramáticamente, lo hace por vía comparativa y emocional que no implica ninguna necesidad teórica ni momento discursivo alguno aunque parece conceder algo a las determinaciones sobre criterios de verificación de lo real, de la tradición anterior.

Las limitaciones que se propone el narrador traen consigo algunas consecuencias narrativas. Frente a los elementos puramente perceptivos y fisiognómicos, la ausencia de introducción expresa y el mostrarlos en su pura presencia aparente, así como se los percibe, da a la narración una velocidad considerable y un carácter esencial, despojado de todo lo accesorio. Ante las modificaciones del ánimo las consecuencias son totalmente distintas. La consecuencia inmediata del modo presentativo es el ensanchamiento temporal, el carácter no progresivo, que se traduce en una morosidad considerable de la descripción en los diferentes momentos del puro existir personal: una yuxtaposición de momentos, de actos sucesivos, que se van ensanchando en círculos cada vez más vastos[354].

El tiempo de la historia se extiende desde la juventud hasta la senilidad del personaje. Del tiempo de la historia se nos presentan, sin embargo, contados momentos que adquieren consistencia especial por el dilatado modo de considerarlos mediante su expansión o reiteración, ordenando una perspectiva de valores en la existencia del personaje. La impresión resultante es la de un tiempo que corre y que permanece simultáneamente.

La elipsis, la suspensión de la narración en sucesivos cortes temporales, constituye un modo sorprendente de abordar aspectos de la narración y del personaje que sin este recurso sería imposible manifestar. Sólo el silencio puede expresar en esta novela adecuadamente la pérdida de realidad y la ausencia de sí que experimenta la mujer en diversos momentos de su existir. Es cierto que en cada elipsis se abre una posibilidad expresiva de signo diferente y variadamente potenciada, de modo que cada silencio manifiesta algo diferente y promueve un efecto consecuentemente variado. La elipsis como expresión del anonadarse se transforma a veces en éxtasis de íntima fruición, en exultación del ánimo, en esperanza infinita o en desgarramiento o duda paralogizante. Maneras todas de colmar el silencio por amor de la sugestión del momento narrativo que se suspende. Se vive ingenuamente esta suspensión abandonándose al efecto sobre el ánimo de la simple presencia de los acontecimientos; efecto que constituye, en cierta manera, el comentario que acaso hacía falta para la cabal comprensión y continuidad del proceso narrativo. Lo sugestivo obra poderosamente en la novela narrada con objetividad estricta.

La estructura del modo narrativo parece eludir toda integración de un lector a través de la forma de diario o cuaderno secreto de vida, que el narrador escribe para sí mismo. Pero tan pronto como el amante aparece, se convierte en el destinatario de ciertos fragmentos y se convierte así en lector integrado de expresa apelación en la novela. No hay en todo caso la llamada al lector que conocemos en la tradición narrativa moderna, sino el tácito, ¡sabed!, implícito en todo narrar, que da su orientación natural al acto.

2 NIVELES DE REALIDAD Y EXPERIENCIA DEL MUNDO

Los niveles de realidad y la experiencia del mundo están en esta novela en contra del contenido cósmico captado por la novela moderna y con ello, al mismo tiempo, contra las formas con que ha sido captado.

El mundo que en *La Ultima Niebla* se expone no tiene otro soporte que el existir personal de una mujer vuelta reflexivamente sobre su destino[355]. La estructura personal singulariza esta novela[356]. Desde este punto de vista, las modificaciones del temple de ánimo, las nociones, los deseos y expectaciones, las desesperanzas y los elementos hostiles y resistentes, son los motivos que constituyen y configuran la perspectiva personal de su existencia, que aparecen también determinados al mismo tiempo por ella. Todo lo que acontece en el mundo narrativo sucede en la conciencia, constituye la conciencia y el mundo, de una mujer que existe angustiosamente, que sueña y ensueña. La interioridad del personaje es el estrato que funda la estructura cerrada del mundo narrativo.

Los momentos significativos de la estructura de la obra se ordenan en tensiones encadenadas con sorprendente continuidad a lo largo de un vasto lapso. Primero, la vemos frente a la anulación de su ser personal, ante el rebajamiento y el desconocimiento de la propia dignidad subordinada a las perfecciones de la primera esposa de su marido, muerta, a la que debe imitar; frente a la mediatización del vínculo amoroso y de la posesión en que ella es mero instrumento para el esposo que pretende rescatar la imagen perdida de la primera mujer. Ante estos movimientos que la degradan, se desarrolla la vehemente reacción expresada como necesidad de afirmar la propia existencia ante la anulación a que aparece sometida[357] Esencialmente, se trata de la afirmación de su condición femenina, su condición de mujer es la que se ve menoscabada en el vínculo con el esposo. Reside en aquella inferioridad la motivación para el deseo de afirmar su ser. Una nueva motivación se suma a la anterior para orientar el curso de una tensión que comienzan a desplegarse. La contemplación de Reina y de su amante, que visitan la casa por una temporada, despierta en ella la imagen de una posibilidad de amor pleno. A partir de ese momento su femineidad se despliega en una tensión inédita, que es expectación amorosa, esperanza de ser amada y poseída en sí misma y por sí misma, en el esplendor de su juventud y de su gracia corporal. La pasión de los amantes contemplados se comunica a su propia sangre y una disposición dolorosa acompaña la imaginación de ese amor y la germinación de un sueño confuso que engendra en ella expectaciones anhelosas. La expectativa que penetra lentamente su conciencia se ve satisfecha justamente cuando su tensión llega a un clímax angustioso con ocasión del viaje a la ciudad.

Un aspecto fundamental de la necesidad de afirmación del propio ser está radicado en la mujer en la estimación del propio cuerpo, de la propia belleza, juventud y gracia corporales. La significación de su cuerpo es tan esencial en el modo como el esposo lo niega mediatizándolo, como en la demorada contemplación que despliega ante el espejo o en el baño al sumergirse en el estanque a la luz irrealizadora del bosque donde adquiere conciencia de su gratuita belleza. La expectación que se desarrolla en la mujer tiende de un modo intenso a que el esperado reconozca las virtudes de su corporeidad con la cual ella guarda tan estrecha e inmediatas relaciones. Por ello, cuando el amante hallado en una noche de niebla la conduce a la casa donde su anhelo, su ansia de ser tomada, se realiza y la aisla de los elementos hostiles, desrealizadores, que quedan fuera —noche y niebla— y que no pueden turbar ni el calor ni la plenitud del instante.

La plenitud se pone de manifiesto cuando el amante rinde, en la contemplación del cuerpo desnudo, el homenaje que su belleza ansía. La mirada del amante parece darle, por fin, existencia; bajo ella parecen cobrar su razón de ser todas las partes de su cuerpo. El encuentro se completa en la posesión, en el ser presa en sí misma y en la entrega total sin mediatizaciones, compensadora de toda la desrealización perversa que la degradaba a la índole de objeto, de simple instrumento para el goce de otro ser que su cuerpo sólo servía para evocar.

Cuando ha alcanzado la plenitud del vínculo, la existencia de la mujer se entabla como una espera temerosa del reencuentro, llena de adivinaciones y breves, rápidamente superadas, decepciones. El recuerdo anima su existir —con un recuerdo se puede soportar una larga vida de tedio— y con las variadísimas fantasmagorías del ensueño teje escenas y construye posibilidades de encuentro sin fin. A veces se halla, ante la sequedad del ánimo y de la imaginación, incapaz de evocar la imagen del amado, de crear la presencia del ausente.

Una confusión de niveles de realidad se establece casi inadvertidamente en su conciencia. Los límites entre la vigilia y el ensueño se hacen confusos. La incertidumbre sobre la condición de la realidad se despierta como por azar y gradualmente. El primer acontecimiento lo constituye la pérdida del sombrero de paja que despierta dos movimientos de signo diferente, por una parte establece la duda y por la otra la resuelve. No halla el sombrero, luego lo ha perdido en casa de su amante. Lo busca con miedo de hallarlo ¿qué origen tiene el temor de encontrarlo? Una gran esperanza ha nacido en ella porque, al parecer, el tiempo y la distancia han labrado en su ánimo, secretamente, la incertidumbre que confunde el recuerdo con las fantasmagorías del ensueño con que lo alimenta.

Diez años más tarde vuelve a encontrar a su amante. Un carruaje que irrumpe en la niebla y que es luego devorado por ésta le muestra, asomada a la ventanilla, la faz de su amante, que se aleja silencioso. Un testigo, el pequeño Andrés, da valor intersubjetivo a su visión. El acontecimiento colma su vida hasta agobiarla de felicidad. Las circunstancias son equívocas y es posible encontrar diversos elementos que ayudan al sentimiento de incertidumbre, pero que nada dicen por cierto a la mujer. En ella se despiertan oscuras seguridades de presencia cercana del amante, de proximidad y de pronto retorno. Esta disposición del ánimo y la actualización de ciertas condiciones que acompañaron el primer encuentro hacen nacer en ella la esperanza de su repetición. En una noche semejante a la primera, obedeciendo a lo que siente como un llamado, sufre el desencanto que pone la primera duda en la posiblidad de la repetición. En el momento en que ella se dispone a salir, su marido extraña el paso y niega en seguida, con argumentos que matan toda maravilla, que haya sucedido antes cosa semejante. Reduce lo entonces ocurrido a un hecho vulgar intrascendente y frío y acrecienta con sus preguntas la incertidumbre dolorosamente engendrada en el ánimo de su mujer. Acrecentando tal sentimiento, la muerte del pequeño Andrés, elimina el único testigo de su visión última del amante en el carruaje. Todo el recuerdo queda ahora abandonado a su capacidad personal de credulidad y a su poder de animarlo por la plenitud y fuerza de la experiencia vivida. Mas, paradójicamente, el personaje afinca la solidez de su fe en el testimonio de otros o en la concreción material de ciertos objetos.

Antes de que una nueva tensión angustiosa y desconsolada modifique su ánimo, pide apenas una tregua para amortiguar la buida crudeza de la duda que la domina y que reduce su experiencia extraordinaria a un puro sueño. Resiste al ensueño con que animaba sus recuerdos. Adopta una vida regular y ordinaria para olvidarlo todo distrayéndose en exigentes menesteres cotidianos, en una vigilia atenta. Pero la tentativa le revela que su existencia carecería de razón si pasado y esperanza se sumieran en el olvido. Esto, sin embargo, ni siquiera es posible. El amor que colma su existir, aun en medio de la duda, a pesar de ella, está agazapado tras cada cosa, cada lugar, en cada uno de sus movimientos; su propio cuerpo le traía el recuerdo del amante. Son los reflejos que devuelve el mismo mundo que animó su pasión. Considerando muerto a su amante penetra en el conocimiento de la esencial inevitabilidad de su pasión, lo único que da sentido a su existencia. Pero la angustia la domina, llenándola de una dolorosa disposición física. Descubre entonces que su amante es su razón de ser.

Estos encontrados movimientos de su ánimo se orientan en una renovada tensión, de febril expectación ante la perspectiva de ir a la ciudad. Allí se propone, en última tentativa, verificar las calles, la casa; divisar al desconocido amante. Allí parece constatar cada detalle, la plazoleta, las calles empinadas, los dos árboles, la verja, la misma casa, pero ni los interiores ni sus moradores permiten certificar lo vivido en el recuerdo. No verifica, pues, nada. La gana en cambio el desengaño definitivo. Muere en ella todo recuerdo, todo ensueño, toda esperanza. Se diría que su propio ser queda anulado, su existencia desprovista de sentido. Perdida en el laberinto de la ciudad llena de niebla, todo se desvanece.

La última circunstancia se hace tanto más cruel cuanto que la tentativa frustrada de suicidio de Reina —que los ha conducido a la ciudad— y la dolorosa visión de la herida, le presentan el violento contraste de su ilusión desvanecida con las dimensiones reales que la pasión, cruenta e impresionante, de Reina toma a sus ojos. Como en la ocasión primera, en que sorprende a los amantes, la desgarradora situación de la suicida se le aparece llena de prestigio; del prestigio de lo efectivamente vivido frente a la débil y distante evocación de una experiencia a la que el tiempo y la incertidumbre borraron toda realidad para dejarla convertida en sueño inseguro, casi en una ficción. Esta penosa comparación, para las ansias que ha alimentado su existencia, la anonada definitivamente.

La compleja concurrencia de todos estos momentos motivan en ella la oscura voluntad de suicidarse. El paso frustrado por su esposo, tiene la virtud de devolverle la conciencia del tiempo —de improviso encuentra viejo a su marido a quien miró durante años sin verlo— y con ella la conciencia del existir cotidiano, real, neutro. Su temple de ánimo se enfría en una tonalidad tocada de definitivo desencanto y melancólico abandono a las formas mostrencas de la cotidianeidad, desprovistas de extraordinario; a la espera, vacía de toda tensión, de la muerte.

El hastío fundamental sobre el cual se levantó toda su expectación de lo extraordinario domina ahora sin resistencias.

3 HERMETICIDAD DEL MUNDO

La disposición artística de los motivos contribuye poderosamente a la hermeticidad de la obra. Esta disposición no se parece ya, en *La Ultima Niebla,* a las formas tradicionales del narrar y se diferencia grandemente del orden natural en que se disponen los motivos en la novela del período anterior. A la articulación necesaria de los motivos en la novela naturalista sucede, ahora, una disposición que anula todo nexo causal y deja actuar libremente, en cortes temporales y espaciales de la secuencia, los resortes de la simple yuxtaposición de los elementos. La disposición general implica de ordinario, como en esta novela, un crecido número de cortes en los acontecimientos y el montaje consecuente de una serie de motivos significativos vinculados por la valoración que la perspectiva del narrador, en este caso, ha establecido como su característica. En la estructura personal de la obra todos los momentos a que nos vamos a referir se encuentran articulados como aspectos de la existencia del personaje, como componentes de su mundo personal.

En la complejidad del proceso narrativo de significación personal, obra con eficacia decisiva el paralelismo entre las historias pasionales de la narradora y de Reina. Este paralelismo crea un ritmo muy efectivo y favorece de modo considerable, según su desarrollo, la hermeticidad de la obra.

En primer término, la contemplación de los amantes, la proximidad del amante de Reina y la belleza de ésta, se convierten en un resorte secreto para la ilusión de amar y de ser amada de la mujer. La fuerza de la pasión de Reina se le comunica vivamente y despierta en ella la ensoñación cuya fantasmagoría comienza a suscitarse cuando sorprende a Reina dormida. El amante desconocido de su experiencia soñada, adulterina, la lleva a ocultar su relación al esposo. Por otra parte, el desconocido tiene los rasgos del amante de Reina. Otro paralelismo lo constituye el remate de ambas historias. El término de las relaciones de Reina con su amante la inducen al suicidio; al mismo tiempo, el desengaño de la mujer la conduce al mismo fin, que se ve frustrado en ambos casos.

En su sentido más inmediato el contraste de las historias de las dos mujeres parece contraponer la experiencia efectivamente vivida a la puramente soñada o ensoñada. Puede agregarse a ello el que la mujer las contrapone efectivamente así y proporciona en definitiva la ley de estructura de la novela. Sin embargo, obra siempre el sentimiento de que tal determinación de lo real y de lo no real, de la vigilia angustiada y del ensueño fantasmagórico, no es segura. Favorece más todavía esta apreciación la semejanza de ambos amores, la efectividad pasional, el erotismo comparable, la mismas tremendas y fatales consecuencias, no importando el origen. La linde entre ambos niveles de realidad es incierta y no hay manera segura de responder, según el texto de la novela, dónde está la realidad. El momento irónico, frente a lo dicho, radica en la desilusión subjetiva del personaje cuando los determinantes intersubjetivos de su certidumbre desaparecen o le proponen dudas insolubles para su sentimiento de credulidad, para su fe. El fracaso de las verificaciones que se ha propuesto conseguir finca en el criterio de realidad que se propone. Pero si bien desde el punto de vista de la observación objetiva y de la reflexión, siempre falla un último elemento, todo parece confirmarse en buena medida en la repetición de múltiples detalles. La verdad es que la narración propone con exigencia un nuevo estrato desde el cual es posible determinar que la reflexión acerca del sueño conduce a una incertidumbre última que ningún razonamiento puede conmover.

En el juego de verificaciones, entra una serie de motivos que constituyen otros tantos elementos rítmicos de la narración. Esos elementos los forman: el sombrero perdido y no hallado; el carruaje, que Andrés vuelve a ver; el testimonio del pequeño, anulado por su muerte; la salida en la ciudad, negada por el esposo; el reconocimiento en la ciudad de la plazoleta, la fuente, las calles empinadas, los dos árboles frente a la casa, la casa con las persianas bajas, la verja, el jardín abandonado, pero la casa con otros interiores y su dueño muerto quince años atrás.

Estas repeticiones y las variaciones, desalentadoras para la voluntad de verificación, configuran el juego azorante de la incertidumbre frente a la determinación clara y distinta de la realidad.

Por último, hay dos circunstancias que complican aún más, si cabe, tal incertidumbre. La entrada repentina y develadora en la conciencia del tiempo que padece la mujer en el momento del frustrado suicidio, parece sacarla de un largo estado de sueño donde aquella conciencia permaneció atenuada largamente. Este momento la retrotrae al momento de su boda, al comienzo de la narración, donde se repite la lúcida conciencia del tiempo y el hastío consiguiente que la domina. Esta referencia le da la medida del tiempo transcurrido. Entonces eran jóvenes, ahora ve en su marido un hombre viejo. Entre estos dos momentos hay otro en que disciplinadamente se propone el consciente retorno al cuidado cotidiano, sin éxito pues en todo ve un momento de su pasión dominadora. Penetrando de lleno en esta disposición del ánimo nos encontramos con otra repetición que acrecienta la complejidad de la narración. La mujer recuerda la noche de bodas: su marido experimenta dolorosamente la presencia de su primera mujer ausente, entonces finge una absoluta ignorancia de su dolor; ahora, a su vez, el marido finge una absoluta ignorancia del dolor de la mujer[358]. Esta repetición del motivo inicial al final de la narración le confiere un carácter circular al diseño de la obra, una forma hermética. Con una variación significativa, los términos se han invertido, la novela termina como comienza.

Esta estructura, como expresión de tiempo que no progresa, condiciona un impresionante contraste con la experiencia desoladora de la mujer que ha penetrado en el sentido erosivo de la temporalidad y se entrega a los poderes mortales sin resistencia. Por otra parte, se constituye en un elemento más para el sentimiento de incertidumbre que domina el mundo narrativo.

Otros motivos entretejidos, en juego de repetición y variación, constituyen una expresión indirecta de ciertos momentos del drama pasional de la mujer. Representan una modalidad expresionistas de la narración. Estos motivos son manifestaciones del existir personal y por tanto aparecen condicionados de un modo diferente en cada momento narrativo. Su recurrencia no es garantía de identidad semántica. Muy al contrario, cada reiteración va tocada de una variación en el sentido; la variación que le confieren las circunstancias narrativas en que viene conectada y a cuya significación particular sirve. El silencio, el bosque, la lluvia, el estanque, el fuego, el viento, la niebla o neblina, no son motivos de significación única y repetida. En cada momento diverso en que lo inanimado aparece, cambia su significado porque no existe en el mundo personal de la mujer de un modo independiente sino que entra en él en conexión estrecha con la disposición total de su sentimiento de la realidad.

El baño en el estanque, por ejemplo, tiene primeramente el sentido que le da la experimentación del goce demorado de la caricia y del reconocimiento de la propia belleza y gracia corporales, negadas entonces por la mirada indiferente del esposo. En la ocasión siguiente, el estanque enriquece la significación del mundo de ensueño que proporciona a los objetos un valor que suelen perder cuando saliendo de las maravillosas profundidades del estanque —como de las fantasmagorías del ensueño a la plena vigilia— surgen a la luz ordinaria del día. Este segundo momento sirve además para acrecentar el sentimiento de incertidumbre, pues al salir a la superficie la mujer contempla en medio de la niebla el carruaje que trae al amante[359].

De todos estos motivos el de mayor interés y significación es la niebla, cuyo relieve queda, por otra parte, exaltado, en uno de sus momentos, por el título de la novela.

Si bien puede concebirse que la función de la niebla es la de ser el elemento formal del ensueño, como hace Amado Alonso[360], es en verdad mucho más que eso y como momento de la construcción narrativa, definitivamente, otra cosa. No debemos fiarnos en general de la asociación vulgar de la atmósfera del sueño con algo vagaroso o nebuloso. Los sueños son nítidos y limpios. Lo que aparece difuminado es el deslinde entre el sueño y la vigilia[361]. Mejor que a lo señalado por el crítico español es a esta incertidumbre de lo real a lo que indirectamente apunta el motivo de la niebla con su valor sugestivo y, más precisamente todavía, al sentimiento de la incertidumbre del personaje innominado.

La niebla es en esta novela un motivo que expande su significado en un juego rítmico de repeticiones y variaciones de significado con los que se expresa algo que no puede ser efectivamente dicho si no es puesto de manifiesto por esta vía poética. La función específica de la niebla es representar lo ominoso, la presencia de las potencias hostiles del mundo. Es una construcción imaginaria de sorprendente efectividad narrativa como elemento fundamental de la estructura cerrada de la obra.

En primer término, la niebla y la neblina —nada relevante hay en esta diferencia de forma— aparecen en correspondencia con otros elementos oscuros que pesan abominablemente sobre el personaje y acrecientan el sentimiento de anulación personal a que lo somete su negación erótica. Por ello la primera percepción de la niebla es la de una potencia enemiga que se suma a la del silencio y la muerte.

[Esta muerta, sobre la cual no se me ocurriría inclinarme para llamarla porque parece que no hubiera vivido nunca, me sugiere de pronto la palabra silencio. Silencio, un gran silencio, un silencio de años, de siglos, un silencio aterrador que empieza a crecer en el cuarto y dentro de mi cabeza.

Retrocedo y abriéndome paso con nerviosa precipitación entre mudos enlutados, alcanzo la puerta, después de haber tropezado con horribles coronas de flores artificiales.

Atravieso corriendo el jardín, abro la verja. Pero, afuera, una sutil neblina ha diluido el paisaje y el silencio es aún más inmenso][362].

El sentimiento de disminución de su ser que experimenta frente a la omnipotencia de estas entidades que dominan con imperio absoluto, despierta en ella una fuerte voluntad de supervivencia.

[Tengo miedo. En aquella inmovilidad y también en la de esa muerta estirada allá arriba, hay como un peligro oculto. Y porque me ataca por vez primera, reacciono violentamente contra el asalto de la niebla.

¡Yo existo, yo existo —digo en alta voz— y soy bella y feliz!][363].

El avance implacable de la niebla aumenta constantemente invadiéndolo todo. Frente a la destrucción, la omniabarcadora presencia de la niebla, sólo se muestra impotente ante el fuego y la pasión de Reina.

[La niebla se estrecha, cada día más, contra la casa. Ya hizo desaparecer las araucarias cuyas ramas golpeaban la balaustrada de la terraza. Anoche soñé que, por entre las rendijas de las puertas y ventanas, se infiltraba lentamente en la casa, en mi cuarto y esfumaba el color de las paredes, los contornos de los muebles, y se entrelazaba a mis cabellos, y se me adhería al cuerpo y lo deshacía todo, todo... Sólo, en medio del desastre quedaba intacto el rostro de Reina, con su mirada de fuego y sus labios llenos de secretos][364].

En un nuevo nivel sorprendemos una ley de estructura que penetra más profundamente en el sentido del mundo narrativo. Se engendra en la contraposición, en el triunfo de la pasión sobre todas las potencias destructoras, y en su derrota final avasallada por éstas.

Luego después, en la ciudad, la niebla muestra el mismo sentido de oscura potencia que pesa sobre la totalidad de lo existente. El mismo carácter opresivo presenta el cuarto y la ciudad entera, que adquiere merced a la niebla la intimidad de una estancia cerrada. Este dominio nebuloso se corresponde con el momento de máxima angustia en que el personaje se ahoga.

[Me ahogo. Respiro con la sensación de que me falta siempre un poco de aire para cada soplo. Salto del lecho, abro la ventana. Me inclino hacia afuera y es como si no cambiara de atmósfera. La neblina, esfumando los ángulos, tamizando los ruidos, ha comunicado a la ciudad la tibia intimidad de un cuarto cerrado][365].

Es el punto más alto en la significación del motivo durante el curso ascendente de la narración. Hasta este momento, la niebla posee una presencia omniabarcadora que diluye lo real, inmoviliza de muerte los objetos, acecha como un peligro oculto, ataca, se estrecha contra la casa, hace desaparecer los árboles, se infiltra en todos los ámbitos, esfuma el color de las paredes y los contornos de los muebles, se adhiere al cuerpo, todo lo deshace, ahoga, esfuma, tamiza, envuelve; nada escapa a su poder funesto.

Frente a esta presencia ominosa, algo vendrá. Algo se gesta lentamente para manifestarse por último y desplazar su mortal dominio. En la expectación ciega, desprovista todavía de objeto, que progresa hacia su realización objetiva, encontramos el otro término de la estructura[366]. Cuando la mujer encuentra definitivamente al amante y ambos se refugian en el cuarto donde todo el calor de la casa parece haberse concentrado, la pasión pone barreras a los elementos acechantes; entonces, la niebla y la noche, quedan más allás de los cristales de la ventana.

[La noche y la neblina pueden aletear en vano contra los vidrios de la ventana, no conseguirán infiltrar en este cuarto un sólo átomo de muerte][367].

A partir de este momento, la pasión prevalece sobre la destrucción y la muerte. El amor desplaza por completo la presencia de lo hostil en la existencia de la mujer. Cuando la niebla vuelve a aparecer, envuelve la visión del carruaje que trae al amante. El vislumbrar apenas el rostro de éste agobia de felicidad a la mujer y desplaza el signo de incertidumbre que la niebla pone en el instante[368].

En la plenitud erótica de la mujer, duda e incertidumbre, ponen poco a poco una creciente desconfianza en la realidad de lo acontecido. Así como la entereza de la pasión y la fuerza de la credulidad de la mujer ceden, avanza la niebla recuperando el omnímodo poder frente al cual se rebelaba. Al regresar a la ciudad, la mujer siente, debilitada su seguridad, la presencia hostil.

[En medio de la neblina, que lo inmaterializa todo, el ruido sordo de mis pasos que me daba primero cierta seguridad empieza ahora a molestarme y a angustiarme. Sufro la impresión de que alguien viene siguiéndome, implacable, con una orden secreta][369].

Para su deseo de verificación, la niebla desrealizadora significa la resistencia encontrada en la búsqueda de la realidad de su experiencia amorosa. Es una barrera para su voluntad de reconocimiento y su necesidad de certidumbre. La niebla prohibe entonces toda visión directa de los seres y las cosas, hasta el extremo de dejar las calles aparentemente vacías.

[Creo haber hecho el recorrido exacto que emprendí hace años y, sin embargo, doy vueltas y vueltas sin resultado alguno. La niebla, con su barrera de humo, prohibe toda visión directa de los seres y las cosas, incita a aislarse dentro de sí mismo. Sufro la impresión de estar corriendo por calles vacías][370].

Y cuando ve frustrado el afán de revivir la antigua aventura, la gana el desencanto; entonces todo se desvanece en la niebla.

[Con la vaga esperanza de haberme equivocado de calle, de casas, continúo errando por una ciudad fantasma. Doy vueltas y vueltas, quisiera seguir buscando pero ya ha anochecido y no distingo nada. Además ¿para qué luchar? Era mi destino. La casa y mi amor y mi aventura, todo se ha desvanecido en la niebla, algo así como una garra ardiente me toma, de pronto por la nuca; recuerdo que tengo fiebre][371].

Este poder destructor reduce todo a la consistencia de un sueño, se convierte en el signo de incertidumbre definitiva que abruma a este ser necesitado de testimonios que vigilen la realidad de lo vivido para animar de pasión su existencia.

La inmediatez de la muerte en la frustrada tentativa de suicidio devolverá a la mujer la conciencia plena del tiempo y con ella, muertos su pasado y su esperanza, queda entregada al poder aciago, muerte y destrucción sin barreras, de la *última niebla*. De todas las notas que cargan de sentido el motivo, la última niebla, recibe aquella instancia que identifica en su inmovilidad a la muerte. La entrega a la existencia cotidiana, con su frío ritual de gestos ordinarios que se repiten al infinito, implica la definitiva derrota de aquello que le permitió prevalecer sobre la muerte.

[Lo sigo (a Daniel, su esposo) para llevar a cabo una infinidad de pequeños menesteres, lo sigo para vivir correctamente, para morir correctamente, algún día.

Alrededor nuestro, la niebla presta a las cosas un carácter de inmovilidad definitiva][372].

En la conexión estructural de los diversos momentos, podemos sorprender, primeramente, un ritmo de composición en la simple recurrencia del motivo, y, seguidamente, un recurso indirectos de expresión de las tensiones del ánimo del personaje en las variaciones que se establecen de acuerdo al momento narrativo en que el motivo aparece. Como expresión totalizadora, la niebla porta un signo funesto omniabarcante, como el fondo abominable sobre el cual se eleva la pasión, cuyo devastador asedio concluye por rendir toda resistencia para imponer al fin su fatal imperio sobre la existencia del personaje. Puede considerarse también como un signo caracterizador de la incertidumbre con que el personaje se mueve entre la vigilia, el sueño y el ensueño, y, en general, como un signo de indeterminación de lo real. Una expresión, por último, del sentimiento metafísico de la inseguridad del hombre en el mundo.

Si observamos, ahora, cómo se han entretejido estos motivos; de qué manera cierto principio de reflexividad nos remite a términos iniciales de la narración desde el momento final; de qué modo alternan paralelamente las historias de la mujer y de Reina; y por qué vías se invierten las posiciones del personaje y de Daniel, su marido; cómo, en fin, un juego variable de reiteraciones y circularidades nos van conduciendo de uno a otro momentos de la narración para crear un íntimo y necesario juego de internas referencias, penetraremos entonces en el apretado diseño de trenza circular que configura la hermeticidad estructural de *La Ultima Niebla.* Tal carácter hermético tiene la forma compleja y la morosidad obsesionante que el mundo personal de la protagonista dicta a la narración. Por ello mismo podemos decir que en cuanto diseño, es decir, como momento exterior de una interioridad, es fisiognómico. Está expresando el peculiar erotismo, la morosidad desprovista de cuidado, la característica imaginativa y soñadora de la mujer; la condición de su mundo: corriente fluvial que por múltiples brazos confluentes avanza sin saltos ni caídas abruptas[373]. La estructura alcanzada es por igual expresión de una tendencia hacia el otro de prodigiosa riqueza pasional que se distrae en forma perversa sin recaer sobre el prójimo. Como en un reflejo de dos egoísmos monstruosos, desprovistos de caridad, los personajes despiertan el trágico sentimiento suscitado por quienes, dotados de ricas disposiciones orientadas hacia el otro, no llegan, sin embargo, a puerto por una torsión egoísta del ánimo.

En síntesis, hemos podido ver de qué manera los tres aspectos fundamentales considerados se encuentran en estricta interdependencia y muestran la consiguiente adecuación al sentido esencial de lo narrado: la existencia angustiada y llena de incertidumbre de una extraña mujer sin nombre cuya pasión es la sola garantía de un auténtico existir. El modo narrativo presenta un punto de vista estrictamente fiscalizado y sujeto a limitaciones que expresan con fidelidad el confinamiento individual del personaje y la singularidad de su conciencia; en íntima relación con ello, el contenido cósmico personal despliega su confusa estructura sometida a una ley de incertidumbre que regula niveles de realidad indiscernibles y tensiones preñadas de angustia, expectación y desengaño; finalmente el personaje al constituirse en el estrato fundamentalmente estructurante impone universalmente su condición personal al mundo narrativo y proyecta en la disposición artística de los motivos su singularidad fisiognómica. La novela se manifiesta de este modo como una estructura narrativa, esto es, como un complejo articulado, como una unidad de sentido, en que todas las partes se hallan en estrecha interdependencia. Siendo su estructura personal, es la peculiar perspectiva de vida y la disposición del personaje femenino la que se eleva a nivel portador del mundo y condiciona la configuración de los otros personajes, de los acontecimientos y del espacio. Hemos señalado, por último, las correspondencias existentes entre estructura del narrador y estilo; entre tipo de narrar y visión de la naturaleza, del paisaje y del otro; entre estructura narrativa y visión del mundo en general.

VIII CORONACION

La última novela que consideraremos nos enfrenta al momento actual. En ella sorprendemos la vigencia de las formas de la novela contemporánea, del superrealismo en lo que éste tiene de tendencia general vigente en el período, y una reactualización, en nuevas circunstancias, del énfasis que la novela del período pone en la autonomía de la obra. Como que responde a la sensibilidad de una generación, este énfasis, se despliega plenamente de modo polémico frente al Neorrealismo de la generación anterior. Hemos llamado, a esta nueva generación, irrealista. El *Irrealismo* se pone de manifiesto en la inquietud de los novelistas actuales por crear nuevas formas dentro de la novela, con fatiga marcada por el carácter convencional, manido o ya experimentado, que tomaron las primeras obras del período[374].

La figura más destacada y prestigiosa de la generación actual es el novelista José Donoso. Su novela, *Coronación,* se destaca como una de las novelas notables del período y como la mejor novela de los últimos años[375]. Es la que mejor y más cabalmente responde al Irrealismo de su generación, la que lo representa con la máxima calidad. Nadie discute su maestría novelística y, muy al contrario, se eleva una voz unánime en el reconocimiento de su liderazgo en la novela actual. Su otra novela, *Este Domingo,* y su obra cuentística confirman con creces esta unanimidad del juicio aprobatorio[376].

Desde nuestro punto de vista, el de este libro, las novelas estudiadas se nos aparecen representando varias líneas de análisis. Cada una de ellas significa un mundo singular, inconfundible y único que justificaría por sí solo el que nos ocupásemos de las obras estudiadas y de éstas como de cualesquiera otras que respondiesen a su calidad e interés —aunque no sean demasiadas—. La serie escogida representa también el modo cómo progresa la tradición en la serie de las generaciones, y, en este plano, de qué manera cada generación responde con rasgos típicos a la norma literaria de un período. A su vez los diversos períodos se ven ilustrados en cada novela y las agrupan conforme a la tendencia de que se trate. Los períodos, por su parte, muestran de qué manera cambia la novela dentro de una misma estructura del género. Finalmente, representamos vastos lapsos de la novela y varios capítulos de este libro como pertenecientes a la época moderna (I-V) o a la contemporánea (VI-VIII), de acuerdo a la estructura del género o tipo general de novela en cada caso. Desde este punto de vista debe verse a *Coronación* en una cuádruple lectura: en su singularidad, en su valor generacional, en su representación periódica superrealista y, finalmente, en su valor representativo como novela contemporánea.

1 ESTRUCTURA DEL NARRADOR

Hemos observado en los dos capítulos anteriores de qué modo diverso *Hijo de Ladrón* y *La Ultima Niebla* responden a una novedosa estructura del narrador, en todo diferente a lo que nos mostraba la novela moderna. También *Coronación* se nos ofrece como una obra en la cual la estructura del narrador presenta rasgos especiales y donde el tipo de narrar ostenta también la extraña incoherencia y las limitaciones relativas antes enunciadas para el grado de conocimiento del mundo, para su interpretación sintética y, muy principalmente, para el ejercicio de la opción del narrador para escoger los elementos del mundo, para hacer realidad con la pluralidad de sus perspectivas.

El rasgo más singular que ostenta el narrador de *Coronación* lo constituye la narración en tercera persona con método indirecto. El narrador cuenta en tercera persona lo que en cada caso sólo puede saber la primera persona. Este es el método dominante en la novela, el que alterna con el diálogo. La exterioridad del punto de vista del narrador es sólo aparente, la narración sería idéntica si el narrador o el personaje en cada caso dijera *yo*. Desde la perspectiva señalada se nos cuenta el comportamiento de cada uno, pero también sus emociones, sus preocupaciones, los movimientos de su ánimo. Se nos dice de ellos cosas que sólo ellos pueden conocer. La justificación de este empleo de la narración en tercera persona no es otra que estos personajes se piensan cómo podrían percibirlos los otros conforme a categorías ordinarias. Su vida interior penetra espontáneamente en cada esfera de ideas convencionales, de expresiones ya hechas. De este modo su existencia nos es descrita tan bien como ellos mismos pudieran hacerlo, pero narrándose en tercera persona con los mismos esquemas que ellos emplearían en la conversación sin el menor propósito de aprehender una particular intimidad consigo mismos, inexistente en verdad entre ellos. Carecen de fuero interno, no hay en ellos nada de personal en última instancia, su conciencia es sólo una trama de convenciones y medianía que han recibido del grupo social a que pertenecen y que traducen en el léxico del grupo. Por esto le está prohibido al narrador, si ha de entregar la cualidad propia de esas conciencias, emplear el método directo de la corriente de la conciencia o el monólogo interior u otras formas directas.

De hacerlo, el narrador vendría a ocultar su *nada* profunda, llegaría a prestarles una apariencia de individualidad, a hacernos creer que poseen una dimensión profunda de la que realmente carecen. Como método perfecto, completo, que se extiende sistemáticamente a toda la narración, viene a ser algo más que un mero método para convertirse en la expresión inmediata de una concepción del hombre y del mundo[377].

Refiriéndolo a los términos conocidos, este método narrativo es una forma de omnisciencia relativa, sólo limitada por las lindes que se fija a sí misma la experiencia de cada personaje representado; en relación a ésta la posición del narrador no podría ser más objetiva, la deja manifestarse libremente sin interferir subjetivamente al modo del narrador moderno o tradicional. Muy al contrario, adopta la forma de un narrador intermediario cuya mediación deja ver el mundo, porque ella es transparente. Esta transparencia del narrador es un fenómeno de gran relieve que viene a modificar los términos de la tradición en que se inserta la novelística nacional. Aparte de la significación general del modo narrativo que hemos señalado más arriba, esta condición transparente favorece la pluralidad de perspectivas correspondientes a tantos personajes como hay en la novela. El modo narrativo adquiere así la riqueza y variedad de colores de la paleta de un pintor y en este aspecto la novela de Donoso presenta rasgos excepcionales y sorprendentes por la extensión y la vida de la gama que maneja.

Una de las consecuencias fundamentales de la objetividad alcanzada con la señalada transparencia es la indeterminación de lo real que se alcanza por la suspensión del juicio del narrador sobre la índole del mundo, su jerarquización y su hermeticidad. Queda el lector abandonado al libre juego de la realidad y a su propia capacidad de síntesis o de decisión sobre la jerarquía del mundo. Obviamente, el método favorece la representación de un espacio cuyas esferas de realidad han perdido el rango natural, cuya ejemplaridad aparece caída o en derrota y cuya sola exhibición provoca el sentimiento del absurdo, de la banalidad o del ridículo. Una decisión sobre el rango de los sectores humanos o sociales representados no se encontrará en las palabras del narrador y éste es el mejor testimonio de la reserva objetiva con que el transparente narrador nos ofrece directamente la visión del mundo.

El narrador aparece de movediza ubicuidad y de relativa omnisciencia, pero no elabora los datos más allá de lo que hace cada conciencia particular, como no sea en dos o tres ocasiones escasas en desarrollo y significación. En estos casos no ofrece síntesis interpretativa alguna sino que se refiere a circunstancias particulares de los personajes. Por ello vemos, una vez más, la plasmación de un tipo de narrar que hemos tenido oportunidad de considerar en dos ocasiones anteriores y que hemos caracterizado como *incoherencia.* En ella vemos, también, en esta novela, la actualización del tipo de narrar que hasta ahora caracteriza como aspecto saliente la novela contemporánea.

Este hecho despersonaliza fuertemente al narrador, como de ordinario acontece en la novela contemporánea, y su 'figura', queda reducida al cambio de mirada de un espacio a otro, de un tiempo a otro ocasionalmente, en este último aspecto por el uso de algunas narraciones retrospectivas y un montaje —temporal y espacial— bastante movido y de atinada, por lo efectiva, yuxtaposición en cada corte. Como su lenguaje se convierte o proyecta regularmente en mundo, en imagen animada a nuestros ojos, y los momentos no narrativos de referencias, acotaciones o generalizaciones o no existen o son escasísimos, debemos descubrir en su opción estilística, en su fraseo, ritmo, léxico y sintaxis sus rasgos distintivos. También pueden hallarse en la variedad de sus actitudes que despliegan una suma considerable desde el grotesco subido y ridículo, tan propia de la vieja tradición novelística nacional que en este aspecto encarna Donoso brillantemente, acre y fustigante, hasta la simplicidad del sentimiento ingenuo, la ternura y la bobería amable. Por último, en el tono general de la narración puede verse también una expresión definida del narrador por su fría ironía implacable que no aniquila, sin embargo, un vivo sentimiento lúdico, que matiza con humor y diríamos que hasta con algún encantamiento, la visión de un miserable escorzo del mundo.

El único modo presentativo que emplea el narrador es el diálogo. Su adecuación social y cultural, formal o informal, normal o patológica, a cada personaje o momento de los personajes y a las circunstancias, es de sorprendente e inigualada naturalidad y propiedad, sin concesiones a una medida que pudiese desfigurar una representación apropiada de cada aspecto. En este sentido, ha merecido y merece justos y encomiásticos elogios y puede decirse con certidumbre que no tiene parangón en la novela actual.

Tal como queda descrito el método narrativo de esta novela se asemeja al modo presentativo por la falta de distancia temporal y espacial del narrador en relación con lo narrado. Ceñido a la interioridad de los personajes —y en tal sentido ricamente variado como consecuencia de la interior calidad de cada quien— articula el mundo haciendo converger sus diversos planos en el diálogo y proyectando luces en que recíprocamente se iluminan las diversas perspectivas. Hemos visto que el narrador propone, ejerciendo una particular opción, la pluralidad de perspectivas. Esto resulta expresivo para la identificación de los rasgos del narrador. Su expresividad puede medirse atendiendo a la significación del método. La impenetrabilidad o su incapacidad de penetrar en la esencia de la realidad no es sin más una limitación sino más bien una manifestación de la complejidad y del misterio de la existencia. El narrador opone al tradicional optimismo gnoseológico de la novela moderna un escepticismo que exhibe de qué manera una perspectiva exclusiva es incapaz de circunscribir la realidad y cómo ésta es abordable desde varias perspectivas complementarias cuya yuxtaposición no resuelta en síntesis concluye en una indeterminación de la realidad. A este paso gnoseológico acompaña también un sentimiento de inseguridad del hombre en el mundo y, particularmente, en esta novela, un sentimiento metafísico del absurdo y de la inanidad del hombre y del mundo.

En el plano más inmediato, no el espíritu del narrador sino lo narrado pasa a tener la más alta significación. Es una manera de enfrentar directa y espontáneamente los hechos mismos para exigir una adecuación de la capacidad de conocimiento y comprensión del existir humano la que se nos da en esta forma de narrar.

2 TRES HISTORIAS

Coronación cuenta tres historias que se interpenetran, se traban y se iluminan recíprocamente. Una, es la historia de misiá Elisita Grey de Abalos, nonagenaria de la cual el argumento cuenta el tiempo que corre aproximadamente entre su cumpleaños, el día de su santo y su inmediata muerte después de la privada celebración en que sus criadas obsecuentes, ebrias y danzantes, la coronan. La fábula encierra los antecedentes biográficos de la anciana y la génesis e historia de su locura. Varias narraciones retrospectivas, que se apoyan en la conciencia rememorante de su nieto Andrés, nos proporcionan aquellas noticias y contribuyen a iluminar ese curioso destino. Otra, es la historia del propio Andrés, narración del proceso por el cual comienza por ser estremecido por un acontecimiento, que no penetra inmediatamente en su conciencia, y sigue los estadios de la revelación de un tremendo cambio en su ordenada vida burguesa, apacible y metódica. Ese acontecimiento es la revelación de su amor por Estela, la joven criada que ha venido del campo a cuidar de misiá Elisita. Ese amor se convierte en un deseo brutal y en un ardor fuera de sazón. Culminará en una crisis que lo precipita en la locura —cuyo sentido ha descubierto anteriormente como idéntico al sinsentido y absurdidad del mundo y de la existencia— cuando experimenta su conversión en objeto o instrumento, alienado por la actitud falsamente aquiescente de Estela. Por último, la tercera, es la historia de la muchacha y de su amor por Mario, empleado del almacén, que atrae a esta historia un sector marginal del mundo social. La historia culmina, en un momento convergente con la historia de Andrés, cuando la muchacha que espera un hijo de Mario —acontecimiento que le ha enajenado el afecto del joven— acepta como condición para devolverle su cariño el que facilite el acceso a casa de Andrés para robar la vajilla de plata. La muchacha es invitada a entregarse o a simular la entrega a Andrés para distraerlo y permitir que realicen el robo. Pero, llegado el momento, se rebela al sentir vivamente su enajenamiento instrumental y su asco vital frente al deseo de Andrés. El robo se frustra, los jóvenes castigan brutalmente a la muchacha. Sin embargo, Mario, confusamente, desde el fondo de su instintividad sana e inocente, parece rescatar la natural espontaneidad de su amor llevando a Estela consigo.

Dos planos espaciales de significación social muy claramente diferenciada despliegan un prolongado contrapunto a lo largo de la novela. Cada uno de ellos tiene por centro el chalet de misiá Elisita y la casa del hermano de Mario, respectivamente. En torno a cada uno de ellos, se mueven numerosos personajes y varios destinos de perfiles reconocibles y típicos que amplían la significación espacial. Esta ampliación se realiza por un recurso tradicional que en esta novela adquiere particular agilidad y destreza mediante el traspaso de la perspectiva interior de un personaje a otro con lo cual se asegura el tránsito de un espacio a otro de un modo natural. Advirtamos, desde ya, que la novela no ilustra, como novela espacial que es, dos sectores fundamentalmente sociales sino en un plano superficial y aparente. La espacialidad de la novela es en esencia la que genera la multiplicidad de tipos de existencia que en ella se representan. Nos dedicaremos más adelante a la tarea de ilustrar el sentido de estos tipos de existencia que importan sectores humanos y no específicamente sociales en el sentido tradicional y moderno.

Como puede observarse de las otras dos novelas estudiadas en esta parte, el argumento de esta novela y su triple trabazón nos pone ante la evidencia de la muerte del argumento novelístico tal como lo entendió la época moderna. Con él ha muerto el héroe para ser sustituido por una o más figuras desprovistas de todo impulso heroico, de todo titanismo de la voluntad. La acción exterior ha desaparecido en favor de una interiorización que revela nuevas esferas de realidad y nos hace escapar del historicismo y del sociologismo y aun del psicologismo tradicionales. Es una nueva esfera de realidades internas, que transfiguran la imagen de lo humano concebida por la época moderna, la que aparece a nuestros ojos en la novela contemporánea. En ella se juegan nuevas relaciones. Nuevas tensiones y formas interiores o impulsos configuradores brotan de la interioridad de diversos tipos de existencia. Su contenido está así hecho de motivos muy diversos a los tradicionales; ordenan estructuras de nuevo sentido y son procesos originales y reveladores los que ponen de manifiesto nuevas formas de relaciones en el interior del ser. Esta ruptura con las formas de la realidad natural, hacen de *Coronación* una obra que vive de lleno dentro del Superrealismo del período. A las nuevas esferas de realidad corresponden también nuevas formas o modos de experiencia. A los modos genéticos y causales de las mecanicistas formas de la experiencia tradicional suceden los modos inmediatos o existenciales de la experiencia personal del otro y del mundo con su viva palpitación que colora distintamente todo lo que toca.

Lo que acontece ocurre en el interior del hombre, en su corazón o en su cabeza, y representa en los diversos casos —y en suma con sorprendente variedad— una conciencia distintamente cualificada o —como acontece en esta novela— formas de conciencia y de in-conciencia: de la in-conciencia propia de la locura y de la in-conciencia propia de la instintividad pura, de una suerte de estado de inocencia.

Si miramos la historia de la novela aquí recorrida podremos observar que desde el remoto pasado hasta el presente se ha venido desarrollando una suerte de proceso de interiorización y de consiguiente individuación del mundo novelístico. Observaremos también que la novela contemporánea ha sentado sus reales permaneciendo en este plano de interioridad alcanzada en lo que parece, en la perspectiva que creamos al mirar el camino recorrido hasta aquí, un proceso teleológico. Nunca como ahora, en todo caso, la novela chilena —y la hispanoamericana— ha penetrado tan hondo en lo humano como en la novela contemporánea.

3 TRES TIPOS DE EXISTENCIA

La magnífica novela de Donoso representa, como hemos advertido, tres tipos principales de existencia. Estos son: (I) la existencia inauténtica, (II) la existencia de la locura y (III) la existencia inocente.

La caracterización de Andrés y la descripción de su existencia tiene el modo de la existencia inauténtica. En ella se ha movido ordinariamente el personaje, sostenido por las formas rutinarias de una vida cotidiana sometida a método y a disciplina que busca incluso una simbolización clara en la colección de diez bastones, constantes en su número y variantes en su rareza o valor. Esta imagen de estabilidad y de seguridad, como todo el orden de su vida se problematiza cuando el personaje, que ha vivido enajenado en las formas de una existencia impersonal, es penetrado y sacudido por una presencia que repentinamente irrumpe en su existencia y gradualmente comienza a debilitar su fácil seguridad. Es en este momento que —sin todavía penetrar en ello distintamente— Andrés objetiva las formas de la existencia inauténtica en lo que él mismo llamará Omsk. Esto no ha podido hacerse sino desde el punto de vista de la conciencia auténtica en la que penetra angustiosamente.

[Entonces, el terror del tiempo y del espacio rozó a Andrés, remeciéndolo. Le flaquearon las piernas y su frente transpiró con el miedo de los seres que necesitaban saber y que no comprenden el porqué de las cosas. Allí mismo, en esa dulce esquina anochecida, dolorosamente despierto, iba a caer en el abismo al final del puente, en el espanto de la situación en que todo es igual a nada. Pero un segundo antes de abandonarse y dar el salto que lo iba a suspender o precipitar, surgió en Andrés un destello de instinto de conservación que le impidió caer en la locura de exigirse instantáneamente y allí mismo una respuesta fundamental y ese destello tuvo la forma de una frase irónica: "Todo esto es igual como si fuera en... en..." Trató de pensar en el sitio más apartado y exótico de la tierra "igual como si fuera en Omsk, por ejemplo, y toda esta gente fuera omskiana".

Rió con el nombre atrabiliario][378].

Antes de este momento toda la inseguridad de su existencia tan sólo se refugiaba en un inofensivo pero reiterado sueño, al que en la cita se alude[379].

Pero 'la gente omskiana' vive las formas gregarias, indiferenciadas, que adopta la sociedad y la especie y en las que toda la individualidad y personalidad queda enajenada. Esta es la existencia que ha llevado y que teme abandonar. Pues, en sus soportes, su existencia ha discurrido plácida y segura. En su actitud se mide la inanidad del personaje. ¿Qué es y cómo se representa en la novela la transformación gradual que experimenta? Toma inicialmente una forma ominosa y oscura que no penetra claramente en su conciencia y a la que se nos conduce con la objetividad extraña con que se narra la novela según hemos visto.

Primero, la llegada de Estela establece el motivo cuya reiteración nos permitirá seguir el proceso hasta la conciencia de Andrés. El modesto aspecto de la muchacha nos es presentado junto con la primera impresión confusa del signo que impone luego a la narración.

[Don Andrés observó que sólo el dorso de la mano era cobrizo como el resto de la piel —la palma era unos tonos más clara, un poco rosada, como... como si estuviera más desnuda que el resto de la piel de la muchacha. Un escalofrío de desagrado recorrió a don Andrés. En fin, el aspecto de la pobre sirvientita ganaría bastante con el delantal blanco de uniforme, y a su modo quizás llegara a verse bonitilla][380].

Lo que es un movimiento de desagrado se convertirá luego en el sentimiento de una acechanza instintiva y brutal.

[La anciana continuó rememorando, feliz. Mientras hablaba, Andrés observó que Estela, quien había estado escuchando mansa y con las manos plegadas sobre la falda, separó una mano de la otra. Andrés desvió la vista de esas palmas descubiertas, presa de incomodidad y de un inexplicable pudor, como si hubiera sorprendido alguna intimidad de la muchacha. En esa ligera variación de color, del cobre opaco del dorso al rosa mullido y sin duda tibio de la palma desnuda, inconvenientemente, desnuda, Andrés se vio acechado por algo instintivo, algo casi salvaje, inadmisible en su mundo donde todo era civilización, en ese cuarto donde lo único que lucía sin recato era la proximidad de la muerte][381].

Cuando este sentimiento es todavía oscuro y no ha penetrado con toda su evidencia en la conciencia de Andrés, es su abuela loca la que penetra con lucidez exacta en lo que ocurre y así lo declara. La violencia de la anciana perturba a su nieto sin que lo dicho lo convenza, sino, muy al contrario, le parecerá absurdo e intolerable.

[Estela no se movió. Levantando un poco las manos como quien pide ayuda, miraba a Andrés, que desvió la vista al ver esas palmas, acosado tanto por la presencia de carne fresca y rosa que se le antojó descaradamente indecente, como por la locura de la abuela, que, de manera tan inconveniente los había unido. ¿Dónde mirar, a quién acudir en busca de orden?][382].

Se intensificará en seguida la ominosa situación cuando la anciana ordena a Estela que se cubra con el chal que Andrés le ha llevado como regalo de cumpleaños. El chal, de color rosa, se convierte en un nuevo motivo que intensifica el sentido del motivo de las palmas rosadas.

[Estela se había envuelto en el chal, apretándolo a su cuerpo, Andrés la vio rosada entera, como si la desnudez de las palmas de sus manos se hubiera extendido impúdicamente por todo su cuerpo, como si misiá Elisita la hubiera desnudado con sus palabras enloquecidas, para entregársela. La mente de Andrés pugnaba por echar mano de cualquier cosa para cubrir o alejar esa imagen, era inútil][383].

Terminada la fiesta del cumpleaños, la proximidad de la muchacha y el recuerdo de las manos de la niña le hacen sentir vivamente la presencia de un peligro[384].

Los mismos motivos concurren en la situación en que la turbada conciencia de Andrés hará crisis y se abrirá para ella con claridad el sentido de la angustia que ha dominado su existencia. La situación es grotesca y propone una deformada imagen perversa de la sensualidad, representada por la mujer del anticuario a quien visita en procura de un nuevo bastón.

[Al indicar a su marido, descubrió a los ojos de Andrés la palma de su mano, rosada, muelle, cruda. Andrés se puso de pie. En lugar de Tenchita veía a Estela, envuelta en el chal que él había regalado a su abuela... y Estela despertaba en el lecho junto a él. El calor joven de la muchacha, su cuerpo levemente humedecido por el sueño tibio, lo tocaba. Tenía vivo en la nuca el aliento de Estela al ayudarlo o ponerse el abrigo, y ante sus ojos se hallaba abierto el peligro desnudo de sus palmas. ¿Su abuela entonces, a pesar de su locura, vio algo que él no se había atrevido a ver? ¿Podía ser que la locura fuera la única manera de llegar a ver hondo en la verdad de las cosas?[385].

La plena epifanía viene en seguida, cuando abandona la casa del anticuario y la presencia de la mujer abominable. Ahora alcanza la certeza de que desea a Estela y accede, acepta la existencia de este deseo.

[Andrés caminaba con los ojos cerrados. La agresividad de su deseo le aseguró con elocuencia que lejos de lo que él había creído y muy al contrario de lo que Carlos opinó, no estaba muerto, no era un individuo que de tanto podar y ordenar sus sensibilidades se hallaba incapacitado para darles curso natural. ¿No sucedió ya en su primer encuentro con Estela que al comprender las sugerencias de esas palmas muelles y rosadas, había experimentado una turbación que, ahora veía, no fue más que deseo repentino? Luego, acobardado por las acusaciones procaces de su abuela el deseo se sumergió, continuando, sin embargo, su desarrollo en lo más oscuro de su mente, donde la caricatura de Tenchita lo tronchó con la potencia de un tajo, y extrayéndolo, se lo mostró. ¡Todo era tan simple! ¡El, Andrés Abalos, se hallaba en el centro mismo de la vida!][386].

No bien ha alcanzado este momento de plenitud personal viene el golpe que lo abruma cuando ve en la proximidad de su casa una pareja de enamorados en los que al acercarse descubre a Estela y Mario. La violenta cerrazón de sus expectativas lo entrega a la desazón, a la angustia y lo conduce al desorden de su existencia. El golpe lo arroja a una nueva certidumbre: la de que no era puro deseo lo que lo movía hacia la muchacha sino verdaderamente amor[387].

Este hecho parece liberarlo de las imputaciones, que con penetrante clarividencia le ha hecho la anciana el día de cumpleaños cuando se irritara contra él[388]. Tratará de sobreponerse sin éxito a su abrumador conocimiento del amor de la muchacha con el repartidor, pues su existencia ha sido básicamente desquiciada por la manifestación consciente de su pasión, que se le revela, por lo demás, como el tardío y único baluarte contra la muerte, que había constituido hasta entonces su mundo [Este era su mundo, este cadáver de una familia y de una historia][389] ligado a la anciana moribunda. Como puede observarse en la exposición del motivo de las palmas rosadas, la vitalidad de la pasión es garantía de supervivencia y triunfo sobre la muerte. La frustración no anula la real orientación que su vida ha tomado hacia Estela, pero le da la forma de una radical insatisfacción y de un temor cerval a la autognosis[390]. Una forma de simulación y autoengaño domina ineficazmente su conciencia para mitigar la angustia de su personal miseria[391]. Su existencia se desordena y cae de su primitiva dignidad aparente a extremos grotescos que revelan la precariedad de su situación. Su pasión se conserva, pero se deforma a la vez en un merodeo brutal, en ojeadas ofensivas a la muchacha, en actitudes de amenaza apenas contenida. La miseria de su condición se ve reflejada en la opinión que su conducta y su extemporánea pasión despierta en Carlos Gros, su amigo de toda la vida, y en los pintorescos comentarios de las criadas y de Mario y Estela. Las palabras de Gros son una fustigante censura de su conducta absurda que hablan a la razón por cierto sin ninguna eficacia, pues la transformación de Andrés es total y completamente irracional, un reclamo de su necesidad de amar que ha despertado fieramente fuera de sazón.

La curva de este proceso se cierra cuando la muchacha prestándose a las maniobras de Mario y René engaña la pasión de Andrés cediendo a él por un instante. Al convertir a Andrés en un mero objeto anula su humanidad y lo precipita al autoaniquilamiento[392].

Andrés ha sospechado primero, en la clarividencia de su abuela, las virtudes cognoscitivas de la locura, capaz de penetrar esencialmente en la realidad; ha observado luego la indiferencia, la ausencia total de angustia con que ella se refiere a la muerte, que le está muy próxima; ha discutido con Gros sobre el desorden del universo y su congruencia con la locura, inconciencia que se corresponde con la anarquía, injusticia y desorden del mundo. De este modo cuando el engaño de la muchacha y el sentimiento de su rebajamiento, de su enajenación, lo arrojan en la conciencia del absurdo y del sinsentido de todo, se precipitará en la existencia de la locura, se enajenará consciente y libremente para evadirse de la angustia atroz y de la caída insoportable. De este modo la existencia inauténtica modificada luego en la angustiosa autenticidad concluye por desembocar en otro modo de existir en que la conciencia anulada, aniquilada, abre la posibilidad de escapar para siempre al temor y al temblor del existir consciente. De este modo también se articulan estructuralmente dos sectores significativos del mundo y se rinden recíproca iluminación y sentido.

El otro límite para la existencia auténtica y su posibilidad es esta forma de existencia que ilustra un modo de in-conciencia anterior al bien y al mal, anterior a la conciencia del bien y del mal, que hemos llamado conciencia inocente. Se trata de una existencia llena de precariedad y desamparo en extrema medida, miserable en su situación, manifestación pura de lo vital e instintivo, de lo mera y ciegamente instintivo, espontáneo; capaz de penetrar en la deformación de la dignidad personal por un movimiento del instinto puro y hasta en un conocimiento del mal, como entidad aciaga y ominosa; pero ordinariamente desprovista de la luz de una conciencia clara y distinta de las cosas. Oscuramente, con secreta seguridad, el ciego instinto, alma y pasión, de la existencia inocente salva el momento de la caída y se abre en disponibilidad en los personajes que justamente se salvan en la novela: la joven pareja de Estela y Mario.

En la particularidad de esta obra, esta forma de existencia primaria representa esencialmente la vida. Estela es para Andrés el reclamo vital de una pasión nunca antes sentida, la necesidad de habilitar una parte inédita o virgen de su ser, aún a deshora y fuera de lugar, para sentirse plenamente humano. Es el reclamo de la vida incontenible, pero es también necesidad de contar con el otro, con la aceptación del otro, para la realización del vínculo humano anhelado para integrarse a la realidad viva del mundo. El alejamiento de la vida significa la inanidad del ser, como la negación de la posibilidad legítima de vínculo mediatiza lo humano, lo reduce. Al enajenarlo, en objeto o instrumento, lo precipita definitivamente en la conciencia de la muerte en una atroz e intolerable experiencia del límite. Cuando la pasión, sola garantía de vida y de supervivencia, es anulada, el personaje es devuelto a la atmósfera y al mundo de mortal abandono del cual había sido circunstancialmente salvado por la pasión. Antes de abandonarse a esta conciencia lacerante del personal aniquilamiento, Andrés buscará en la locura la autoenajenación; relajará los términos deslindantes de realidad y ficción, se pondrá al margen de toda cuita existencial, animará sin angustia, tendrá una rara experiencia de la libertad, de lo incondicionado, y alcanzará, tal vez, como su abuela, una penetración mística de lo verdadero.

El juego de vida y muerte constituye la ley estructural del mundo, cuya relación constante extiende sus proyecciones sobre los momentos significativos de la narración y engendra la interrelación e interdependencia de los diversos modos de existir a que nos hemos referido. Esta ley es una ley de espacialidades: son sectores humanos los que aparecen como proyección de una realidad muriente y de una realidad vivificante. Con una consecuencia, que su novela posterior confirma con rasgos particulares, es posible constatar que personajes de la clase más alta sorben ansiosamente la vida, que les falta, de la clase baja que ofrece generosamente su condición vital.

BIBLIOGRAFIA
Y NOTAS

Bibliografía

Obras y textos de Lastarria: [1] *Miscelánea literaria.* Valparaíso, 1855. (El Mendigo, Rosa, El Alférez Alonso Díaz de Guzmán, El Manuscrito del diablo; [2] *Don Guillermo.* Santiago, 1860; [3] *Miscelánea histórico-literaria.* Valparaíso, 1868. Tomo II (El Mendigo, El Alférez Alonso Díaz de Guzmán, Rosa, Peregrinación de una vinchuca, Don Guillermo); Tomo III (El manuscrito del diablo); [4] *Antaño y ogaño.* Novelas y cuentos de la vida hispanoamericana. Leipzig, 1885 (El Mendigo, El Alférez Alonso Díaz de Guzmán, Rosa, Don Guillermo, El Diario de una Loca, Una hija, Mercedes); [5] *Obras completas,* Tomo XII: Novelas y cuentos de la vida hispanoamericana. Santiago, 1913 (agrega a las anteriores la novela ¡Salvad las apariencias); [6] *El manuscrito del diablo. Don Guillermo. Lima 1850.* Santiago, 1941; [7] Raúl Silva Castro, *Los cuentistas chilenos.* Santiago, 1937 (El Mendigo); [8] Raúl Silva Castro, *Antología de cuentistas chilenos.* Santiago, 1957 (El Mendigo): [9] Mariano Latorre, *Antología de cuentistas chilenos.* Santiago, 1938 (Mercedes).

Estudios de conjunto sobre Lastarria: [1] Alejandro Fuenzalida Grandón, *Lastarria y su tiempo.* Santiago, 1893; 2ª ed. Santiago, 1911. 2 vols.; [2] Pedro N. Cruz, *Estudios críticos sobre don José Victorino Lastarria.* Santiago 1917; [3] Domingo Melfi, *Dos hombres: Portales y Lastarria.* Santiago, 1937; [4] Sady Zañartu, *Lastarria, el hombre solo.* Santiago, 1941; [5] Luis Oyarzún, *El pensamiento de Lastarria.* Santiago, 1953.

Referencias específicas sobre la materia de este capítulo: [1] Raúl Silva Castro, *Cuentistas chilenos del siglo* XIX. Santiago, 1934. En este folleto el autor afirma por primera vez que Lastarria fue quien 'aclimató' en Chile el cuento y la novela. El lenguaje meteorológico y biológico es una resonancia del lenguaje crítico de Omer Emeth; [2] Raúl Silva Castro, "Estudio preliminar" de *Los cuentistas chilenos.* Considera que las narraciones de Lastarria "revelan influencias preferentemente castellanas, lo cual desmiente no poco al violento antihispanismo de que dio muestra" (p. 12). Para precisar agrega más adelante: "la forma de la narración y del estilo de los cuentos de Lastarria andan cercanos a los de Cervantes y las novelas picarescas (excepción hecha del *Buscón* de Quevedo), las ideas y los sentimientos son de la época, es decir, románticos. Tal es la caracterización de *El Mendigo:* romántico en el espíritu, clásico en la forma" (p. 12); [3] Raúl Silva Castro, "Lastarria, nuestro primer cuentista", *Atenea,* 279-280 (1948), 20-26. Reitera lo afirmado en los números anteriores sobre la 'aclimatación' del cuento en Chile. Su concepto de los géneros es impreciso y acomodaticio por lo que reduce la cuestión a pura cronología. No trepida en adelantar la composición de El Mendigo para demostrar que Lastarria y no *Jotabeche* es el 'primer cuentista'. De la cronología y del liderato literario de Lastarria desprende el autor que "la justicia ordena conceder a Lastarria una categoría excelsa" (p. 26). El autor ha morigerado su juicio en artículos y libros posteriores; [4] Raúl Silva Castro, "Ensayos sobre Lastarria", *Cuadernos Americanos,* 16, 1 (1957), 235-255; [5] *Antología de cuestistas chilenos;* [6] Raúl Silva Castro, *Historia crítica de la novela chilena.* Madrid, 1960; [7] Domingo Amunátegui Solar, *Las letras chilenas.* Santiago, 1934. Lo reconoce como precursor e iniciador pero le reprocha la falta de "la fantasía propia del género" (p. 81); [8] Guillermo Rojas Carrasco, *Cuentistas chilenos y otros ensayos.* Santiago, 1936. Considera de escaso valor la obra literaria de Lastarria y enjuicia con dureza cada una de sus narraciones. En contra de estos juicios desarrolló Silva Castro su tentativa de revaloración; [9] Luis Durand, "Algo sobre el cuento y los cuentistas chilenos", *Atenea,* 100 (1933), 262-275; [10] Mariano Latorre, *Antología de cuentistas chilenos;* [11] *La literatura de Chile,* Buenos Aires, 1941. Latorre considera el carácter precursor del novelista y estima que "la calidad especulativa de su mentalidad le resta emoción y los acerca [sus cuentos] al ensayo"; [12] Fernando Alegría, "Lastarria, el precursor", *Atenea,* 389 (1960), 48-55. Reduce la significación del novelista a un fenómeno local sin proyecciones extranacionales; [13] Homero Castillo y Raúl Silva Castro, "José Victorino Lastarria y el cuento chileno", *Symposium,* 13, 1 (1959), 121-127; [14] Homero Castillo, *El criollismo en la novelística chilena.* México, 1962. 8-12. Sigue a Silva Castro en todos sus aspectos y determinaciones. Aporta un cuidadoso análisis de *El Mendigo* que lo conduce a afirmar su "estructura clásica" (p. 11); [15] Cedomil Goić, "Sobre la estructura narrativa de *Don Guillermo* de J. V. Lastarria", *Revista del Pacífico.* 1 (1964), 61-71; [16] Cedomil Goić, "Lastarria, primer novelista chileno moderno", NORTE, 8, 2-3 (1967), 52-58.

Notas

1 La generación de Lastarria es la de 1852, constituida por los nacidos de 1815 a 1829; cuya iniciación acontece hacia 1845 —es la generación joven del movimiento del 42—; entran en vigencia de 1860 a 1874. Es la segunda Generación Romántica. En ella forman: Lastarria (1817-1888), Manuel Bilbao (1819-1895), Martín Palma (1821-1884), José Antonio Torres (1828-1864), Guillermo Blest Gana (1829-1905), Wenceslao Vial y otros, entre los novelistas. Cp. al respecto: Norberto Pinilla, *La generación chilena de 1842.* Santiago, 1943; Domingo Melfi, "La generación de Lastarria", *Atenea,* 141 (1937) 234-283; Raúl Silva Castro, "Las generaciones de la literatura chilena", *Revista Interamericana de Bibliografía,* 8, 2 (1950) 125-130.
En el plano hispanoamericano el fenómeno de la asunción de la

novela por las generaciones románticas es todavía más claro. Mientras en Chile la Primera Generación Romántica no produjo ningún novelista, a menos que contemos a *Jotabeche* (1811-1857), los proscritos argentinos de la misma generación, Esteban Echeverría (1805-1851), Juan María Gutiérrez (1809-1878) y Juan Bautista Alberdi (1810-1884), dan comienzo a la narrativa de su país. La novela argentina adquiere continuidad sólo a partir de la generación siguiente cuyas características literarias son semejantes a las de la generación chilena, con José Mármol (1817-1871), Bartolomé Mitre (1820-1906), Juana Manuela Gorriti (1819-1892) y Juana Manso de Noronha (1820-1875). En Colombia dan prueba de lo mismo Juan José Nieto (1804-1866) y Eugenio Díaz (1804-1865). En Cuba Cirilo Villaverde (1812-1894), etc. Antes de las generaciones románticas no hay sino la novela de J. J. Fernández de Lizardi (1776-1827) y la de Antonio José de Irisarri (1786-1868) tan llena esta última de incitaciones románticas, pero decididamente antiprogresiva frente al movimiento que se iniciaba. Ya con la Tercera Generación Romántica puede hablarse maduramente de la novela hispanoamericana como un fenómeno cohesivo, continuo y literariamente estimable, dentro de notas peculiares de discronía y sorpresa.

[2] Sobre el concepto de novela moderna, *Vid.* W. Kayser, *Origen* y *Crisis de la novela moderna, Cultura Universitaria,* 47 (1955).

[3] No puede aceptarse el criterio de algunos que tienden a llenar el vacío anterior con los 'elementos novelescos' que creen sorprender en crónicas, memoriales, poemas épicos, obras dramáticas u otras, como han hecho: Arturo Torres-Rioseco, *La novela en la América Hispana,* Berkeley, 1949; Luis Alberto Sánchez, *Proceso y contenido de la novela hispanoamericana.* Madrid, 1953; José Zamudio, *La novela histórica en Chile.* Santiago, 1949; entre otros. Cuando así se hace no se desconoce tan sólo la condición genérica de la novela, sino también la índole de los géneros literarios o historiográficos a que esas obras pertenecen.

[4] De allí la aparente uniformidad de la literatura de las Generaciones Románticas: la extensa vigencia de la novela histórica; la coexistencia de escritores del siglo XVIII con los románticos; las anticipaciones y los retardos. La *Atala* de Chateaubriand, p. e., que traducida al español en 1801, todavía es influencia decisiva sobre ciertos autores en 1867.

[5] El Período Romántico se extiende desde 1845 hasta 1890. Bajo él se desarrollan tres generaciones románticas: (I) Los nacidos de 1800 a 1814, cuyos representantes egregios son en Chile, *Jotabeche,* Vicente Pérez Rosales y los emigrados argentinos; (II) Los nacidos de 1815 a 1829, es decir, la generación de Lastarria (Vid. nota 1), Francisco Bilbao, Salvador Sanfuentes, Eusebio Lillo y Guillermo Matta, y (III) Los nacidos de 1830 a 1844, cuya gran figura es Alberto Blest Gana y a la que pertenecen además Daniel Barros Grez, Liborio Brieba, Moisés Vargas, José A. Soffia, Eduardo de la Barra y otros.

[6] E. R. Curtius, *Literatura europea y literatura latina medieval,* I, i, 34.

[7] Cp. Emilio Carilla. *El Romanticismo en la América Hispana.* Madrid, 1958; Norberto Pinilla, *La polémica del Romanticismo.* Santiago, 1943.

[8] Vid. nota 1.

[9] Toda la crítica de la obra de Lastarria (Vid. supra *Bibliografía*) se ha hecho desde su biografía y sus ideas políticas y sociales. Ningún intento se había hecho por penetrar en la estructura de su obra hasta la publicación de nuestro artículo "Sobre la estructura narrativa de *Don Guillermo* de J. V. Lastarria", *Revista del Pacífico,* 1 (1964) 61-71.

[10] Vid. mi artículo citado en la nota anterior.

[11] Es decir, un aspecto determinante del género, entre otros que se consideran más adelante. Cf. W. Kayser, *Origen*, 16.

[12] Lastarria, *Don Guillermo*, i, 110. Cito por la edición de las *Obras completas*, Tomo XII. Todas nuestras citas de la novela serán de esta edición. Modernizamos la ortografía en todos los casos.

[13] DG, *Posdata*, 259-260.

[14] DG, III, 127.

[15] DG, VIII, 147.

[16] DG, VIII, 147.

[17] DG, XXIII, 255.

[18] Cf. W. Kayser, *Origen*, 18.

[19] Lo mismo puede decirse de cada una de las novelas de Lastarria.

[20] Vid. Margarita Ucelay da Cal, *Los españoles pintados por sí mismos*. México, 1951, 87-90.

[21] DG, XV, 190. Cf. nuestro artículo citado, 68-71.

[22] Vid. Diderot, "Elogio a Richarson", *Obras escogidas*. París, Garnier, 1921. Tomo I, 293-310.

[23] Cf. W. Kayser, *Origen*, 27.

[24] Cf. Diderot, *op. cit.*, 294.

[25] Hay que dar toda su importancia al costumbrismo de la Primera Generación Romántica para la formación del realismo novelístico del siglo XIX. En relación a Lastarria es tan importante el cultivo que hizo del cuadro de género como el modelo que encontró en *Jotabeche* y en Sarmiento. El modelo extranjero común de mayor prestigio es Larra.

[26] Válido para todos los novelistas del Período.

[27] Si se lee las otras obras de Lastarria se reconocerán supersticiones o creencias populares como la Viuda, el Penitente, al lado de los Imbunches, las Brujas y la Cueva del Chivato. La representación del bajo pueblo con su hablar pintoresco es otro de los aspectos que singularizan a Lastarria.

[28] Cf. *Recuerdos literarios*. Leipzig, 1885, 113.

[29] Vid. Erich Auerbach, *Mímesis*. México, 1950, 435.

[30] Principalmente en las novelas cortas de acuerdo a la índole del género, pero puede verse en DG, XVIII, 218-220. En *El Mendigo* se describe el Mapocho; la orilla del Bío-Bío en *El Alférez Alonso Díaz;* en *El Diario de una Loca*, el Illimani de Bolivia y la bahía de Río de Janeiro; el cerro Santa Lucía y Santiago en *Mercedes*, etc.

[31] Cf. E. Auerbach, *Mímesis*, 452 *et seq.*

[32] Vid. Henri Jolles, *Einfache Formen*. Halle, 1930. "Märchen". Debo a mi amigo el Prof. Carlos Foresti el manejo de una excelente traducción castellana de este libro.

[33] DG, IV, 129.

[34] DG, IV, 130.

[35] DG, III, 124.

[36] Vid. Jolles, "Märchen".

[37] Vid. Jolles, "Märchen".

[38] Vid. Jolles, "Märchen".

[39] DG, *Postdata*, 259-260.

[40] DG, XXII, 251-252.

[41] Comoquiera que sea, este rasgo domina toda la narrativa hispanoamericana del Período Romántico. Es virtud narrativa del creador el lograr que esas normas ideológicas encarnen efectivamente en el mundo. Es en esta tentativa que Lastarria muestra virtudes que han permanecido ocultas hasta ahora, o si no ocultas, desarticuladas de una interpretación unitaria.

[42] Vid. DG, XIX, 230 y Cf. *Recuerdos*, 113.

[43] Vid. *Recuerdos*, 356-357.

[44] Puede verse también en *El Mendigo, El Alférez Alonso Díaz de Guzmán, Rosa, El Diario de una Loca*. En el caso de *El Alférez . . .* donde priva un pasado absoluto, un gobierno despótico —imperio español del siglo XVII— bajo una etapa teológica del pensamiento, la imperfección social llega a la monstruosidad y el mundo pierde matices. El caso de una mujer a quien las circunstancias llevan a dejar el convento y a abandonar la madre patria vestida de hombre para formar en las filas del ejército real; que finge enamorarse de una joven mientras en ella misma nace una pasión por un compañero de armas; cuyos celos la llevan a matarlo; y que, por una *casualidad* funesta sacrifica a su hermano y al padre de su protectora; no tiene otro sentido

que no sea poner de manifiesto la perversión monstruosa de una edad superada por el perfeccionamiento moral de la especie. En ningún lugar como en éste explotó Lastarria las posibilidades narrativas de la casualidad romántica. Si ello ocurre en este caso es porque entra como un elemento caracterizador del espacio.

[45] DG, XX y XXI. Asmodeo es figura demoníaca en quien encarna en el Romanticismo el espíritu de crítica social. Vid. *supra* nota 20.

[46] Puede encontrarse en varias obras de Lastarria expresiones de satanismo ambiguo para representar equívocamente los dos términos del mundo.

[47] Cf. Sir Walter Scott citado por Miriam Allott, *Novelists on the Novel*. London, 1960, 50.

[48] Cf. Enrique Anderson Imbert, *Estudios sobre escritores de América*. Buenos Aires, 1954, 26-46.

[49] Cf. Emilio Carilla, *El Romanticismo en la América Hispana*, 83-84.

[50] Lastarria aparece de esta manera estrechamente ligado a las proyecciones que alcanzó la novela chilena del siglo XIX y en general a la vertiente naturalista que se apoya en alguna forma de cientificismo; deformación muy extensa en nuestra narrativa más caracterizada.

[51] Cf. Diderot, *op. cit.*, 293.

[52] DG, XV, 190.

[53] Vid. *Recuerdos*, 100.

[54] Vid. *Recuerdos*, 420.

[55] Cp. Raúl Silva Castro, *Historia crítica de la novela chilena*, 30.

[56] *Obras completas*, Tomo XII, 463.

[57] *Obras completas*, Tomo XII, 461-464.

[58] *Obras completas*, Tomo XII, 464.

[59] Vid. mi artículo citado, 69.

Bibliografía

Novelas de Alberto Blest Gana: [1] *El primer amor.* Valparaíso, 1858; [2] *La fascinación.* Valparaíso, 1858; [3] *Engaños y desengaños.* Valparaíso, 1858; [4] *Juan de Aria.* Valparaíso, 1859; [5] *La aritmética en el amor.* Valparaíso, 1860; [6] *El pago de las deudas.* Valparaíso, 1861; [7] *Un drama en el campo. La venganza. Mariluán.* Santiago, 1862; [8] *Martín Rivas.* Santiago, 1862; [9] *El ideal de un calavera.* Santiago, 1863; [10] *Durante la Reconquista.* París, 1897; [11] *Los trasplantados.* París, 1904; [12] *El loco Estero.* París, 1909; [13] *Gladys Fairfield.* París, 1912; [14] *Una escena social.* Santiago, 1922?; [15] *La flor de la higuera. Los desposados. Engaños y desengaños.* Santiago, 1953.

Ediciones de Martín Rivas: [1] Santiago, Imp. de La Voz de Chile, 1862; [2] Buenos Aires, Imp. del Siglo, 1869; [3] Nueva ed. París, Librería de A. Bouret e Hijo, [1875]; [4] París, Librería de Ch. Bouret, 1884; [5] Santiago, Oficina de El Chileno, 1905; [6] París-México Librería de la Vda. D. Ch. Bouret, 1910; [7] París-México. Librería de la Vda de Ch. Bouret, 1924; Santiago, Folletines de El Mercurio, 1925; [9] Boston D. C., Heath and Company, 1926; [10] París-México, Lib. de la Vda. de Ch. Bouret, 1931; [11] Santiago, Zig-Zag, 1938; [12] Santiago, Zig-Zag, [1939]; [13] Santiago, Ediciones Ercilla, 1941; [14] 3ª ed. Santiago, Zig-Zag, 1944; [15] Santiago, Editorial Orbe, 1946; [16] 4ª ed. Santiago, Zig-Zag, 1948; [17] Saa ed. Santiago, Zig-Zag, 1955; [18] 6ª ed. Santiago, Zig-Zag, 1956; [19] 7ª ed. Santiago, Zig-Zag, 1956; [20] 8ª ed. Santiago, Zig-Zag, 1961; [21] Santiago, Buenos Aires, Barcelona, Ed. del Nuevo Extremo Ltda. [1962]; [22] 9ª ed. Santiago, Zig-Zag, 1963; [23] Traducción: Translated from Spanish by Mrs. Charles Whitman. New York, Alfred A. Knopf. 1916.

Costumbres, viajes, teatro y otras páginas: [1] *De Nueva York al Niágara.* Santiago, 1867; [2] *Costumbres y viajes.* Páginas olvidadas. Santiago, 1947; *El jefe de la familia y otras páginas.* Santiago, 1956; [4] *Blest Gana: sus mejores páginas.* Santiago, 1961.

Estudios de conjunto sobre Blest Gana: [1] Alejandro Fuenzalida Grandón, *Algo sobre Blest Gana y su arte de novelar.* (1830-1920). Santiago, 1921; [2] Raúl Silva Castro, *Alberto Blest Gana* (1830-1920). Santiago, 1941; 2ª ed. refundida. Santiago, 1955; [3] Alone, *Don Alberto Blest Gana.* Santiago, 1940; [4] Luis I. Silva, *La novela en Chile.* Santiago, 1910; [5] Homero Castillo y Raúl Silva Castro, "Las novelas de don Alberto Blest Gana", RHM, 23, 3-4 (1957),

292-304; [6] Homero Castillo y Raúl Silva Castro, *Historia Bibliográfica de la Novela chilena.* México, 1961.

Referencias específicas sobre la materia de este capítulo: [1] Domingo Amunátegui Solar, *Las Letras Chilenas,* 169-180. Considera a Blest Gana "El fundador de la novela en Chile". Resume la fábula de la novela que le recuerda *Le Roman d'un jeune homme pauvre* de Octave Feuillet, sin embargo para él "tenía el indiscutible mérito de ofrecer un cuadro netamente chileno; y podía considerarse como un testimonio histórico del estado de nuestra sociedad hace setenta años"; [3] Eliodoro Astorquiza, "Don Alberto Blest Gana", *Revista Chilena,* 34 (1920), 345-370. Sin duda el mejor análisis de la obra de Blest Gana desde el punto de vista de la novela moderna. Considera una excepción a MR dentro de la novela del autor "por la manera de abordar los sentimientos y por la manera de contar"; [4] Diego Barros Arana [= X.], "MR, novela de costumbres político-sociales por don Alberto Blest Gana", *El Correo del Domingo,* 18, (1862). Tb. en L. I. Silva, *La novela en Chile,* 59-69. Otro de los excelentes artículos sobre la novela. Calla los errores históricos y juzga la novela desde un punto de vista estrictamente literario reprochándole falta de animación al describir los sucesos del 20 de abril; considera, sin embargo, de gran valor la obra; [5] Daniel Barros Grez, "Martín Rivas", *La Voz de Chile* (9 de agosto de 1862). Lleva la simpatía del compañero de generación por el asunto nacional, la función social y la edificante moral de la novela "Las sabrosas escenas de MR. se encuentran como impregnadas de cierto sabor filosófico, que hace de la obra un libro de aprendizaje social"; [6] Pedro N. Cruz, "Don Alberto Blest Gana", *La Unión* (20 y 21 de agosto, 1908). Tb. *Estudios sobre lit. chil.* II, 81-95. Considera principalmente el modo narrativo de Blest Gana. Sobre los defectos de otras obras destaca algunas que "merecen notarse y, en primer lugar, M. R., que pinta bastante bien el amor gradual de una aristocrática y orgullosa joven hacia un pobre y caballeroso estudiante provinciano que alojaba en casa de ella. Esta novela también se duplica con los amores de un amigo de Martín, que son interesantes y pasan a menudo al primer término"; [7] Alberto Edwards, "Una excursión por Santiago antiguo. El MR. de Blest Gana y la sociedad chilena de 1850", *Pacífico Magazine,* 2, 38 (1916), 115-128. Intenta sorprender en la novela una clave para personajes históricos contemporáneos. . .; [8] Ricardo A. Latcham, "Blest Gana y la novela realista", *AUCh,* 112 (1958), 30-46. Estudia la dependencia de la obra blestganiana del Realismo francés; [9] Mariano Latorre, "El pueblo en las novelas de Blest Gana", *Atenea,* 100 (1933), 193-195; [10] Mariano Latorre, *La literatura de Chile,* 66-67; [11] Domingo Melfi, "Blest Gana y la sociedad chilena", *Atenea,* 100 (1933), 168-173. Tb. *Estudios de lit. chil.*, 33-38; [12] Raúl Silva Castro, *Historia crítica de la novela chilena,* 71-76; [13] Fernando Alegría, *Breve historia de la novela hispanoamericana,* 57-58; [14] Walter T. Phillips, "Chilean customs in Blest Gana's Novels", *Hispania,* (December, 1943), 397-406; [15] Arturo Torres Rioseco, "La novela en América: Isaacs, Blest Gana y Ricardo Palma", *Atenea,* 141 (1937), 319-327. Tb. *La novela en la América Hispana.* Berkeley, 1939; [16] Benjamín Vicuña Mackenna, *Historia de la jornada del 20 de abril de 1851,* Santiago, Lima, Valparaíso, 1878. 642.

Notas

[60] De la temprana popularidad de esta novela nos habla Barros Arana en la reseña de la primera edición europea: "MR la más popular y quizás la mejor de las numerosas novelas del señor Blest Gana", D. B. A. "Revista Bibliográfica", *Revista Chilena,* 2 (1875) 376. Tb. en L. I. Silva, *La novela en Chile,* 69-71.

[61] He podido comprobar esto en muchas partes y, especialmente con mis alumnos y el auditorio de algunos cursos y conferencias. Todos han leído la novela en sus Humanidades.

[62] Esto tiene asidero en un aspecto importante de la estructura de MR. El lector, por otra parte, parece quedarse con la imagen final y proyectarla, retroactivamente, sobre la totalidad de la narración.

[63] El punto de vista de la novela europea trae consigo, con su comparativismo, el énfasis en la calidad y los valores estéticos de la obra. Cf. Domingo Amunátegui Solar, *Las letras chilenas,* 175; Diego Barros Arana, "MR, novela de costumbres político sociales . . ."; Raúl Silva Castro, *Alberto Blest Gana,* 402-404; Pedro N. Cruz, *Estudios sobre lit. chil.* 94-95; Alone, *Don Alberto Blest Gana,* 315.

[64] Cf. Justo Arteaga Alemparte, "Cuatro novelas de Blest Gana", *La Semana,* 14 (20 de agosto de 1859) 209-211; Domingo Amunátegui Solar, *loc. cit.;* Raúl Silva Castro, *Alberto Blest Gana,* 589-590; Enrique Anderson Imbert, *Historia de la lit. hispanoamericana.* México, 1961. I, 261-263.

[65] Vid. supra *Bibliografía: Ediciones de Martín Rivas.*

[66] Intentamos mostrar en este capítulo el sentido de tal continuidad, aspecto no señalado antes por la crítica.

[67] "De los trabajos literarios en Chile", *El jefe de la familia,* 450.

[68] "De los trabajos literarios en Chile", *El jefe de la familia,* 452.

[69] "Literatura Chilena", *El jefe de la familia,* 462.

[70] "Literatura Chilena", *El jefe de la familia,* 465.

[71] Vid. supra Capítulo I, p. 14.

[72] "La literatura chilena", *El jefe de la familia,* 468. Vid. supra, Cap. I, p. 14 y nota 47.

[73] Cf. Pedro N. Cruz, *op. cit.,* 94; Ricardo A. Latcham, "Blest Gana y la novela realista", 38-39.

[74] Cf. Domingo Melfi, *Estudios de lit. chil.* 33-38.

[75] "La literatura chilena", *El jefe de la familia,* 469.

[76] Daniel Barros Grez, "Martín Rivas", *La Voz de Chile* (9 de agosto de 1862).

[77] Eliodoro Astorquiza, "Don Alberto Blest Gana", *Atenea,* 389 (1960), 15.

[78] Alone, *Don Alberto Blest Gana,* 163.

[79] Domingo Melfi, *Estudios de lit. chil.,* 35.

[80] Ugo Gallo-Giuseppe Bellini, *Storia della letteratura ispanoamericana,* Milano, 1958, 369. Claro que el cuadro termina con un esquema convencional, ajeno al espíritu de la obra: "Egli presenta come insanabile la divisione tra le classi sociali, tra i 'rotos', i disperati, la classe media e la classe ricca che

domina la vita nazionale dalla complicata macchina del potere e della finanza". Cp. más adelante en este capítulo pp. 31-32.

[81] Cp. Diego Barros Arana, "MR, novela de costumbres político-sociales", 61-62.

[82] MR, XII, 67. Citamos por la 7ª ed. Santiago, Zig-Zag, 1956.

[83] MR, XII, 80.

[84] La verdad es que no siempre ocurre así; en ocasiones el narrador critica las características de su propio tiempo en el que persisten antiguos vicios.

[85] Cp. Walter T. Phillips, "Chilean customs in Blest Gana's novels", 399.

[86] MR, i, 9. "A principios del mes de julio de 1850 atravesaba la puerta de calle de una hermosa casa de Santiago un joven de veintidós a veintitrés años. Su traje y sus maneras estaban muy distantes de asemejarse a las maneras y al traje de nuestros elegantes de la capital. Todo en aquel joven revelaba al provinciano que viene por primera vez a Santiago. Sus pantalones negros, embotinados por medio de anchas trabillas de becerro, a la usanza de los años de 1842 y 43; su levita de mangas cortas y angostas; su chaleco de raso negro con largos picos abiertos, formando un ángulo agudo, cuya bisectriz era la línea que marca la tapa del pantalón; su sombrero de extraña forma y sus botines abrochados sobre los tobillos por medio de cordones negros componían un traje que recordaba antiguas modas, que sólo los provincianos hacen ver de tiempo en tiempo por las calles de la capital".

[87] Recuérdese que Lastarria apelaba ya en DG a esta teoría del amor de Stendhal. Cp. Enrique Anderson Imbert, *op. cit.*, 261.

[88] Cp. Diego Barros Arana, *loc. cit.*, que reprocha al autor la falta de elaboración de los acontecimientos desde el punto de vista literario comparándolo con Sir Walter Scott, *La cárcel de Edimburgo*, en la representación de un motín.

[89] Cp. Raúl Silva Castro, *op. cit.*, 402-404; Ricardo A. Latcham, *loc. cit.*, 40.

[90] MR, V, 28-31. Cp. Jotabeche, "El provinciano en Santiago", *Obras de don José Joaquín Vallejo*. Santiago, 1911 (BECh, VI), 233-242.

[91] MR, X, 57-58.

[91b] Cp. Domingo Amunátegui Solar, *op. cit.*, 175; Raúl Silva Castro, *op. cit.*, 402-404.

[92] MR, XVII, 98.

[93] MR, LIV, 323.

[94] Cp. E. Astorquiza; Gastón von dem Bussche, "Vigencia de MR", *Diez Conferencias*, Concepción, 1963, 77, ve en doña Francisca Elías una figura bovarista en lo que nos parece comete un error, si bien puede quedar encerrada en la vastedad del concepto de Jules de Gaultier. Pero vinculada al tipo de la mujer que ensueña una pasión movida por sus lecturas y la medianía del ambiente en que vive, debemos estimar a la joven Edelmira como la figura cabal y representativa.

[95] Cp. Diego Barros Arana, *loc. cit.*, 60.

[96] Cp. Diego Barros Arana, *loc. cit.*, 61.

[97] Cp. Ugo Gallo-Giuseppe Bellini, *op. cit.*, 369. Vid. supra nota 80; Mariano Latorre, "El pueblo en las novelas de Blest Gana", *Atenea* 100 (1933), 193-195.

[98] Barros Arana y P. N. Cruz han analizado con propiedad la significación narrativa de la multiplicidad de espacios.

[99] Cp. Eliodoro Astorquiza, *loc. cit.*, 25, sobre los tipos blestganianos.

[100] MR, VII, 42.

[101] Vid. supra Cap. I, p. 12.

Bibliografía

Novelas de Vicente Grez: [1] *Emilia Reynals.* Novela santiaguina. Santiago. Imprenta de "La Epoca", 1883; [2] *La dote de una joven.* Novela santiaguina. Santiago, Rafael Jover, editor, 1884; [3] *Marianita.* Santiago, Imprenta Cervantes, 1885; 2ª ed. Santiago, Imprenta de "La Tarde", 1899; 3ª ed. Santiago, Imprenta Artística Nacional, 1912; [4] *El Ideal de una Esposa.* Santiago, Imprenta Cervantes, 1887; 2ª ed. Santiago, Imprenta Artística Nacional, 1911.

Estudios de conjunto: La bibliografía sobre Vicente Grez es breve y escasa. Pueden tomarse como referencia generales los siguientes títulos: [1] Roberto Alonso "Revista Literaria. *Marianita.* Novela por Vicente Grez", *Revista de Artes y Letras,* 4 (1885), 552; [2] Domingo Amunátegui, *Las letras chilenas,* 233-234; [3] Angel C. Espejo, "Vicente Grez el humorista", *El siglo* XX, 1, 2 (julio, 1909), 77; [4] Pedro Pablo Figueroa, *Galería de escritores chilenos.* Santiago, 1885; [5] Jorge Hunneus Gana, *Cuadro histórico de la producción intelectual de Chile,* Santiago, 1910. 755-756; [6] Domingo Melfi, *El viaje literario.* Santiago, 1945. 50-51 *et passim;* [7] Enrique Nercasseau y Morán, "Dos novelas y dos novelistas. *Marianita,* de don Vicente Grez...", *Revista de Artes y Letras,* 5 (1885), 102; [8] Luis Orrego Luco, "Hechos y notas", *Selecta* (julio, 1909); Pedro Nolasco Préndez, *Los candidatos liberales para 1885.* Valparaíso, 1885; [10] Raúl Silva Castro, *Panorama literario de Chile.* Santiago, 1962; Carlos Silva Vildósola, "El Mercurio" (29 de mayo, 1909); [13] Raúl Silva Castro. *Diccionario de la lit. latinoamericana.* Chile. Washington, 1958; [14] Homero Castillo y Raúl Silva Castro, *Historia bibliográfica de la novela chilena;* [15] Luis I. Silva, *La novela en Chile.* Santiago, 1910.

Referencias específicas sobre la materia de este capítulo: [1] Domingo Amunátegui, *Letras chilenas:* Señala la novela como el género principal de la obra de Vicente Grez y dice: "Grez era un escritor realista; y en sus novelas no temía copiar la naturaleza en sus aspectos más crudos", 233; [2] Luis Covarrubias, "[El Ideal de una Esposa"] en Luis I. Silva, *La novela en Chile,* 156-165. Es el análisis más completo de la novela hasta la fecha. Describe el argumento con algunas imperfecciones y quedan ignoradas para él las causas del conflicto presentado y su carácter naturalista. Manifiesta reiteradamente su rechazo de "la propensión a la escuela naturalista que considero —dice— perniciosa al arte", 157. Reduce el naturalismo de la novela a la representación de las escenas de la quinta del Tajamar. Concluye con algunos reparos al estilo, que considera de todos modos "animado y en general de bastante brillo", 165; [3] Jorge Hunneus Gana, *Cuadro histórico,* 755-756. Considera a Vicente Grez como el más afortunado de los novelistas que han recibido la influencia de Blest Gana. Subraya el interés que tienen sus obras en el estudio psicológico de los caracteres y en el movimiento de las pasiones. Comparándolo con el maestro dice: "Los cuadros, tela y marco, de las novelas de Grez, cabrían en cualquier capítulo de las grandes novelas de Blest Gana y son, al lado de aquellas obras, miniaturas".

"Pero agreguemos que son miniaturas en cuya ejecución se adivinan obrando en pequeño los mismos talentos y cualidades de Blest Gana". 756; [4] Domingo Melfi, *El viaje literario,* 50-51 *et passim.* "Cuando se publicó *El Ideal de una Esposa,* en 1887, de Vicente Grez, se produjo un aplauso unánime y se dijo que, por fin, había aparecido el novelista que Chile esperaba después de Blest Gana. El novelista psicológico que hacía falta. Cierto es que Grez no satisfizo las esperanzas, pero puede decirse que es el precursor del género que por lo demás ha tenido muy pocos cultivadores en Chile. Grez no alcanza la fuerza de Blest Gana, en la composición de los cuadros no domina certeramente el panorama total de la vida chilena, pero es un buscador de almas, un humorista a ratos y un sentimental para el que el análisis psicológico tiene un lugar preponderante en el campo de la novela", 50-51. Como en el caso anterior se quiere asimilar la obra de Grez a la estructura de las blestganianas, lo cual es tan impropio como injusto en este caso. [5] Raúl Silva Castro, *Creadores chilenos de personajes novelescos.* Santiago, s. a., 83-88; [6] *Panorama de la novela chilena.* México, 1955. 63-67; [7] *Historia crítica de la novela chilena.* Madrid, 1960. 130-135. En estos tres libros —que son en verdad un solo y mismo libro—, Raúl Silva Castro reitera exactamente sus consideraciones sobre Vicente Grez. Destaca *El Ideal de una Esposa* como "tragedia vívida de los celos femeninos". Presenta el argumento en forma incompleta e inadecuada. Pone en relieve la innovación practicada por Grez en el asunto de la novela; "Hasta el período que estamos historiando no había nacido en Chile autor alguno que se hubiera atrevido a levantar con tanta audacia el techo de la casa para mostrar lo que ocurre entre cuatro paredes". Considera que con él nació para la literatura chilena el primer émulo digno de Blest Gana. Entre los aspectos más discutibles señala: "Grez no es colorista ni parecen interesarle demasiado los 'cuadros de género'. Estima que *El Ideal de una Esposa* es "una de de las novelas chilenas más señeras, dignas de un atento estudio crítico"; [8] Raúl Silva Castro, "Evocación de Vicente Grez", *Atenea,* 384 (1959), 79-94. Este artículo y el número anterior de esta bibliografía [7] traen una innovación o agregado a los juicios anteriores sobre *El Ideal de una Esposa:* "El más trascendental problema que plantea este libro es, por lo demás, el saber si el desafecto incubado en el amor es variante local, que afecta sólo a la mujer chilena en la lucha de los sexos o si es una propensión general, humana, sin sujeción a climas y latitudes; Grez no se pronuncia; nadie se ha pronunciado". Nadie se pronunciará en cuestión tan ociosa.

Notas

[102] La iniciación del Naturalismo en Chile es obra de la generación de Vicente Grez como fenómeno gregario. Manifestaciones aisladas hubo como la novela de J. V. Lastarria, *¡Salvad las apariencias!* (1884). Vid supra, Cap. I, p. 16. Sobre la fecha de iniciación R. A. Latcham ha consignado una muy posterior atribuyendo su introducción a Angel C. Espejo, cuentista de la generación siguiente. Cp. R. A. Latcham *Historia del Criollismo, AUCh,* 94 (1954), 5-22.

[103] El período Naturalista se extiende desde 1890 hasta 1935. Bajo él se desenvuelven tres generaciones naturalistas: (I) La generación Criollista formada por los nacidos de 1845 a 1859, es decir, la generación de Vicente Grez y del cuentista Daniel Riquelme, de Nicolás y Senén Palacios, de Ramón Pacheco, y de J. T. Medina; (II) La Generación Modernista constituida por los nacidos de 1860 a 1874; a ella pertenecen Luis Orrego Luco, Federico Gana, Baldomero Lillo, Angel C. Espejo, Pedro A. González; a ella se adscribió, como a sus coetáneos Rubén Darío mientras permaneció en Chile, y (III) La Generación Mundonovista, que forman los nacidos de 1875 a 1889. Es la generación de Mariano Latorre, Fernando Santiván, D'Halmar, Pedro Prado, Eduardo Barrios *et al.* La vigencia de cada generación se comprende de la siguiente manera: (I) Criollismo de 1890 a 1904; (II) Modernismo de 1905 a 1919; (III) Mundonovismo de 1920 a 1935.

[104] Cp. Amado Alonso, "Aparición de una novelista" en M. L. Bombal, *La Ultima Niebla,* 3ª ed. Santiago, 1962, 8-12

[105] Vid. supra, Cap. II, p. 20.

[106] Cp. Raúl Silva Castro, *Historia crítica de la novela chilena,* 133.

[107] En el primer juicio hay acuerdo unánime entre quienes se han ocupado de la obra de Grez; en el segundo, no es difícil apreciar cómo se destaca en medio de la novela ocupada en asuntos de incitación local y ordinaria y dentro de las formas del folletín. La guerra del Pacífico, las leyes de Reforma, la revolución del 91, escasamente, por un lado; la apertura condicionada por la sensibilidad naturalista a los personajes de baja condición o del cuarto estado —bandidos, presidiarios, cortesanas, un antihéroe de raigambre popular—, por el otro, no producen obra comparable a la que aquí estudiamos.

[108] Vid. Bibliografía referente a este capítulo.

[109] Cp. Domingo Melfi, *El Viaje,* 50.

[110] Cf. Raúl Silva Castro en cada uno de sus libros citados: "A pesar de su interés por la pintura y las Bellas Artes en general, Grez no es colorista ni parecen interesarle demasiado los 'cuadros de género' ". Cp. Luis Covarrubias, 164, 165.

[111] IE, I, i, 10.

[112] IE, I, ii, 17.

[113] IE, II, xi, 153.

[114] IE, II, i, 37-38.

[115] IE, II, i, 40.

[116] IE, II, i, 41-42.

[117] IE, II, iii, 58-59.

[118] IE, II, ix, 136-137.

[119] Vid. más adelante, p. 51.

[120] Cf. Domingo Melfi, *El Viaje,* 50,

[121] IE, II, xi, 160-61.

[122] Cp. Raúl Silva Castro, *Historia crítica;* Luis Covarrubias, 156. El título de la novela ha suscitado interpretaciones divergentes.

[123] La voluptuosidad constituye una innovación audaz en las preferencias literarias de esta generación; corresponde a la sensibilidad del Naturalismo frente a la cual se resisten en diversa forma Lastarria y Blest Gana.

[124] IE, II, xii, 175.

[125] IE, I, i, 6.

[126] IE, I, i, 8.

[127] IE, I, i, 7.

[128] IE, I, i, 9-10.

[129] IE, I, iii, 36.

[130] IE, II, i, 42.

[131] IE, II, ii, 54.

[132] Sobre la recepción de esta escena y de su naturalismo insólito en la tradición narrativa chilena, Vid. Luis Covarrubias, 164-165; Cp. Raúl Silva Castro, *Historia crítica,* 132. Los críticos de antaño y ogaño han puesto el acento, al hablar de la novela naturalista, en cierta violencia audaz y escabrosa de los motivos de alcoba o de la vida galante. Ello delata sólo cómo la primera asunción de esta tendencia se efectúa a través de esos motivos y de otros semejantes o en la gama del horror y del asco de que dan buena cuenta las novelas de este período en toda Hispanoamérica. Para la fecha del Naturalismo en Chile la observación de D. Melfi: "Cuando Grez escribe su primer libro ya el Realismo ha ganado la jornada en Europa y los ecos han repercutido con más apresuramiento en Chile. No hay sino leer los avisos de librerías en los diarios de 1885 adelante para comprender este fenómeno; se anuncian obras de Daudet, Banville, Zola, Maupassant, Goncourt, Galdós, Palacio Valdés, Gogol y otros. Es decir, la generación realista que determina una renovación en todas partes de los métodos novelísticos y por supuesto, de los caracteres del estilo". *El Viaje,* 50; Cp. al respecto R. A. Latcham, "Historia del criollismo", 8; Vid. tb. Domingo Amunátegui, *Las letras chilenas,* 233.

[133] IE, II, vi, 96.

[134] IE, II, vi, 89.

[135] IE, II, vi, 90.

[136] IE, II, vi, 96.

[137] IE, II, vii, 99.

[138] IE, II, vii, 99.

[139] IE, II, vii, 99.

[140] IE, II, vii, 100.

[141] IE, II, vii, 104.

[142] IE, II, vii. 110, 111.

[143] IE, II, viii, 111-124.

[144] IE, II, ix, 124-126. La religión como una nueva pasión que la enajena y la lleva a olvidar impiadosamente al hijo enfermo, adquiere en la evolución del personaje, con respecto a su conciencia, las características del estadio metafísico en la concepción comtiana. El elemento pasional es la constante temperamental de Faustina, la causa de su inhumano egoísmo. Cp. Luis Covarrubias, 159, que lee mal al decir que "Faustina se reconcentra en el amor de su hijo".

[145] IE, II, ix, 130.

[146] IE, II, ix, 134.

[147] IE, II, ix, 136-37.

[148] IE, II, x, 151. Cp. Luis Covarrubias, 159. El crítico acierta en ver entre los protagonistas un amor imposible, pero no así en su extrañeza por la conducta de Enrique y su transformación. Lo característico de la novela es que los personajes, se transforman y que esta transformación sea reveladora de su condición real y profunda que desplace la exterioridad de las apariencias que dieron lugar a su unión, seducidos cada uno por la exterioridad impresionante de su primer conocimiento y de las circunstancias ilusionantes que lo acompañaron. Todo el naturalismo de la obra se apoya sobre esta antítesis.

[149] Vid. nota 113.

[150] IE, II, ix, 156. Véase aquí nuevamente la ironía con que propone los términos el narrador que sabe, mejor que los personajes, que "le coeur a ses raisons que la raison ne connais pas".

[151] IE, II, ix, 157. Paso a la última etapa del pensamiento en la conciencia de Faustina, el estadio positivo.

[152] Vid. nota 121.

[153] IE, II, xii, 173.

[154] IE, II, xii, 173.

[155] IE, II, xiii, 186.

[156] IE, II, xiii, 189.

[157] IE, II, xiv, 192. Es el momento en que le alcanza plenamente la ironía del narrador, es decir, cuando en su propia conciencia se siente caída. Su alejamiento de la existencia no ha impedido que la vida en su movimiento inconsciente le alcanzara en su retiro y en la rigidez de sus principios y la pureza de sus costumbres.

[158] IE, II, xiv, 195.

[159] IE, II, xv, 208.

[160] IE, II, xv, 214-215. Aquí se completa la existencia vital del personaje: a pesar de todo la vida ha triunfado sobre la conciencia moral del personaje y sobre las exigencias del autodominio y del temperamento. Si éste toma un carácter necesario, conforme a determinaciones provenientes del medio y de las circunstancias, lo que en definitiva triunfa es un elemento oculto para la conciencia de los personajes que es el temperamento, lo que en la novela se llama sistemáticamente 'carácter'.

[161] IE, II, xvi, 235-237. La crudeza de esta escena es típicamente naturalista.

[162] Vid. Edwin Muir, *The structure of the novel,* London, 1957. 41.

[163] Vid. supra, p. 40, nota 119; Cp. Jorge Hunneus Gana, *La producción,* 756. Esta es la razón por la cual comparada con MR, por ejemplo, que tiene estructura espacial, le parece una miniatura de Alberto Blest Gana. Es de la índole de la novela de personajes y de la novela dramática la intensificación de la acción reduciendo el acontecer a un círculo, a una estructura de relaciones interpersonales. Los acontecimientos se mueven hacia el centro, hacia una acción central hacia la cual desembocan las expletivas y donde definitivamente se resuelven.

[164] El señor B., pero también Luchito, representan en el complejo dramático las aspiraciones de la moral ingenua. El uno muere sin ver realizadas sus expectativas, el anciano, pone sus esperanzas en la fuerza que tenga su última voluntad esperando unir a los esposos en su lecho de muerte. Todo se da en la novela para que midamos trágicamente el fracaso de esas esperanzas, pues el determinismo que opera sobre los protagonistas ha sido un *fatum* insuperable y nada indica en el mundo la posibilidad de conciliar las incompatibilidades establecidas entre dos temperamentos diferentes a los que se agregan dos orígenes sociales distintos y dos morales antitéticas. Una vez muerto el amor qué esperanza puede alentarse legítimamente. Los lunares que observa Luis Covarrubias, 163, nacen de la incomprensión de las condiciones reales de cada personaje. Responder a su deseo habría significado escribir una novela diferente. Si consentimos, en cambio, con el mundo de IE, veremos una consecuencia entrañable en cada momento, nacida en parte del proyecto clínico de presentar un caso patológico de graves implicaciones morales.

[165] El impresionismo literario se produce con estrecha correspondencia con el impresionismo en la pintura chilena de los hombres de la misma generación de Vicente Grez, nacidos de 1845 a 1859, entre los que se cuentan Valenzuela Llanos, Onofre Jarpa, Agustín Abarca, Juan Francisco González, Alberto Orrego Luco, Ramón Subercaseaux, quienes como paisajistas plasman características comunes.

[166] Cf. Miguel Luis Amunátegui, *Las primeras representaciones dramáticas en Chile.* Santiago, 1888; Pedro N. Cruz, "Arte y moral", *Estudios sobre lit. chil.,* III, Santiago, 1940. 255-266; Domingo Melfi, *Estudios sobre lit. chilena.* Cp. Emilio Zola, *La escuela naturalista.* Buenos Aires, 1945, 15-49.

Bibliografía

Novelas de Luis Orrego Luco: [1] *Un idilio nuevo.* Santiago, 1900. 2 vols.; 2ª ed. Santiago, 1913. 2 vols.; [2] *1810. Memorias de un voluntario de la Patria Vieja.* Santiago, 1905; [3] *Casa Grande.* Santiago, 1908; [4] *En familia.* Santiago, 1912; [5] *Al través de la tempestad.* Santiago, 1914; [6] *El tronco herido.* Santiago, 1929; [7] *Playa negra.* Santiago, 1947.

Ediciones de Casa Grande: [1], [2], [3], Santiago, Zig-Zag, 1908. 2 vols. Tres impresiones idénticas a plana y renglón; [4] Santiago, Nascimento, 1934. 379 p.; [5] Santiago, Zig-Zag, 1953. 365 p.; [6] Santiago, Zig-Zag, 1961. 361 p.

Novelas cortas: Páginas americanas. Madrid, 1892; [2] *De la vida que pasa...* Santiago, 1918

Viajes: Pandereta (España). Santiago, 1896; [2] *Un mundo muerto.* La antigua Roma (Recuerdos de Italia en 1893). Santiago, 1897.

Estudios de conjunto sobre Luis Orrego Luco: Arnold Chapman, "Don Luis Orrego Luco y la vida en Chile", *Atenea,* 278, (1948), 211-232; [2] Mariano Latorre, *La literatura de Chile.* Buenos Aires, 1941. 71-77; [3] Eugenio Orrego Vicuña, "Don Luis Orrego Luco. Apuntaciones biográficas". *Ensayos.* Santiago, 1949. II, 233-338; [4] Luis I. Silva. *La novela en Chile,* 197-206; [5] Raúl Silva Castro, *Panorama de la novela chilena,* 88-95; [6] Víctor M. Valenzuela, *Cuatro escritores chilenos.* Nueva York, 1961. 23-44; [7] Homero Castillo y Raúl Silva Castro, *Historia bibliográfica de la novela chilena.* México, 1961; [8] Cedomil Goić, *Bibliografía de la novela chilena del siglo* XX. Santiago, 1962.

Referencias específicas sobre Casa Grande: [1] Fernando Alegría, *Breve historia de la novela hispanoamericana,* México, 1959. 106-107. Sigue a Eugenio Orrego Vicuña y a Omer Emeth. Participa con este último en la creencia de que el valor histórico documental de la obra permanece; [2] Domingo Amunátegui Solar, *Las letras chilenas,* 322-325. Estima como el principal mérito de las obras de Orrego Luco la descripción que ellas ofrecen de la alta sociedad y la animación de sus cuadros; considera que sobresale "por un maravilloso don para describir los objetos en su aspecto externo" (324) y lo aprecia como un artista visual por la prolijidad y exactitud de sus pinturas. "Algunas de las novelas de Orrego Luco, como *Casa Grande* —escribe—, tienen la audacia de presentar dramas verdaderos, realmente ocurridos en nuestra sociedad pero con diferencias fundamentales. Este procedimiento influye tal vez para que los que conocen la verdad, juzguen fantásticos los hechos novelados" (325); [3] Pedro Nolasco Cruz, *Estudios sobre lit. chil.* III, 5-19. Critica la unilateral visión de la sociedad que se presenta sólo en sus rasgos negativos; niega verosimilitud a los caracteres; discute los aspectos tocantes a la moral y a la religión que aparecen en palabras de los personajes o del narrador, exigiendo una decisión allí donde el narrador no se pronuncia. Hace reparos formales en puntos en que es incomprensivo con las intenciones o la estructura narrativa. Sin dar ejemplos, juzga descuidado e incorrecto el lenguaje. No comprende en definitiva la obra ni el naturalismo que la caracteriza. "No puede decirse –concluye– que *Casa Grande* es una hermosa novela, sino que tiene partes hermosas. Hay en ella pasajes verdaderamente inspirados, pero transpira una intención y complacencia voluptuosa que es ajena a la belleza y, en la composición, en el estilo, falta el pulimento, el cuidado solícito del artista que ama verdaderamente a su arte y que, a fuerza de estudio, y de trabajo, procura manifestar su inspiración en forma armoniosa y correcta "que dé duración a la obra y la avalore". (19) Después de *Durante la Reconquista* y *Los Trasplantados* de Alberto Blest Gana, considera a ésta la mejor novela chilena. Este estudio es uno de los contados existentes sobre la obra misma y sus valores literarios y que prescinde de la afirmación sobre su supuesto valor histórico y su permanencia documental; [4] Arnold Chapman, "Don Luis Orrego Luco y la vida en Chile". Después de transcribir incorrectamente el argumento de *Casa Grande,* y considerarla la mejor novela del autor, pues "Acierta como nunca en su revelación de la vida chilena" (224), intenta penetrar en su sentido de esta manera: "Es más que un ataque a una sociedad caduca, agobiada por antiguos prejuicios: es la tragedia interior que se libra en el corazón de una cultura y por ende supera a los muchos libros de pura propaganda que por entonces se empezaban a descargar contra la aristocracia. Da en forma artística la ironía tenebrosa de las fuerzas sociales que destrozan a individuos casi sin que se den cuenta" (224). Se hace cargo luego de la polémica en torno a la publicación de la obra y de los puntos de vista de Omer Emeth y P. N. Cruz y del propio Orrego Luco; [5] [Inés Echeverría de Larraín] *Iris, Hojas caídas.* Santiago, 1910. 73-91; [6] Mariano Latorre, *La Literatura de Chile,* 71-77; [7] Domingo Melfi, *El viaje literario,* 166-167; [8] Domingo Melfi, *Estudios de lit. chil.*, 163-195. Uno de los estudios más afamados sobre la obra que le ha servido de prólogo en varias ediciones. Versa casi exclusivamente sobre el asunto desde el punto de vista sociológico característico de la obra crítica de Melfi. Es, dice, "el primer documento serio para el estudio de nuestra sociedad". "La importancia honda de la novela CG descansa no sólo en esta innovación [una nueva comprensión de las clases sociales] del tema, sino en la realización psicológica de su contenido, en el estudio magnífico de las costumbres y, especialmente, en la actitud de echar la sonda que el novelista adopta con relación a la descomposición aristocrática en Chile". Adhiere al juicio de Omer Emeth sobre el valor histórico permanente de la novela merced a su asunto. Pone luego a Orrego Luco como el continuador de Blest Gana en el orden cronológico y la vastedad de ciclo constituido por el asunto de sus obras; [9] Eugenio Orrego Vicuña, "Don Luis Orrego Luco. Apuntaciones biográficas". Considera CG "como la mejor novela chilena de todos los tiempos", y destaca el suceso insólito de su publicación: "La conmoción que CG causara es la mejor prueba de su eficacia artística y sociológica", estima apoyándose en el juicio de O. Emeth. Transcribe también juicios de Eliodoro Astorquiza, Melfi, Miguel L. Rocuant, Rafael Luis Gumucio, Manuel Rodríguez Mendoza. Todos encomiásticos; [10] Raúl Silva Castro, *Panorama de la novela chil.,* 90-95. Reproduce el argumento elaborado por Astorquiza. Retoma sin modificaciones los juicios anteriores de Amunátegui y Cruz y reproduce juicios de Eugenio Orrego y A. Chapman; [11] *Historia crítica de la novela chil.,* 158-64. Exactamente lo anterior; [12] *Diccionario de la lit. latinoamericano, Chile.* 149-150. Muestra a Orrego Luco inspirado en el realismo de Pérez Galdós y Coloma; lo considera uno de los grandes novelistas chilenos. Estima a *Playa Negra* la más lograda de sus novelas, pero a CG la más popular. Repite juicios de P. N. Cruz; [13] Emilio Vaïsse, Omer Emeth, *La vida lit. en Chile,* 127-166. Compara a Orrego Luco con Maupassant, en su capacidad para crear personajes vivos, pero lo diferencia de aquél porque éstos son los secundarios y no los protagónicos, como logra el escritor francés; lo destaca como "creador de Correa, Vanard y Peñalver". Juzga la intrusión interpretativa del narrador a diferencia del novelista "ausente de su obra" en Flaubert y Maupassant, y pasa a discutir sus ideas deterministas sobre la raza hispánica y la ausencia del libre albedrío. Añade en nota el argumento de CG hecho por Astorquiza, postergando el análisis de la historia novelesca para ocasión próxima. Luego, se ocupa de reseñar la crítica de CG. Encuentra la obra interesante y halla la confirmación de su aserto en las discusiones que suscitó su publicación. Defiende el verismo fotográfico del novelista y atenúa sus términos reproduciendo la "Historia de CG" del propio Luis Orrego Luco. En nota afirma, en seguida, que el valor histórico de la obra se acrecentará con el tiempo para utilidad de los historiadores futuros. Finalmente responde a la crítica de Roberto Hunneus publicada en *El Mercurio* (junio 20, 1909), que enjuicia la realidad de las observaciones del novelista sobre la aristocracia; [14] Víctor A. Valenzuela, *Cuatro escritores chil.,* 29-37. Transcribe con gruesos errores el argumento de la novela. Cita a Eugenio Orrego V. sobre *Un idilio nuevo,* para demostrar que "la literatura nacional da un paso definitivo hacia el cultivo de la novela de tendencia psicológica" (35-36).

[167] Ciertamente hay en la estructura del narrador y, en el tipo de narración, aspectos tradidos que pueden exhibirse como singulares y propios de la novela chilena y que implican una asunción real de formas y contenidos precedentes. Lo mismo podría decirse, *mutatis mutandi,* de otros aspectos narrativos, en correspondencia estrecha con lo señalado.

[168] Vid. Emile Zola, *Le roman experimental,* Paris, 1850; Ferdinand Brunetier, *Le roman naturaliste,* Paris, 1883; Eric Auerbach, *Mimesis,* México, 1950. Caps. xviii-xix; Charles Beuchat, *Histoire du Naturalisme Français.* Paris, 1949. 2 vols.; René Dumesnil, *L'Epoque Realiste et naturaliste.* Paris, 1945; P. Martino, *Le Naturalisme Français,* Paris, 1923.

[169] Cp. Diderot, "Elogio de Richardson", *loc. cit.,* 293: "Novela, según hasta ahora se ha entendido, es un tejido de sucesos quiméricos y frívolos cuya lectura se consideraba peligrosa para el gusto y para las costumbres. Me gustaría, pues, que se encontrara otro nombre para las obras de Richardson, que elevan el espíritu, conmueven el alma; respiran por todas partes el amor al bien y se las llama novelas como a las otras".

[170] Vid. E. Zola, *La escuela naturalista.* Buenos Aires, 1945. 248 (Trad. de Alvaro Yunque).

[171] Cf. E. Zola, "Preface de la deuxième édition", *Thèrese Raquin,* Paris, 1953, 7.

[172] Kayser vincula ambos aspectos, viendo en el fenómeno naturalista una anticipación del contemporáneo modo narrativo. Cf. *Origen,* 39.

[173] Aspecto singular y personal del narrador de CG es este énfasis que pone en la inferioridad de los personajes, ciegos para lo que la ciencia ve claramente.

[174] Es una consecuencia de la estructura espacial de la obra. Vid. más adelante, p. 80.

[175] Esta imagen de la muchedumbre humana como un río, que se prolonga a lo largo de CG, I, i, 31-42, recuerda las representaciones de masas en la novela de Zola. Cp. más adelante con Mariano Latorre, Z.

[176] Se origina en una selección arbitraria de la experiencia y en una negación sistemática de ciertos aspectos, escepticismo ante la metafísica y la religión que concluye en . . . la religión de la ciencia: aspiración a una existencia de pura racionalidad positiva. Cp. el modelo metafísico, conscientemente, de Campanella, *La ciudad del sol.*

[177] Cp. Pedro N. Cruz, *op. cit.,* 10.

[178] Se manifiesta aquí el activismo ideológico del positivismo que contagió definitivamente a la novela naturalista.

[179] Cf. Pedro N. Cruz, *op. cit.,* 10.

[180] CG, II, ii, 124-127. Citamos por la edición de Santiago, Zig-Zag, 1961.

[181] Vid. CG, I, ii, 58; II, viii, 203; III, i, 241. Cp. Pedro N. Cruz, que no entiende este aspecto porque no consiente con la estructura experimental de la obra. Cp. tb. Omer Emeth, *op. cit.,* que enjuicia la cuestión del libre albedrío frente al atavismo.

[182] "¡Cómo surgían a sus ojos esos días, tan lejanos, perdidos en la noche de los tiempos, a pesar de que sólo cuatro años habían transcurrido de entonces acá!". CG, II, iv, 149. Así se condensa violentamente el tiempo, para presentar en seguida la descristalización amorosa que experimenta el personaje: la manifestación de las incompatibilidades temperamentales que confirman el error de esa unión. Cp. para el problema de la condensación temporal en CG, Pedro N. Cruz, *op. cit.,* 12.

[183] Vid. CG, IV, i, 277; IV, ii, 290; IV, ii, 292; y IV, ii, 297.

[184] Cp. Pedro N. Cruz, *op. cit.,* 13.

[185] Vid. Claude Bernard, *Introducción al estudio de la medicina experimental,* y E. Zola: *Le Roman experimental.*

[186] CG, I, ii, 54-65.

[187] Hay alguna imprecisión en la novela sobre este punto. Cp. CG, IV, vi, 324; IV, vii, 347; IV, ix, 353.

[188] Cp. las curiosas divergencias de las diversas síntesis argumentales de CG hechas por E. Astorquiza, Pedro N. Cruz, Arnold Chapman y Víctor A. Valenzuela.

[189] Vid. CG, I, i, 34, 36, 39, *et passim.*

[190] Vid. CG, I, i, 38, 42, 44 *et passim.*

[191] Algún residuo romántico del *fatal man* puede observarse en CG, I, v, 95-96.

[192] Vid. Luis Orrego Luco, *Páginas americanas.*

[193] Esto se hace sensible a partir de CG, II, v, 155.

[194] Vid. CG, II, vii, 195. Cp. Pedro N. Cruz, *op. cit.*, 14.

[195] Vid. CG, II, vii, 185-189.

[196] Vid. CG, IV, viii, 346.

[197] Cp. Omer Emeth, *op. cit.*, sobre este punto, quien quita toda importancia al personaje.

[198] Falta en la edición de Nascimento.

[199] Vid. CG, I, ii, 64.

[200] CG, I, ii, 64. La ambigüedad del conocimiento personal a que el texto alude, tiene su antecedente literario en el ensayista norteamericano Oliver Wendell Holmes, *The Autocrat of the Breakfast Table.* 1857.

[201] Vid. CG, I, ii, 72.

[202] Cp. Omer Emeth, *op. cit.*, quien prefiere al "Senador". Peñalver más que a los tipos de la elegancia 'casagrandeña', entre los que incluye a don Leonidas "cuya mejor obra en dos tomos fue sin duda —dice regocijado el crítico francés— ese "par de palmitos" de sus hijas Gabriela y Magda, y no su gran discurso para disuadir a la primera de sus veleidades matrimoniales y prevenirla en contra de Angel Heredia". Se le escapa notoriamente la función que el personaje juega en la estructura experimental del proceso narrativo.

[203] Vid. CG, II, ii, 2., "Pero la vida es lucha feroz, en que los hombres se muerden y se arrancan trozos de carne a dentelladas . . ."

[204] Vid supra nota 181. Especialmente, CG, I, ii, 58.

[205] CG, I, ii, 61.

[207] Cp. CG, II, iv. 151. Cp. tb. con el sueño revelador de su ánimo tortuoso, CG, I, iv, 92; literariamente muy significativo e insólito.

[208] Vid. CG, II, iv, 151.

[209] Vid. CG, II, iv, 154, *et passim.*

[210] CG, II, iv, 143.

[211] CG, II, iv, 144.

[212] CG, II, iv, 145.

[213] CG, II, iv, 146.

[214] CG, II, iv, 148.

[215] Omer Emeth, *op. cit.*

Bibliografía

Novelas de Mariano Latorre: [1] *Zurzulita*. Sencillo relato de los cerros. Santiago, Editorial Chilena, 1920. Prólogo de C. Silva Vildósola; [2] 2ª ed. Santiago, Nascimento, 1943. Prólogo de Benjamín Subercaseaux; [3] Rosario, Arg., Editorial Rosario, 1947. Prólogo de Amelia Sánchez Garrido; [4] Madrid, Aguilar S. A., 1949 (Colección Crisol, 269). Prólogo de Ricardo A. Latcham; [5] 5ª ed. Santiago, Nascimento, 1952; [6] 6ª ed. Santiago, Nascimento, 1960; [7] 7ª ed. Santiago, Nascimento, 1964. Prólogo de Ricardo A. Latcham; [8] *La Paquera*. Santiago, Editorial Universitaria, S. A., 1958.

Novelas cortas y cuentos: [1] *Cuentos del Maule*. Tipos y paisajes chilenos. Santiago, Zig-Zag, 1912; [2] *Cuna de cóndores*. Santiago, Imprenta Universitaria, 1918; [3] *El romance de un reloj de cuco*. Santiago, Imprenta América, 1920 (La novela semanal); [4] *Ully y otras novelas del Sur*. Santiago, Nascimento, 1923; [5] *Sus mejores cuentos*. Santiago, Nascimento, 1925; [6] *La confesión de Tognina*. Santiago, 1926 (Lectura selecta, 1); [7] *Collares*. Santiago, 1927 (lectura selecta, 51); [8] *Chilenos del mar*. Santiago, Imp. Universitaria, 1929; [9] *Hombres en la selva*. Santiago, Zig-Zag, 1933 (Narraciones Zig-Zag, 9); [10] *On Panta*. Santiago, Ercilla, 1935; [11] *Hombres y zorros*. Santiago, Ercilla, 1937; [12] *Mapu*. Santiago, Orbe, 1942; [13] *Viento de mallines*. Santiago, Zig-Zag, 1944; [14] *La epopeya del Moñi*. Santiago, Cruz del Sur, 1942; [15] *Puerto Mayor. Chilenos del mar*. Santiago, Zig-Zag, 1945; [16] *El choroy de oro*. Santiago, Rapa-Nui, 1946; [17] *Chile, país de rincones,* Buenos Aires, Arg., Espasa-Calpe, 1947 (Colección Austral, 680); [18] *El caracol*. Santiago, Cruz del Sur, 1952; [19] *La isla de los pájaros*. Santiago, Nascimento, 1955.

Crítica e historia literaria: [1] *La chilenidad de Daniel Riquelme*. Santiago, Imp. Universitaria, 1931; [2] "El pueblo en las novelas de Blest Gana", *Atenea,* 100 (1933); [3] *Ercilla, aventurero de la conquista*. Santiago, Prensas de la U. de Chile, 1934; [4] *Antología de cuentistas chilenos*. Selección y prólogo. Santiago, 1938 (BECH XV), [5] *La literatura de Chile*. Buenos Aires, 1941; [6] *Regiones de Chile. El paisaje y el hombre*. Santiago, Imp. Stanley, 1947; [7] "Anotaciones sobre la novela hispanoamericana, especialmente sobre la chilena", *Estudios,* 140 (1944) 25-33; [8] *Autobiografía de una vocación*. Santiago, Universidad de Chile, 1953; [9] "Bret Harte y el criollismo sudamericano", *Atenea,* 123 y 124 (1935), 437-462 y 105-139; [10] "Anécdotas y recuerdos de medio siglo", *Atenea,* 324 (1952), 418-440; [11] "Lo que mis libros me contaron", *Atenea,* 343-344 (1954),

38-65; [12] "Algunas preguntas que no me han hecho sobre el Criollismo", *AUCh*, 100 (1955), 73-80.

Estudios de conjunto sobre Mariano Latorre: [1] Domingo Amunátegui S. *Las Letras chilenas*, 330-331; [2] Magda Arce, *Mariano Latorre*. New York, Hispanic Institute, 1944; [3] Mario Ferrero, *Premios nacionales de literatura*. Santiago, Zig-Zag, 1962; [4] Ricardo A. Latcham, *"Historia del criollismo", AUCh*, 94 (1954) 5-22; [5] Domingo Melfi, *Estudios de lit. chil.*, Santiago, 1938; [6] Domingo Melfi, *El viaje literario*. Santiago, 1945; [7] Julio Orlandi-Alejandro Ramírez. *Mariano Latorre*. Santiago, 1959; [8] Francisco Santana. *Mariano Latorre*. Santiago, 1959; [9] Raúl Silva Castro, *Panorama de la novela chilena. Mena*, 1955; [10] Arturo Torres-Rioseco, *La novela en la América Hispana*. Berkeley, 1949. 223; [11] Arturo Torres-Rioseco, *Breve historia de la literatura chilena*. México, 1956. 110-111; [12] *Número en Homenaje a Mariano Latorre, Atenea*, 370 (1956); [13] José S. González Vera, *Algunos*. Santiago, 1959, 94-98; [14] Homero Castillo, "Tributo a Mariano Latorre", *Revista Iberoamericana*, 22, 43 (1957), 83-94; [15] Homero Castillo y Raúl Silva Castro, *Historia bibliográfica de la novela chilena*. México, 1961; [16] Cedomil Goić, *Bibliografía de la novela chilena del siglo* XX. Santiago, 1962.

Referencias específicas sobre Zurzulita de Mariano Latorre: [1] Eliodoro Astorquiza, "Mariano Latorre, Zurzulita", *Revista Chilena*, 5, 12, (1921), 104. Fijó en su artículo un punto de vista repetido luego sin crítica ni análisis e invocado por Alone con el mismo criterio impresionista: "Cuando se tiene la paciencia de llegar hasta el fin, imposible negar que una construcción novedosa de esta especie suscita, en conjunto, cierta impresión de fuerza y de grandeza: hay allí una concepción robusta, un punto de vista amplio y audaz, que no está vulgarmente sostenido, que exige no ser un cualquiera para realizarlo con vigor. Tenemos a nuestra vista un enorme personaje abstracto —la vida del campo—, bien estudiado, con sus pequeñeces y sus grandezas. Yo no escatimo mi admiración al esfuerzo y al talento que aquí se revelan. Pero me pregunto: ¿Se han hecho las novelas para la descripción o la descripción para las novelas: Se hacen las novelas para entretener o se hacen para bostezar? Yo concedo que Latorre nos aburre brillantemente, pero el hecho es que nos aburre". Esta es la cifra hedonista de su lectura; [2] Domingo Amunátegui Solar, *Las letras*, 330-331. Destaca la maestría de la descripción del paisaje y la originalidad de la obra que los diferencia a su parecer de Blest Gana, Orrego Luco y Eduardo Barrios. De la novela dice: "La obra más importante de Latorre es *Zurzulita*, publicada en 1920. Trata de los amores cándidos y naturales, espontáneos y ardorosos, de una doncella del campo con un joven provinciano. Aquella flor silvestre, este idilio incomparable, que hace recordar por un momento a *María*, de Jorge Isaacs (!), dan oportunidad al autor para presentar una colección de cuadros de costumbres de los rústicos habitantes de Maule. La fábula, por lo demás, se desenvuelve con completa naturalidad; y no tendría defectos si no estuviera a menudo interrumpida por interminables descripciones de aquella región.

Evidentemente, Latorre ha tomado por modelo al español, Pereda, en su novela *Peñas arriba;* pero no ha sabido contenerse en el simpático afán de pintar y describir prados y montañas, al alba y al atardecer, la noche oscura y la espléndida primavera. Podría decirse que el personaje principal de *Zurzulita* no es esta niña sencilla y a las veces arisca, sino más bien la campiña brava de las tierras del sur. De todas suertes la mencionada obra representa un valioso esfuerzo de la literatura de nuestro país". Descartando las dos comparaciones, la primera por completo absurda, y las observaciones exageradas sobre los defectos de la fábula queda el elogio al paisajista y el reconocimiento de la significación del medio en la estructura de la novela; [3] Magda Arce, *Mariano Latorre,* 30-32. Análisis ingenuo, escrito con puericia, de la obra. Pondera la exactitud de la representación de la vida, los tipos y las costumbres campesinas. Reitera el juicio final, ya citado, de Amunátegui; [4] Aubrey F. G. Bell, "Mariano Latorre, Zurzulita", *Books Abroad* (julio-septiembre, 1948). Reseña de la ed. de Rosario que se reproduce en las solapas de la 5ª ed. de Z. El gran hispanista inglés hace una excelente reseña de la obra. Pondera el carácter integral de la representación de la vida campesina, exalta el colorido de la descripción y el vigor de las escenas, por encima del común de los escritores chilenos. El asunto le recuerda *La Barraca,* de Blasco Ibáñez. "Estilo y técnica —concluye— son, indudablemente, distintos, pero las dos novelas coinciden en la honda identificación del autor con el medio, tan agudamente interpretado"; [5] Ugo Gallo-Giuseppe Bellini, *Storia,* 375. "In Z, considerato ancor oggi la sua opera migliore, Latorre introduce la sua terra, la cordigliera delle Ande, come protagonista principale, e sul suo scenario muove una serie complessa e numerosa di esseri primitivi, contadini e povera gente, miserabili e abbrutiti a contatto della rudeza e della miseria della terra, immersi in una bestialità impressionante. Le tinte di questo romanzo costruiscono un mondo doloroso, di creature tormentate, avvolte in atmosfera allucinante di tragedia, in cui morte e pazzia sono elementi essenziali, mentre l'uomo diventa un triste fantoccio, spinto da occulte e distruttrici forze telluriche". Si bien los autores confunden la Cordillera de la Costa con la de los Andes, la suya es una excelente comprensión del determinismo del medio que domina el mundo narrativo. Considera a Latorre artista de notable significación pero distante de la originalidad de José E. Rivera o Rómulo Gallegos; [6] Hernán Díaz Arrieta, "Mariano Latorre y su último libro", *Pacífico Magazine,* 1 (1921), 14. Con el mismo criterio hedonista de Astorquiza castiga con animosidad no exenta de pasión el desinterés del asunto de la novela y sus consecuencias narrativas. Es inexacto e injusto; [7] Amelia Sánchez Garrido, "Prólogo", a Z, 9-12. Excelente estudio de la novela. Considera la disposición del tiempo, la unidad del año, y la compara con *Los campesinos* de W. Reymont acertadamente. Fija el asunto y comprende con justeza el contenido del mundo. Exalta, finalmente, las condiciones pictóricas del narrador y el impresionismo de su lenguaje; [8] Ricardo A. Latcham, "Prólogo" a Z. Presenta a Latorre y la novela al público español. Concibe la obra como un precedente de las novelas hispanoamericanas ejemplares. Es un estudio desordenado en que el análisis de la obra se interrumpe con generalizaciones, observaciones históricas y comparaciones literarias. Analiza principalmente el asunto para señalar la inactualidad de la pintura y la falta de ejemplaridad del huaso desde un punto de vista ético y nacionalista. Señala el choque entre lo europeo y lo indígena, la materia épica, el determinismo del medio, como características de la novela. Ve en ella influjos de Camille Lemonnier, Thomas Hardy y D. H. Lawrence y se resiste a la comparación con J. M. de Pereda. Concluye por colocar Z al lado de *Frutos de mi tierra,* de T. Carrasquilla; *Doña Bárbara,* de Rómulo Gallegos, y *Matalaché,* de E. López Albújar. Analiza la reacción crítica nacional ante la novela como lenta y la aceptación actual de la obra. Destaca finalmente la calidad del lenguaje y lo que llama su condición mestiza; [9] Domingo Melfi, *El Mercurio* (1, 2, 1921). Elogia el arte del novelista, la belleza de su estilo y la rudeza de la visión de la vida campesina. Destaca el amor con que se estudia tipos y costumbres "penetrando en la médula de la raza". Es una de las críticas que recibieron con entusiasmo la publicación de Z.; [10] Domingo Melfi, *Estudios de lit. chil.* Pondera la significación americana ejemplar de la novela, parangonándola con las más representativas novelas hispanoamericanas; [11] Omer Emeth, "Z. Sencillo relato de los cerros", *El Mercurio* (27-12, 1920); [12] Lord Jim, "La intuición psicológica de Mariano Latorre", *Indice,* 1, 6 (1930). "Latorre en cada página de Z. ha hecho un milagro de interpretaciones: Ese amor rápido y sin ternura de Milla; esa desconfianza burlesca de Quicho...; ese encono amargo del ciego de Millavoro; la timidez hipócrita y la ausencia de reconocimiento de ese On Varo, tan maravillosamente delineado; esa interpretación de la debilidad de Elorduy presentida por On Carmen; esa alegría cruel en las burlas de Samuelón, la maldad sistemática y callada de On Rulo, son exponentes notables de agudeza psicológica"; Benjamín Subercaseaux, "Prólogo" a Z. Repara en el mundo negativo y el carácter triste y angustiado de la historia. Pero elogia finalmente el talento de Latorre para concebir el estilo, el escenario y la atmósfera de la obra "que le confiere un sello propio"; [14] Aldo Torres Púa, "Breve apología de Z", *Atenea,* 370 (1956), 106-112. El mejor análisis de Z que conocemos. No es simplemente una apología, como con modestia dice el autor, sino una comprensiva crítica y una interpretación penetrante y cuidadosa de la obra. Sus apuntes son certeros y sólo les falta unidad de sentido superior para transformarse en un ensayo completo; [15] Raúl Silva Castro, *Creadores chilenos,* 194-

197; *Panorama de la novela chilena,* 141-147; *Historia crítica,* 241-244. Remite a juicios de Silva Vildósola, Subercaseaux y Latcham. Al hacer el resumen argumental yerra en la comprensión e inventa aspectos inexistentes. Achaca la extensión de la obra a postizos y descripciones prolijas, si bien apunta su carácter funcional; [16] Carlos Silva Vildósola, "Prólogo" a Z. Presentación de la primera edición de la obra. Destaca el interés, la belleza y novedad de la historia, su carácter vívido y humano; "al doblar la última hoja —dice— me he despedido con pena de amigos que he conocido en la intimidad, de paisajes que he llegado a sentir y amar, de vidas humanas tristes y alegres como Dios quiere, pero que he seguido en el libro por buen espacio". Impresionismo crítico de buena ley.

Notas

216 Vid. supra nota 103. Sobre el mundonovismo, para nosotros sensibilidad de una generación, Cp. Francisco Contreras, "Proemio" a *El pueblo maravilloso.* París, 1927; Francisco Contreras, *Le Mondonovisme.* París, 1917; Arturo Torres Rioseco, *La gran literatura iberoamericana.* Buenos Aires, 1941. 135.

217 Vid. Bibliografía de este capítulo.

218 Mariano Latorre, "Anotaciones sobre la novela", 27 y 32.

219 Mariano Latorre, "Anotaciones sobre la novela", 33. Vid. tb. *Chile, país de rincones,* 11-13.

220 Mariano Latorre, "Anotaciones sobre la novela", 33.

221 Mariano Latorre, "Anotaciones sobre la novela", 33; "Algunas preguntas", 76-78; Cp. Homero Castillo, "Mariano Latorre y el criollismo", *Hispania,* 39, 4 (1956) 438-445.

222 Cp. Ricardo A. Latcham, "Historia del criollismo", 13.

223 Vid. z, 311 y 314. Cp. Raúl Silva Castro, *Historia crítica,* 243 que considera inexactamente que el amor "se rompe de pronto, en la forma más oscura e inmotivada, nada menos que cuando va a fructificar en un nuevo ser".

224 Vid. z, 355. Nuestras citas corresponden a la 5ª ed. Santiago, Nascimento, 1952. Cp. Raúl Silva Castro, *op. cit.,* 243 que dice "Mateo, víctima de una emboscada, queda muerto en la espesura, y Milla da a luz a corta distancia de él merced a la violenta impresión que le causa ver el cadáver de su amante, medio devorado por las aves de rapiña".

225 Vid. z, 13-14.

226 Vid. z, 15.

227 z, 21.

228 Vid. z, 25.

229 z, 28.

230 z, 35.

231 z, 40.

232 z, 121.

233 z, 124.

234 Vid. z, 130.

235 z, 131.

236 Vid. z, 132.

237 Vid. z, 142.

238 z, 147.

239 Vid. z, 148.

240 z, 152.

241 Vid. z, 156.

242 Vid. z, 179.

243 z, 220.

244 Vid. z, 234.

245 Vid. z, 237.

246 z, 243.

247 Vid. z, 250.

248 z, 259.

249 Vid. z, 269.

250 z, 269, 270.

251 Vid. z, 271.

252 Vid. z, 298.

[253] z, 308.
[254] Vid. z, 199.
[255] z, 311.
[256] z, 311.
[257] Vid. z, 39-40.
[258] Vid. z, 41.
[259] Vid. z, 88, 95.
[260] Vid. z, 95.
[261] Vid. z, 112.
[262] z, 169.
[263] Vid. z, 263.
[264] Vid. z, 311.
[265] z, 314.
[266] Vid. z, 266. Vid. nota 224.
[267] Vid. z, 355.
[268] Vid. z, 23.
[269] Vid. z, 113-114.
[270] Vid. z, 114.
[271] Vid. z, 158.
[272] Vid. z, 176.
[273] Vid. z, 315.
[274] Vid. z, 225.
[275] Vid. z, 233.
[276] Vid. z, 233.
[277] Vid. z, 234.
[278] Vid. z, 283.
[279] Vid. supra Cap. III y IV.
[280] Vid. supra Cap. III.
[281] Cp. Elise Richter, ap. Charles Bally, Elise Richter, Amado Alonso, Raimundo Lida, *El impresionismo en el lenguaje*. Buenos Aires, 1956, p. 102.
[282] Pablo Neruda, "Despedida", *Atenea,* 370 (1956), 1-3.
[283] Vid. z, 168-173.
[284] Vid. supra nota 223.
[285] Vid z, 269.
[286] Recuerda el final de la novela de Camille Lemonnier, *Un mâle*. Paris, 1881.
[287] Cp. con la disposición semejante del novelista polaco W. Reymont, *Los campesinos.*
[288] Vid. z, 83.
[289] Vid. z, 137.
[290] Vid. Rómulo Gallegos, *Doña Bárbara.* Barcelona, 1929.
[291] Cp. Volodia Teitelboim, "La generación del 38 en busca de la realidad chilena", *Atenea,* 380-381 (1948) 125. Artículo muy representativo de la sensibilidad y de las concepciones literarias de esa generación que desconoce la función social en la novela de Latorre.

Bibliografía

Novelas de Manuel Rojas: [1] *Lanchas en la Bahía.* Santiago, Empresa Letras, 1932. 111 p. (Col. de Autores Chilenos). Prólogo de Alone; [2] *La ciudad de los Césares.* Santiago, Ercilla, 1936. 191 p.; [3] *Hijo de Ladrón.* Santiago, Nascimento, 1951. 366 p.; [4] *Mejor que el vino.* Santiago, Zig-Zag, 1958. 264 p.; [5] *Punta de rieles.* Santiago, Zig-Zag, 1960. 255 p.; [6] *Sombras contra el muro.* Santiago, Zig-Zag, 1964. 233 p.; [7] *Obras completas.* Santiago, Zig-Zag, 1961. 899 p. (Lanchas en la bahía, Hijo de Ladrón, Mejor que el vino, Punta de rieles).

Ediciones de Hijo de Ladrón: [1] *Hijo de Ladrón.* Santiago, Nascimento, 1951. 366 p.; [2] Santiago, Nascimento, 1951. 328 p. Impreso en 1952 con múltiples variantes que se conservarán en las ediciones siguientes; [3] Santiago, Nascimento, 1953. 328 p.; [4] Buenos Aires, Emecé Editores, 1954. 321 p.; [5] 4ª ed. Santiago, Zig-Zag, 1957. 303 p.; [6] 5ª ed. Santiago, Zig-Zag, 1958; [7] 6ª ed. Santiago, Zig-Zag, 1959; [8] 7ª ed. Santiago, Zig-Zag, 1961; [9] *Obras completas.* Santiago, Zig-Zag, 1961. 379-599; [10] 8ª ed. Santiago, Zig-Zag, 1962; [11] 9ª ed. Santiago, Zig-Zag, 1964; [12] 10ª ed. Santiago, Zig-Zag, 1966.

Traducciones: [1] *Born Guilty.* A novel. Translated from spanish by Frank Gaynor. New York, Library Publishers, 1955. 314 p.; [2] *Born Guilty.* London, Victor Gollancz, 1956. 314 p. Trad. Frank Gaynor; [3] *Il figlio del ladro.* Trad. di Ugo Questa. Milano, Ed. Longanesi e Co., 1956. 343 p.; [4] *Wartet, Ich Komme mit!* Graz, Verlag Styria, 1955. 354 p.; [5] *Sin lopova.* Novi Sad, Izdavacko Preduzece "Bratstvo Jedinstvo", 1956. 250 p. Trad. Olga Trebicnik; [6] *Filho de Ladrao.* Lisboa, Publicaciones Europa-América, 1956, 310 p.; [7] *Fils du voleur.* Paris, Robert Laffon, 1963. 311 p. (Collection Pavillons).

Novelas cortas y cuentos: [1] *El hombre de los ojos azules.* Santiago, 1926. 35 p.; [2] *Hombres del Sur.* Santiago, Nascimento, 1926. 221 p. Prólogo de Raúl Silva Castro; [3] *El bonete maulino.* Santiago, Cruz del Sur, 1943. 191 p. Incluido en el número anterior; [4] *El delincuente.* Santiago. Imp. Universitaria, 1929. 168 p.; [5] *Travesía.* Novelas breves. Santiago, Nascimento, 1934. 191 p.; [6] *El hombre de la rosa.* Buenos Aires, Ed. Losada, S. A., 1963 (B. Contemporánea, 169).

Referencias críticas sobre Hijo de Ladrón: [1] Fernando Alegría, "Manuel Rojas: trascendentalismo en la novela chilena", *CA,* 2

(1959), 244-258. "Contada en primera persona —como Lanchas en la Bahía— HL sigue la forma tradicional de la novela picaresca española". Sobre el personaje: "pudiera ser el mismo un Cristo —ese Cristo que 'Pedro el pequenero' (cf. El Delincuente) no pudo reconocer sino en el trance de la muerte— no lo dice él ni lo sugiere, pero hay en su silencio y en las lágrimas que provoca a su alrededor una misteriosa indicación". Atribuye valor biográfico a la obra narrativa viendo un ciclo entre esta obra *Lanchas en la bahía* y *Mejor que el vino*. Considera que alejándose de la norma tradicional (?) en la novela picaresca no pretenden edificar moralmente. "En su picaresca, la especulación se alza a un plano filosófico y... plantea el dilema del hombre como un conflicto entre la inconsciencia e irresponsabilidad individual y la degradación total de la humanidad". En los personajes ve al "roto universal, es decir, al hombre-roto de la sociedad contemporánea". Hace de la ironía y la vaguedad poética de la narración "los dos factores que mueven al mundo de *HL*". En esto ve también el sello de la nueva etapa que la novela representa en la obra de Rojas. Gorki, Joyce, Mann, Faulkner son "resplandores que ciegan al autor". [2] *Breve Historia de la novela hispanoamericana*. México, 1959. 214-219. Refrito del anterior oscurecido por los cortes que el autor hizo en el texto dejándolo vago y críptico. [3] *Las fronteras del realismo*. Santiago, 1962. 83-112. Se repite todo lo anterior en un nuevo refrito que incluye, ahora, la mención de *Mejor que el vino* y *Punta de rieles*, más algunas nuevas referencias sobre las ideas de Rojas sobre el estilo. [4] E. Anderson Imbert, *Hist. de la Lit. Hip.* II, 126-128. Menoscaba la significación de la obra y tiende a disminuir el valor de su disposición: "...en Rojas la técnica de asomarse a una vida desde diferentes alturas del tiempo no forma parte de una visión poética y original del mundo, sino que es un recurso fácil para componer una novela en la postura más cómoda y descansada. Los monólogos interiores, al estilo indirecto libre, el flujo de la conciencia no alcanzan, en Rojas, a penetrar profundamente en la intimidad de su personaje". 128. [5] E. Anderson Imbert, *Crítica interna*. Madrid, Taurus, 1960. Consideraciones sobre la disposición narrativa. [6] Norman Cortés Larrieu, "Hijo de Ladrón de Manuel Rojas. Tres formas de inconexión en el relato", *Estudio de lengua y literatura como Humanidades*. Santiago, 1960. 105-114. Tb. AUCH, 120 (1960), 193-202. Excelente ensayo en el que se considera los problemas relativos a la actitud del narrador a las inconexiones por bruscos y considerables desplazamientos temporales, e inconexiones por proyección interior. El autor tiene inédito un notable libro sobre Manuel Rojas. [7] Norman Cortés Larrieu. "*HL*, una novela existencial", *Revista del Pacífico*, 1 (Valparaíso, 1964); [8] Cedomil Goić. "*HL*, libertad y lágrimas", *Atenea*, 389 (1960), 103-113. [9] Ricardo A. Latcham, "Crónica literaria", *La Nación* (21 de octubre de 1951). [10] Emir Rodríguez Monegal, "Imagen de Manuel Rojas", *Narradores de esta América*. Montevideo, Alfa [1962]. 57-63. "*HL*. ocupa un lugar singular en las letras hispanoamericanas. Ante todo, porque su autor intenta presentar allí un mundo descuidado hasta entonces por la literatura hispanoamericana: el mundo del pequeño delincuente, el proletariado del crimen" (58). Hace consideraciones sobre el carácter no lineal de la narración y, finalmente, en comparación con Horacio Quiroga, sobre el sentido americano o regional de su obra "una tentativa para mostrar desde dentro al hombre austral de América, en su verdadera dimensión tierna y solitaria, en su mansedumbre y en su sobriedad, en su enorme reserva de pasión y sufrimiento, en su estoicismo ante la Naturaleza y la opresión" (61). [11] L. A. Sánchez, *Proceso y contenido,* 456. Con una inadecuación generalizada en la crítica de HL considera la obra como una novela de ladrones. Cp. los números [1-3], [9] y [10]; [12] Raúl Silva Castro, "Manuel Rojas, novelista", *CH,* 130 (1960), 5-19. Aproximación biografista a la obra de Rojas; [13] Myron Lichtblau, "Elementos estilísticos de *HL"*, *Humanitas,* 5 (Monterrey, 1964), 323-339; [14] Myron I. Lichtblau, "Ironic devices in Manuel Rojas's *HL"*, *Symposium,* 29 (1965), 214-225.

Notas

[292] Hemos señalado esto en otra ocasión, Vid. mi ensayo "La novela chilena actual: tendencias y generaciones".

[293] Cp. Ortega, *Ideas sobre la novela* y W. Kayser, *Origen y crisis de la novela moderna.* Cfr. mi artículo "La Ultima niebla: consideraciones en torno a la estructura de la novela contemporánea". *AUCh,* 128 (1963), 59-83.

[294] Aquí comienza un nuevo Período caracterizado por la tendencia que definimos como Superrealismo. Vid. nuestro ensayo "La novela chilena actual: tendencias y generaciones". Este período comprende tres generaciones: (i) Generación de 1927 o Superrealista. La forman los nacidos de 1890 a 1904. Su gestación corresponde a los años 1920-1934 y su Vigencia a los años 1935-1949. Sus principales representantes entre los novelistas son: Manuel Rojas (1896), Benjamín Subercaseaux (1902), Vicente Huidobro (1893-1948), Juan Marín (1900-1963), Marta Brunet (1897), Carlos Sepúlveda Leyton (1900-1941), Rubén Azócar (1901-1965). (ii) Generación de 1942 o Neorrealista. La forman los nacidos de 1905 a 1919. Su gestación se desarrolla entre 1935 y 1949 y su Vigencia entre 1950 y 1964. Sus principales representantes son: María Luisa Bombal (1910), Carlos Droguett (1915), Braulio Arenas (1913), Nicomedes Guzmán (1914-1964), Daniel Belmar (1906), Carlos León (1918), Volodia Teitelboim (1916). (iii) Generación de 1957 o Irrealista. La forman los nacidos de 1920 a 1934. La gestación se extiende de 1950 a 1964 y podemos estimar que en la actualidad es la generación más vigente, lo que no es difícil de comprobar leyendo los nombres de sus representantes principales: José Donoso (1925), Enrique Lafourcade (1927), José Manuel Vergara (1929), Jaime Laso (1926), Leonardo Espinoza (192?), Luis A. Heiremans (1928-1964), Jorge Guzmán (1930). Todavía puede reconocerse iniciada hacia 1965 una joven generación en que destacan Cristián Hunneus, J. A. Palazuelos, Antonio Skarmeta, Mauricio Wacquez, nacidos después de 1935.

[295] Es también la generación de Vicente Huidobro, Pablo Neruda, Juvencio Valle, Angel Cruchaga Santa María, Humberto Díaz Casanueva.

[296] Para el enfoque generacional y de tendencias Vid. mi artículo varias veces citado "La novela chilena actual: tendencias y generaciones".

[297] Citamos por la edición de *Obras completas* HL. El número romano indica la parte, la cifra que le sigue al capítulo y la árabe la página.

[298] *HL.*, I, i. 379.

[299] Cfr. Cedomil Goić, "*HL:* libertad y lágrimas", *Atenea,* 389 (1960).

[300] De las tres formas que estudia Norman Cortés L. en su excelente artículo "*HL* de Manuel Rojas. Tres formas de inconexión en el relato" (Vid. Bibliografía de este capítulo), sólo corresponden a esta limitación las del último orden señalado por él, no así las dos primeras que corresponden a la segunda de estas limitaciones.

[301] Cfr. *HL,* I, xv, 438.

[302] Vid. Cedomil Goić, "*HL:* libertad y lágrimas", *Atenea,* 389 (1960).

[303] Los cambios en el contenido del mundo y en los modos de su experiencia son decisivos en la instauración del género contemporáneo.

[304] Vid. Cedomil Goić, "*HL:* libertad y lágrimas", *Atenea,* 389 (1960).

[305] *Narración retrospectiva.* Uso esta expresión en lugar de la expresión inglesa, metafórica, *Flash back.* En calco lingüístico otros llaman a este recurso 'iluminación retrospectiva', con ello conserva su resonancia cinematográfica.

[306] *HL,* II, ix, 498. "Era necesario pagar las cuotas, de a poco, claro está, ya que nadie puede pagarlas de un golpe, salvo que muera: la primera fue aquélla; la segunda, la muerte de mi madre; la tercera, la detención y condena de mi padre; ésta era la cuarta, si mi memoria no me era infiel".

[307] *HL,* I, v, 387. "Había pasado malos ratos, es cierto, pero me pareció natural y lógico pasarlos: eran quizá una contribución que cada cierto tiempo era necesario pagar a alguien, desconocido aunque existente, y no era justo que uno solo, mi padre, pagara siempre por todos. Los cuatro hermanos estábamos ya crecidos y debíamos empezar a aportar nuestras cuotas, y como no podíamos dar lo que otros dan, trabajo, o dinero, dimos lo único que en ese tiempo, y como hijos de ladrón, teníamos: libertad y lágrimas".

[308] *HL,* II, v, 555-556.

[309] *HL,* III, vii, 562-570 y IV, ii, 597. Rojas castiga lo ambiguo del nombre en su obra dramática, en colaboración con Isidora Aguirre, *Población Esperanza.*

[310] *HL,* II, ii, 450-455.

[311] *HL,* II, ii, 451-453.

[312] *HL,* II, ii, 454-455.

[313] *HL,* II, iv, 457; *HL,* II, xii, 520.

[314] Cp. Norman Cortés L., "*HL* de Manuel Rojas. Tres formas . . .", 113 *et sqq.*

[315] Cp. Norman Cortés L., *loc. cit.,* 109.

[316] Cp. J. M. Castellet, *La hora del lector.* Barcelona, 1957. Yerra el problema por la confusión en que cae entre el lector ficticio que es un elemento de la estructura novelística y los lectores reales de la obra en su situación social. Algo semejante ocurre en la teoría del personaje Morelli de *Rayuela,* la gran novela de Julio Cortázar, cuando habla de lector-hembra y de lector-cómplice.

[317] *HL,* I, i, 379.

[318] *HL,* II, i, 450.

[319] *HL,* III, iii, 540.

[320] *HL,* II, i, 449.

[321] *HL,* II, vii, 481.

[322] *HL,* II, iv, 457.

[323] *HL,* III, iii, 547.

[324] *HL,* III, viii, 572.

[325] *HL,* III, viii, 574.

[326] *HL,* I, ix, 423.

[327] *HL,* I, ii, 380, *et passim:* II, iv, 456-457; iv, 466-469; II, v, 475.

[328] *HL,* I, i, 379; I, ii, 380; I, iii, 382; I, vii, 408-409; I, viii, 418-9; I, xvi, 440.

[329] Vid. Nota 316.

[330] *HL*, II, xii, 520.

[331] Vid. infra.

[332] Cfr. Ortega, *Ideas sobre la novela*.

[333] *HL*, I, iv, 385-386.

[334] *HL*, I, v, 395-397.

[335] *HL*, I, vi, 398-407.

[336] *HL*, I, viii y II, viii.

[337] *HL*, II, xii.

[338] *HL*, III, vii.

[339] *HL*, IV, i.

[340] L. A. Sánchez, *Proceso y contenido*, 456.

[341] *HL*, I, vi, 406.

[342] *HL*, IV, ii, 590.

[343] Cfr. W. Kayser, "Origen y crisis de la novela moderna", 18.

[344] Debe verse en esto no sólo un rasgo del género novelístico, sino también un producto de la actual concepción de la literatura y por tanto de la tendencia literaria superrealista. Se trata, entonces, de una doble constante del género y del período y bajo ella caen las novelas que estudiamos a continuación. Como es la generación superrealista la que hace suya, con su universalismo estético, esta concepción, es también un rasgo esencial de su sistema de preferencias y de su sensibilidad generacional el que alienta este cambio.

Bibliografía

Novelas de María Luisa Bombal: (1). *La última niebla.* Buenos Aires, Sur, 1935. 86 p.; 2ª ed., Santiago, Nascimento, 1941. 142 p. Prólogo de Amado Alonso; 3ª ed., Santiago, Nascimento, 1962. 167 p. Hay también una versión al inglés de la autora: *The House of Mist.* New York, Straus & Company, 1947. Se trata de una nueva versión, más extensa y completamente diferente a la versión española. (2) *La amortajada.* Buenos Aires, Sur, 1938. 122 p.; 2ª ed., Santiago, Nascimento, 1941. 91 p.; 3ª ed., Santiago, Nascimento, 1962. 140 p.

Cuentos: "Las islas nuevas", Sur, 53 (1939); "El árbol", Sur, 60 (1939); *La última niebla,* 2ª ed., Santiago, 1941 (La última niebla, El árbol, Las islas nuevas); "Mar, cielo y tierra", *Saber Vivir,* 1, Bs. As., agosto, 1940); "Las trenzas", *Saber Vivir,* 2 (Bs. As., sep., 1940); "Historia de María Griselda", *Sur,* 142 (1946).

Referencias sobre la Ultima Niebla: (1) Alone, *Historia personal,* 234; (2) Amado Alonso, "Aparición de una novelista", prólogo a LUN; (3) Marta E. Allen, "Dos estilos de novela: Marta Brunet y María Luisa Bombal", *Revista Iberoamericana,* 35 (1952), 63-91; (4) Catherine Meredith Brown, "Haunted Hacienda", *Saturday Review of Literature,* XXX, (may 3, 1947), 22 p.; (5) Margaret V. Campbell, "The Vaporous World of María Luisa Bombal", *Hispania,* XLIV, 3 (1961), 415-419. Uno de los mejores artículos de conjunto sobre la Bombal; (6) Carlos René Correa, "María Luisa Bombal", *Atenea,* 199 (1942); (7) Francisco Santana, *La nueva generación de prosistas chilenos.* 45; (8) Cedomil Goić, "La Ultima Niebla: consideraciones en torno a la estructura de la novela contemporánea", *AUCh,* 128 (1963), 59-83; (9) Arturo Torres Rioseco, "El estilo en las novelas de María Luisa Bombal", Ensayos sobre literatura latinoamericana. 2ª serie. Berkeley y Los Angeles, 1958, 179-190.

Notas

345 Todas nuestras citas se refieren a la 2ª ed.

346 Vid. mi artículo "La novela chilena actual: tendencias y generaciones", *AUCh,* 119 (1960), 250.

347 Vid. supra nota 102.

348 Cfr. W. Kayser, *Entstehung und Krise des modernes Romans.* Stuttgart, 1955. Vid. traducción española de Aurelio Fuentes Rojo, "Origen y crisis de la novela moderna", *Cultura Universitaria,* 47 (Caracas, 1955), 36 *et sqq.* Cfr. tb. J. Ortega y Gasset, *Ideas sobre la novela, O. C.,* III. Kayser da a estos cambios el sen-

tido de una crisis que altera momentáneamente la estructura de la novela moderna. Ortega les confiere, apocalípticamente, un valor más definido. Nos inclinamos más bien a creer dentro de la perspectiva teórica de Kayser, que estamos ante un cambio histórico de la estructura del género: una nueva norma equiparable a la novela bizantina, barroca o moderna. A esta nueva norma hemos llamado novela contemporánea.

[349] Cfr. A. Alonso, "Aparición de una novelista", 7-11. Alonso fue el primero en señalar el sentido de este cambio frente al naturalismo.

[350] Narrador personal, que —insistamos— no debe confundirse con la figura biográfica del autor, es el narrador ficticio que en la novela moderna alcanzó una característica típica por el dominio que su personalidad ejercía sobre el mundo narrativo. Esta estructura personal es la que se ve disminuida o desaparece en la novela contemporánea. Cfr. W. Kayser, 38 *et sqq.*

[351] Tipo de narración es la estructura de término medio que adoptan las relaciones entre los elementos de la situación narrativa (narrador, narración, lector y mundo), determinante significativo de la configuración del género.

[352] Ortega llama *presentativo* este método; es el nombre que le da también Alonso, 11 *et sqq.* Cfr. Ortega, *Ideas sobre la novela*, 391. Escénico o dramático (scenic, dramatic), lo llama Percy Lubbock, *The Craft of Fiction*, London, 1960, p. 69, y, especialmente, Ch. xi. Claude-Edmonde Magny, *L'Age du roman americain*. Paris, Ed. du Seuil, 1948, p. 49, lo denomina *método objetivo* o *de objetividad estricta*.

[353] Cfr. Alonso, 12.

[354] Cfr. Alonso, 15.

[355] Cfr. Alonso, 11: "Todo lo que pasa en esta novela pasa dentro de la cabeza y del corazón de una mujer que sueña y ensueña".

[356] Estructura personal de la novela en el sentido de Julián Marías, *Miguel de Unamuno*, Madrid, Espasa-Calpe, 1943, 51 *et sqq.* Cp. Kayser, *Interpretación y análisis de la obra literaria*. Madrid, 1954, 580-82. Cuando habla de *novela de personaje.*

[357] Es extraño que Alonso olvide otros motivos al exponer la fábula de la novela. Cfr. Alonso, 11. Cp. Margaret V. Campbell, "The Vaporous World of MLB", 415, que habla de ellos como "the theme of unrequited love and alleviation sought".

[358] *Vid. LUM*, p. 36 y 85.

[359] *Vid. LUM*, pp. 41 y 58. Cfr. Alonso, 17.

[360] "Pero la función poética constante de la niebla es la de ser el elemento formal del ensueño en que vive zambullida la protagonista. La niebla siempre cortina de humo que incita a ensimismarse, diluye el paisaje; esfuma los ángulos, tamiza los ruidos; en el campo se estrecha contra la casa; a la ciudad le da la tibia intimidad de un cuarto cerrado. De la bruma emerge y en la bruma se pierde el coche misterioso. Toda la felicidad soñada no es más que un palacio de niebla, y, al fin, todo se desvanece en la niebla". Alonso, 21.

[361] Vid. Roger Caillois, *L'Incertitude que vient de rêves*. Paris, 1956.

[362] *LUM*, 37.

[363] *LUM*, 38.

[364] *LUM*, 45.

[365] *LUM*, 46.

[366] *LUM*, 48.

[367] *LUM*, 49.

[368] *LUM*, 58.

[369] *LUM*, 78.

[370] *LUM*, 78.

[371] *LUM*, 81.

[372] *LUM*, 85.

[373] Cfr. Alonso, 25 y 27. El crítico español apunta certeramente la femineidad fisiognómica de la narración y del sentido poético de la estructura. En la falta de principio activo, en el confinamiento individual se sorprenden rasgos de una extrema femineidad. Cp. F. J. J. Buytendijk, *La Mujer*. Madrid, Revista de Occidente, 1955, p. 309.

Bibliografía

Novelas de José Donoso: [1] *Coronación.* Santiago, Nascimento, 1957. 300 p.; 2ª ed. Santiago, Zig-Zag, 1962. 241 p. (Biblioteca de Novelistas); 3ª ed. Santiago, Zig-Zag, 1965. 241 p. (Biblioteca de Novelistas). *Traducciones: Coronation.* New York, Alfred A. Knopf, 1965; *Coronation.* London, The Bodley Head, 1965; *Incoronazione,* Romanzo, Milano, 1966. [2] *Este domingo.* Santiago, Zig-Zag, 1966. 212 p. (Biblioteca de Novelistas). [3] *El lugar sin límites.* México, Joaquín Mortiz, 1967.

Cuentos: "The blue woman", *MSS* (Princeton, 1950); "The poisoned pastries", *MSS* (Princeton, 1950); "China", E. Lafourcade, *Antología del nuevo cuento chileno.* Santiago, 1954. 77-82; [1] *Veraneo y otros cuentos.* Santiago, Ed. Universitaria, S. A., 1955. 117 p. (Veraneo, Tocayos, El Güero, Una señora, Fiesta en grande, Dos cartas, Dinamarquero); [2] *Dos cuentos.* Santiago. Ed. Guardia Vieja, 1956. 47 p. (El hombrecito, Ana María); "The hombrecito", *Granta,* 69, 1237 (London, 1964), 10-13; Translated by Robert Rowland; "La puerta cerrada", E. Lafourcade, *Cuentos de la generación del 50.* Santiago, 1959. 51-78; "Paseo", Sur, 261 (1959), 17-33; [3] *El Charleston.* Santiago, Nascimento, 1960. 167 p. (El charleston, La puerta cerrada, Ana María, Paseo, El hombrecito); "Santelices", *El Mercurio* (Santiago, 15 de julio, 1962); [4] *Los mejores cuentos* de JD. Santiago, Zig-Zag, 1966.

Referencias sobre Coronación de José Donoso: [1] Fernando Alegría, *Las fronteras del realismo,* 127-128. "En *C* (1957) ilumina con vigorosas pinceladas el mundo insignificante de sirvientas, mandaderos, pacos y pungas de los llamados "barrios altos" del Santiago moderno. Simultáneamente ensaya un análisis psicológico del caballero y del roto. Mientras se trata de ambientar la historia describiendo interiores y exteriores típicos, ya sea de la vieja burguesía o del suburbio popular, no hay vacilaciones ni caídas en su narración. Se advierte algo de rotundo y de magnífico en los poderosos trazos con que dispone objetos en un salón, en una recámara, en un comedor, en una cocina, en un almacén, en la calle misma. Su novela debe la corpulencia que la caracteriza a este poder de decoración interior con que Donoso arregla sus escenas. Pero cuando abandona, en sabio momento, los recursos mecánicos y se lanza a sondear hasta el fondo el ánimo de su héroe para desplegar ante el lector la armazón íntegra de su espíritu en derrota, se hace obvio que la técnica no le basta y que no existen aún en su arte la profundidad y la madurez que el desenlace de su historia exigía.

La locura del héroe es estrictamente literaria. No convence del todo. La muerte de la anciana, en cambio, y la danza de las viejas cocineras constituyen un gran acierto descriptivo y se graban como un símbolo de la decadencia que pinta Donoso, símbolo que nunca se materializa en los desvaríos de Andrés. En este caso se trata nuevamente de un arreglo sabio en la decoración de una escena dirigida y ejecutada con la precisión y belleza de un *ballet*". La descripción de la novela es inadecuada e inexacta. Es fácil observar que el autor considera *C* como una novela moderna o tradicional. Los aspectos decorativos que destaca no tienen el relieve que se les atribuye. Hay en esa imputación una actitud menoscabante. [2] *Alone*, "Crónica Literaria", *El Mercurio* (13 de enero, 1958). "Para tomar un punto de vista chileno, el más alto, *Hijo de Ladrón* podría hacerle competencia; pero, aunque más vasta y con capítulos extraordinarios por su corriente profunda y sostenida, la novela de Rojas no ofrece la misma composición magistral ni esos dos planos de clases sociales que vuelven fascinadora la obra de Donoso. Tampoco su 'tensión' perpetúa, sin resquicio ni abandono, esa plenitud que procede y se desarrolla como jugando, que saborea la vida y siente su amargura que toca las cosas mínimas y no pierde de vista las mayores". *Alone* señala además la minimización del argumento, la ausencia del héroe y su reemplazo por figuras corrientes y vulgares. Destaca en el contenido la oposición de dos mundos: uno de la muerte y otro de la vida. Encomia diversos aspectos por su valor estilístico y su mérito espontáneo. Señala, con humor, la función moral del libro, que le parece de un nihilismo que la irracionalidad común a los hombres neutraliza siempre eficazmente. Una de las mejores críticas de la obra. Compárese con el número [1] anterior. [3] *Alone, Historia Personal*, 248-249. "El novelista de temperamento más seguro y abundante en las nuevas generaciones, autor de *C*, obra rica de observación, penetrante de psicología. Donoso sabe narrar y componer, escribe una prosa familiar y suelta, de gran poder evocador, en la que no hay casi nada perdido", 248; [4] Ricardo A. Latcham, *Carnet crítico*. Montevideo, Ed. Alfa, 1962. 190-193. "Donoso usa y abusa en su novela de resortes truculentos, de situaciones absurdas que poseen menos valor que sus análisis de caracteres o detalles de ambiente social". Como Alegría (Vid. supra [1]), Latcham considera *C* desde el punto de vista de la novela tradicional y pide a la obra lo que ésta no se ha propuesto y no puede dar; [5] Mario Benedetti, "Mundo chileno en varios planos", *Marcha* (Montevideo, 9 de mayo, 1958); [6] Yerko Moretić, "El realismo y el relato chileno", ap. YM y Carlos Orellana, *El nuevo cuento realista chileno*. Antología. Santiago, 1962. 54-55. "Donoso es uno de los escritores chilenos contemporáneos de mayor riqueza conceptual, de mayor amplitud y gama de matices en la profundización de la realidad que quiere presentar. Pero su tendencia crítica de los sectores sociales caducos no encuentra la contrapartida adecuada en la valoración justa de las fuerzas nuevas y sanas de la sociedad. Capaz de advertir determinados aspectos reales, como lo demuestra en *C* y, sobre todo, en sus primeros cuentos, tiende también en la caracterización hacia un simbolismo trascendentalista metafísico, que deforma la realidad detrás de una forzada abstracción". 55. Esto último es, sin embargo, lo esencial de *C* si se quiere salvar su singularidad novelística. Las observaciones quisieran hacer de la novela una obra tradicional e ideológica que definitivamente no es; [7] Hernán Poblete Varas, "Novelistas de hoy", *Atenea,* 389 (1960), 175-177. "José Donoso es esencialmente un realista, un hombre en perpetua observación de cuanto ocurre ante él. Más aún, es un investigador de la realidad que busca en los hechos de la vida cotidiana su interpretación del hombre. Demasiado apegado a su realismo, descuida por completo el ámbito de la fantasía, de la libre invención. Casi no imagina: compone sobre la base de sus comprobaciones directas. Por esto, sus personajes son tan dramáticamente vivos y, por eso, también, las mayores debilidades de su obra aparecen cuando debe poner en juego la necesaria dosis de fantasía. Así, la escena final de la coronación, en la que la obra culmina y 'los cabos se juntan', nos parece arbitraria, inconsecuente. Pero su cuidadoso realismo le ha permitido trazar el retrato de una sociedad en proceso de desintegración, de unos seres que encarnan la nada". 176-177. Parecer arbitrario, juicio descaminado y sin pericia, inadecuado e injusto con la consistencia de la obra. Compárese con los juicios anteriores. [8] Raúl Silva Castro, *Coronación..." AUCh,* 109-110 (1958), 506-507. "*C* es una gran novela psicológica y de ambiente, y con ella su autor se coloca de golpe y para siempre en la primera fila de los escritores nacionales de prosa". 507. El autor se refiere también a la abundancia de personajes y a la maestría de su caracterización. Destaca la escena de la coronación. Sintetiza el triple argumento y destaca su economía de recursos. Analiza la caracterización de Andrés y la maestría con que Donoso hace el estudio profundo de este personaje. Pondera la descripción de la época y el valor que el lenguaje tiene como documento de los diversos niveles culturales presentados: "Algún día —señala— se podrá estudiar esta obra como testimonio del lenguaje usado por el chileno de 1957, trasportado al libro con el mínimo de sacrificio de la espontaneidad". 507. Sólo debe observarse que, como en los casos anteriores, *C,* es considerada como novela tradicional; [9] Cedomil Goić, "La novela chilena actual: tendencias y generaciones". 44. [10] Emir Rodríguez Monegal, "El mundo de José Donoso", *Mundo Nuevo,* 12 (1967), 77-85. Extenso ensayo sobre la obra de Donoso con una interpretación psicoanalítica. Publicado cuando este libro ya estaba impreso.

Notas

[374] Se habrá observado que una triple trama nos permite situar, en cada caso, las novelas que estudiamos. No se trata de un esquematismo simplista, sino de un tributo a la real complejidad del

fenómeno literario. En un corte vertical, aparecen tres niveles periódicos: Epoca, Período y Generación. Tienen diversa extensión y frecuencia que se iluminan respectivamente, a la luz de la estructura del género, la tendencia literaria y la sensibilidad típica de un grupo de edad, como criterios de periodización.

[375] Obtuvo el premio correspondiente a Chile en el Concurso Latinoamericano de la William Faulkner Foundation en 1961. Nadie discutió el mérito de este premio. Lo concedieron, como jurado nacional, quien esto escribe y el novelista Jorge Edwards. Vid. infra referencias en Bibliografía de este capítulo.

[376] Vid. infra Bibliografía de este capítulo.

[377] Vid. Claude-Edmonde Magny, *L'Age du roman americain.* Paris, Ed. du Seuil, 1948, iii, 72, que observa este método en la novela de John dos Passos.

[378] *C*, I, 6, 84. Todas nuestras citas son de la 1ª ed.

[379] Vid. *C*, I, 6, 80.

[380] *C*, I, 1, 18.

[381] *C*, I, 3, 49-50.

[382] *C*, I, 5, 65.

[383] *C*, I, 5, 66-67.

[384] Vid. *C*, I, 7, 101.

[385] *C*, II, 11, 151.

[386] *C*, II, 12, 153-154.

[387] Vid. *C*, II, 12, 155 *et sqq*.

[388] Vid. *C*, I, 5, 67.

[389] *C*, I, 1, 19.

[390] Vid. *C*, II, 11, 137.

[391] Vid. *C*, III, 18, 248.

[392] Vid. *C*, III, 21, 290-291. Para ver cómo este momento se precipita con la última visión estimulante de las palmas rosadas de Estela, *C*, III, 2º, 285. Con ello finaliza la curva de desarrollo que ha tomado el motivo recurrente o reiterativo para fijar los momentos de la transformación de Andrés.